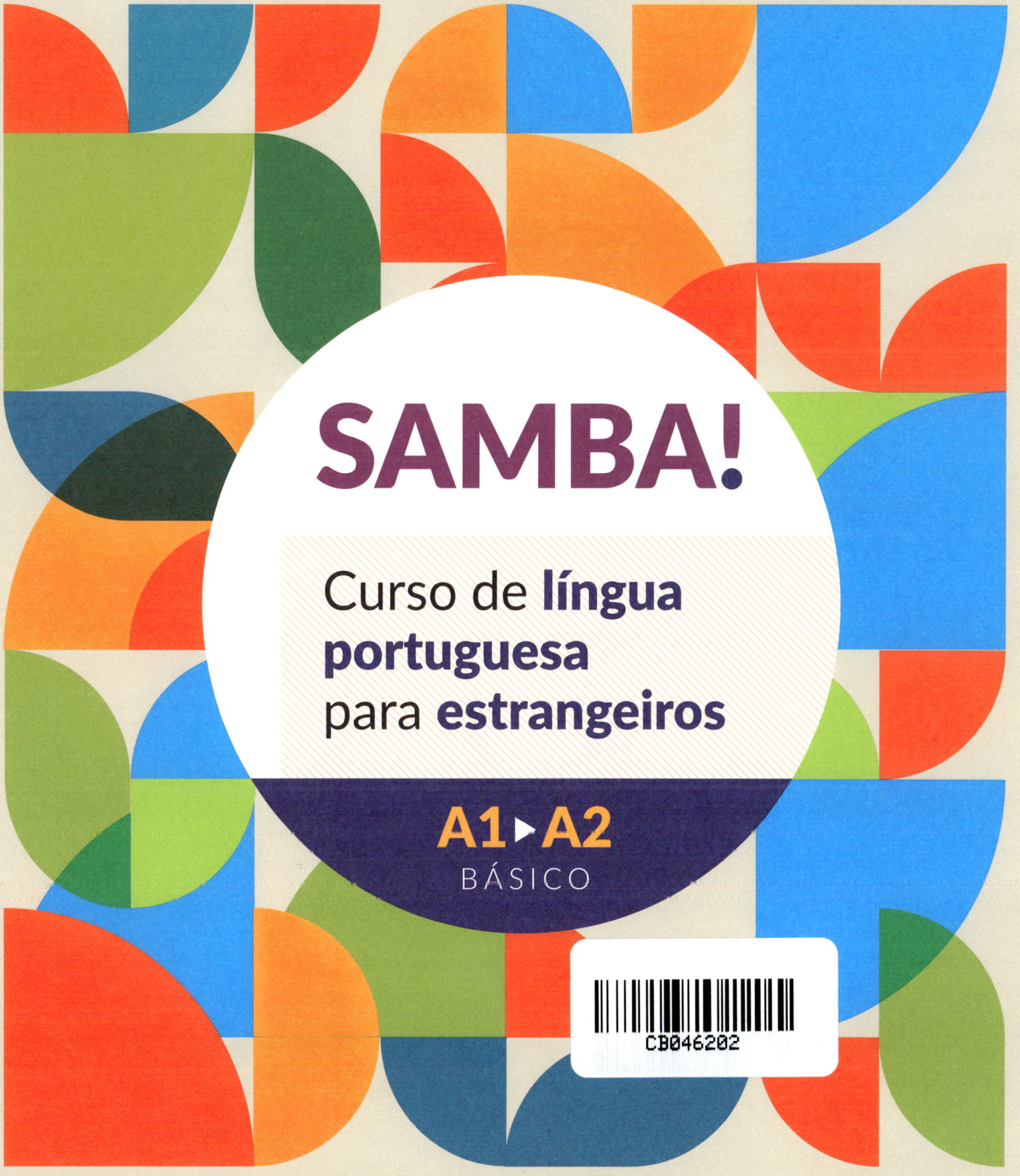

Copyright © 2020 Andrea Ferraz e Isabel M. Pinheiro
Copyright desta edição © 2020 Autêntica Editora

Este projeto foi idealizado pela Aliança Francesa Belo Horizonte, instituição promotora da metodologia aqui aplicada.

EDITORA RESPONSÁVEL
Rejane Dias

EDITORA ASSISTENTE
Rafaela Lamas

ASSISTENTE EDITORIAL
Mariana Faria

COORDENAÇÃO PEDAGÓGICA
Pierre Alfarroba

PESQUISA ICONOGRÁFICA
Ludymilla Duarte
Luísa Araujo

ILUSTRAÇÕES
Mirella Spinelli

REVISÃO
Lúcia Assumpção
Mariana Faria

CAPA
Diogo Droschi (capa e quarta capa sobre imagens de Pixabay/KlausAires, Pixabay/ShonEjai, Shutterstock/Filipe Frazao, Pixabay/Poswiecie, Pixabay/Gadini, Pixabay/soel84, Pixabay/Jessica001234, Flickr/Emanuele Spies, Pixabay, Pexels, Pxhere, Pixabay/LariKoze, Pixabay/aglaiaoliveira, Wikipedia/Plínio Daniel Lins Brandão Veas, Pixabay/tatosievers, Pixabay/Fifaliana-joy, Pixabay/ID 2719743, Pixabay/gettep, Pixabay/JoaoBOliver)

DIAGRAMAÇÃO
Overleap Studio
Larissa Carvalho Mazzoni

Dados Internacionais de Catalogação na Publicação (CIP)
(Câmara Brasileira do Livro, SP, Brasil)

Ferraz, Andrea
  Samba! : curso de língua portuguesa para estrangeiros ; A1-A2 Básico / Andrea Ferraz, Isabel M. Pinheiro. – 1. ed. ; 3. reimp. – Belo Horizonte : Autêntica Editora, 2025.

  ISBN: 978-85-513-0480-8

  1. Português - Estudo e ensino - Brasil 2. Português - Estudo e ensino - Estudantes estrangeiros I. Pinheiro, Isabel M. II. Título.

18-23164   CDD-469.824

Índices para catálogo sistemático:
1. Português para estrangeiros 469.824

Maria Paula C. Riyuzo - Bibliotecária - CRB-8/7639

GRUPO AUTÊNTICA

Belo Horizonte
Rua Carlos Turner, 420
Silveira . 31140-520
Belo Horizonte . MG
Tel.: (55 31) 3465 4500

São Paulo
Av. Paulista, 2.073 . Conjunto Nacional
Horsa I . Salas 404-406 . Bela Vista
01311-940 . São Paulo . SP
Tel.: (55 11) 3034 4468

www.grupoautentica.com.br
SAC: atendimentoleitor@grupoautentica.com.br

APRESENTAÇÃO

Qual é a cara do Brasil?

O desejo de construir um material didático que permitisse a alunos e professores responderem a essa pergunta foi a motivação para desenvolvermos a proposta do livro **Samba!**, um percurso de descoberta da língua portuguesa e da cultura brasileira.

Destinado a falantes de todas as línguas, o livro desenvolve, de forma dinâmica, uma abordagem acional que considera a língua como um meio para realizar tarefas em contextos reais. Tal abordagem reconhece a língua e a aproximação intercultural como elementos indissociáveis e interdependentes para desenvolver o **saber fazer**, o **saber falar** e o **saber ser** no contexto brasileiro.

Nesse sentido, o livro trabalha de forma leve e lúdica as quatro habilidades (compreensão e produção oral/ compreensão e produção escrita), equilibrando os aspectos formais e pragmáticos do português, oferecendo simultaneamente uma imersão no dia a dia brasileiro.

Baseado na progressão didática do Quadro Europeu Comum de Referência para Línguas (QECRL) e estruturado em três volumes, que abrangem, respectivamente, os níveis A1/ A2, B1/ B2 e C1/ C2 (básico, intermediário e avançado).

Idealizamos cada conteúdo como ponto de partida de uma viagem pelo Brasil. Para quem ainda não conhece o país, o livro não é apenas uma ferramenta para aprender a língua: é um guia. Para quem já chegou, trata-se de uma oportunidade de aprofundar e amadurecer a experiência.

Por meio deste trabalho, oferecemos aos alunos e professores de português brasileiro um instrumento de desenvolvimento tanto linguístico como (inter)cultural. Cheio de dicas, curiosidades, projetos e atividades interativas, buscamos desenhar este método como se fosse uma janela aberta para a diversidade do Brasil, esse país continente, e da lusofonia.

Desejamos a você um passeio agradável nas múltiplas cores, culturas e sonoridades brasileiras.

Pierre Alfarroba
Coordenador pedagógico

Andrea Ferraz e Isabel M. Pinheiro
Autoras

COMO USAR ESTE LIVRO

▶ LEGENDA DOS ÍCONES:

 VAMOS FALAR
 VAMOS LER
 VAMOS ESCREVER
 VAMOS ESCUTAR
 VAMOS BUSCAR

 VAMOS TREINAR A PRONÚNCIA
 VALE A PENA ASSISTIR...
 POR DENTRO DA LUSOFONIA
 PALAVRA POR PALAVRA
 VAMOS SISTEMATIZAR

 FALE ASSIM
 VAMOS ASSISTIR
 VOCÊ SABIA?
 PONTO CULTURAL
 HORA DO JOGO

Página de abertura com imagens que sensibilizam o aluno para o tema central da unidade.

A complementação da página de sensibilização apresenta os conteúdos, objetivos comunicativos e uma música brasileira relacionada ao tema central.

Vamos sempre partir de elementos provocadores (título + texto + imagens) que desencadeiam a comunicação na língua-alvo e a descoberta de elementos relacionados ao tema de cada unidade. Isso vai nos introduzir nos contextos comunicativos que vamos trabalhar.

 O ícone *Vamos escutar* propõe atividades de compreensão oral.

 Quando o ícone *Vamos ler* aparece, o aluno exercita e desenvolve estratégias de leitura.

 O ícone *Palavra por palavra* destaca o vocabulário específico concernente ao tema da unidade.

 O ícone *Fale assim* destaca expressões-chave do conteúdo estudado para o aluno interagir dentro e fora da sala de aula de forma simples e eficaz.

 O ícone *Vamos escrever* convida o aluno a reinvestir os conteúdos aprendidos em uma produção escrita. Esta pode ser a simples redação de respostas claras e completas ou a execução de uma tarefa.

 O ícone *Você sabia?* apresenta curiosidades, informações complementares sobre o Brasil ou a língua portuguesa.

 Toda vez que o símbolo *Vamos sistematizar* aparecer, vamos organizar os recursos linguísticos que foram demandados ao longo das atividades.

A cada unidade, você vai encontrar um *Ponto cultural*. Ele apresenta lugares, artistas, dados históricos ou algum comportamento típico da cultura brasileira.

 A *Hora do jogo* é uma atividade lúdica individual ou coletiva que proporciona a aplicação do vocabulário e do conteúdo aprendido.

 Quando o ícone *Vamos assistir* aparecer, vamos ver um vídeo para ampliar nossa inserção na cultura brasileira e reforçar as habilidades de escuta, interpretação e comunicação.

 O ícone *Vamos falar* indica a oportunidade de exercitar a prática oral, geralmente associada a outras habilidades como leitura e compreensão de textos.

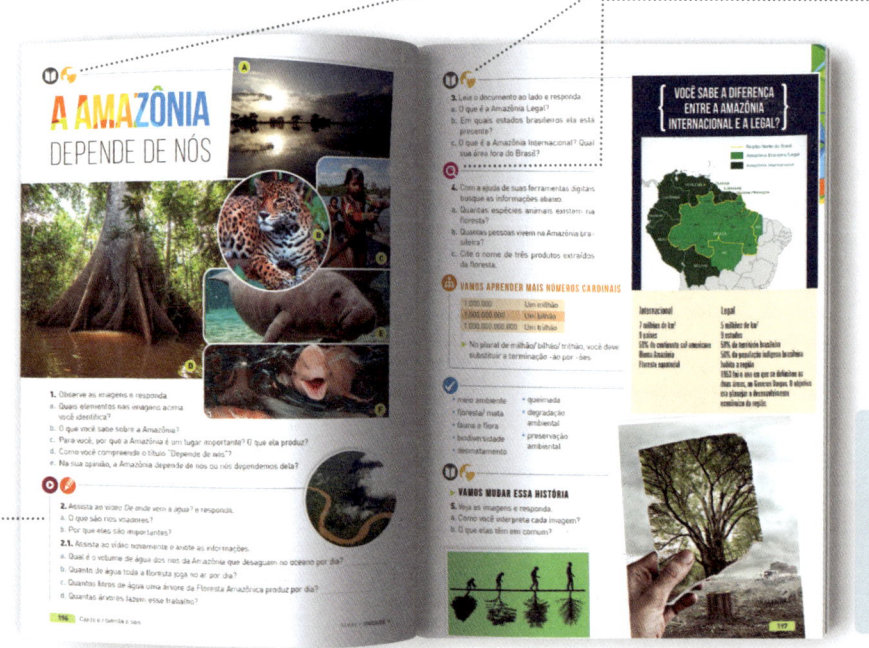

 O símbolo *Vamos buscar* sinaliza uma atividade na qual o estudante utiliza ferramentas digitais de busca na internet para adquirir informações relativas a algum conteúdo.

Na seção *Vamos treinar a pronúncia*, o aluno exercita a escuta, a identificação e a repetição de fonemas. Também pode ser utilizada como um ditado.

 A seção *Por dentro da lusofonia* apresenta pontos da cultura lusófona e proporciona ao aluno uma abertura à língua portuguesa para além das fronteiras do Brasil.

Ao final de cada unidade, quatro páginas com exercícios permitem a prática e a fixação dos conteúdos linguísticos e culturais aprendidos.

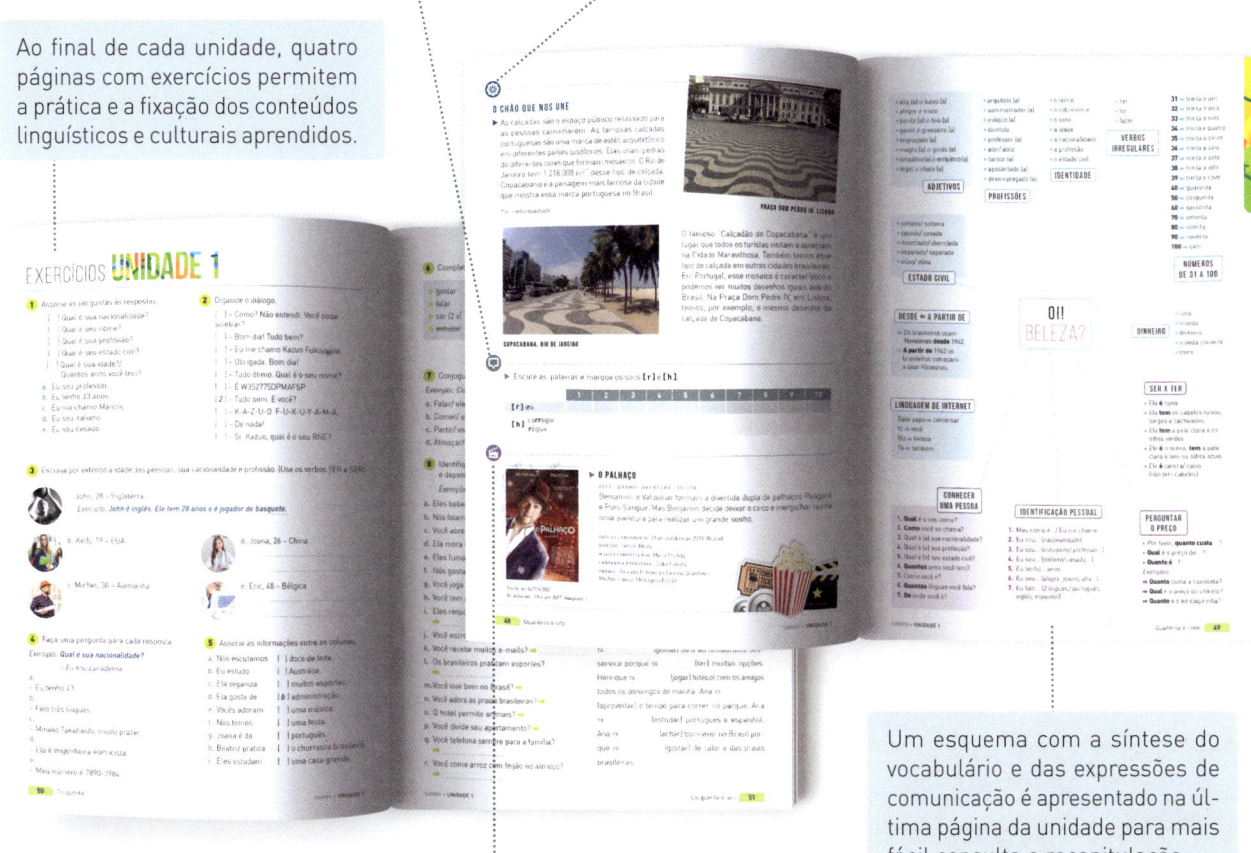

Um esquema com a síntese do vocabulário e das expressões de comunicação é apresentado na última página da unidade para mais fácil consulta e recapitulação.

 Na seção *Vale a pena assistir...* o aluno recebe a indicação de um filme brasileiro para ter a possibilidade de mais um contato com a cultura brasileira e a língua portuguesa.

CONHEÇA A PLATAFORMA DIGITAL DO *SAMBA!*

Para acessar, leia o código QR ao lado ou acesse o site **bit.ly/3nPHPld** de seu computador.

Aqui estão hospedados os **áudios** e **vídeos** indicados ao longo do livro pelos ícones *Vamos escutar, Vamos treinar a pronúncia* e *Vamos assistir*. Este conteúdo digital tem como objetivo exercitar sua escuta e sua compreensão oral, além de reforçar suas habilidades de interpretação e comunicação em língua portuguesa.

A plataforma oferece, ainda, para alunos e professores, exclusivos conteúdos complementares de ensino do português como língua estrangeira.

UNIDADE 0 · PÁGINA 17
BEM-VINDO AO BRASIL

SOCIOCULTURAL
- Regiões e estados do Brasil
- Monumentos brasileiros
- Documentos oficiais
- O réveillon e datas comemorativas no Brasil
- A bandeira do Brasil
- O significado das cores para o Ano Novo
- A língua portuguesa no mundo
- Ritmos musicais brasileiros

COMUNICATIVO
- Expressar seus gostos
- Cumprimentar
- Apresentar-se
- Dar e perguntar o telefone e o e-mail
- Expressões de polidez

GRAMÁTICA
- Verbos -ar
- Verbo pronominal (chamar-se)
- Verbo SER
- Artigos definidos e indefinidos
- Formação de feminino
- A estrutura básica das frases
- Gêneros de alguns substantivos

LÉXICO
- O alfabeto
- Os números de 0 a 31
- Os dias da semana
- Os meses do ano
- As cores
- Os países e as nacionalidades
- Os materiais escolares

GÊNEROS TEXTUAIS
- Mapa
- Documentos oficiais
- Calendário
- Agenda telefônica

FONÉTICA
- Os fonemas [e] [ɛ] [i]

OBJETIVOS
▸ Cumprimentar
▸ Perguntar e dizer o nome e a nacionalidade
▸ Falar seus dados pessoais
▸ Identificar alguns lugares do Brasil
▸ Soletrar e falar datas

UNIDADE 1 · PÁGINA 35
OI! BELEZA?

SOCIOCULTURAL
- Chats de relacionamento
- Grafite no Brasil: Eduardo Kobra
- Personalidades dos países lusófonos
- Havaianas: original do Brasil
- Os brasileiros e o dinheiro
- As calçadas portuguesas

COMUNICATIVO
- Falar de sua origem
- Falar sua profissão, estado civil e idade
- Expressar seus gostos
- Descrever uma pessoa/ imóvel
- Apresentar-se e conhecer uma pessoa
- Perguntar e dizer o preço

GRAMÁTICA
- Verbo TER
- Verbos regulares -ar/ -er/ -ir
- Preposição DE + ARTIGO
- Usos do verbo SER
- Verbo ESTAR
- Adjetivos
- Verbo FAZER
- Pronomes interrogativos

LÉXICO
- Profissões
- Estado civil
- Números de 31 a 100
- Adjetivos para características físicas e estados emocionais
- Expressões para uso do dinheiro

GÊNEROS TEXTUAIS
- Chat (Bate-papo)
- Biografia
- Website
- Gráfico pizza
- Comentários de avaliação
- Perfil em textos digitais
- Publicidade

FONÉTICA
- Os fonemas [ɾ] [h]

OBJETIVOS
▶ Apresentar-se e apresentar alguém
▶ Descrever-se e descrever uma pessoa
▶ Falar de sua origem
▶ Caracterizar um imóvel
▶ Perguntar preços
▶ Expressar emoções

UNIDADE 2 · PÁGINA 55
VAMBORA

SOCIOCULTURAL
- Lugares turísticos do Brasil
- Cidades mais visitadas do Brasil: o perfil do turista
- Pacotes de viagem
- Viagens de ônibus no Brasil
- Mercados Municipais
- Português de Portugal

COMUNICATIVO
- Descrever as condições de viagem
- Compreender a descrição de pacotes de viagens
- Fazer reservas de hotéis e passagens
- Dar endereços e descrever localizações
- Indicar e compreender indicações de caminho
- Expressar objetivos de uma viagem

GRAMÁTICA
- Verbo IR
- IR + A/ DE
- Verbo ESTAR (localização)
- Preposições EM/ A + ARTIGO
- Preposição PARA
- Verbo FICAR (localização)
- Preposições e locuções prepositivas para localização
- Futuro com o verbo IR

LÉXICO
- Lugares para visitar
- Acompanhantes
- Estações do ano
- Meios de transporte
- Tipos de hospedagem
- Serviços do hotel
- Quantificadores
- Atrações
- Pontos cardeais
- Estabelecimentos comerciais

GÊNEROS TEXTUAIS
- Campanha publicitária
- Gráfico em barras
- Infográfico
- Abertura de reportagem
- Mapa
- Publicidade de pacote de viagem
- Bilhete de passagem rodoviária
- Cartão postal

FONÉTICA
- Os fonemas [b] [v]

OBJETIVOS
▶ Planejar viagens
▶ Dar endereços
▶ Indicar caminhos
▶ Explicar localizações
▶ Fazer reservas de hotel

UNIDADE 3 · PÁGINA 75
DIA A DIA

SOCIOCULTURAL
- Os brasileiros e a TV
- O lazer no Brasil
- Esportes no Brasil
- A pelada
- A capoeira
- Curiosidades sobres os hábitos dos brasileiros
- A pontualidade dos brasileiros
- Ilha da Madeira

COMUNICATIVO
- Falar sobre as atividades cotidianas e em curso
- Perguntar e dizer as horas
- Falar sobre hábitos e prática de esportes e lazer
- Marcar compromissos
- Convidar, aceitar e recusar um convite

GRAMÁTICA
- Expressão de horas e datas
- Expressões de hábito
- Presente contínuo
- Verbos irregulares VER, LER, SAIR, DORMIR, PODER, VESTIR-SE e QUERER
- Advérbios para expressar frequência

LÉXICO
- Programas de TV
- Expressões de frequência
- Atividades de lazer
- Períodos do dia
- Atividades cotidianas
- Esportes
- Limpeza e organização da casa

GÊNEROS TEXTUAIS
- Gráfico em coluna
- Chat
- Organograma
- Infográfico
- Blog
- Agenda

FONÉTICA
- Os fonemas [ɾ] [l]

OBJETIVOS
▶ Falar das atividades cotidianas e em curso
▶ Marcar compromissos
▶ Convidar, aceitar e recusar um convite
▶ Falar sobre as atividades de lazer e hábitos esportivos

UNIDADE 4 · PÁGINA 95
A CASA É SUA!

SOCIOCULTURAL
- Tipos de moradia no Brasil
- As preferências dos brasileiros ao escolher um imóvel
- Fatores que influenciam no preço de um imóvel no Brasil
- Programa Minha Casa Minha Vida
- CASACOR
- Os quintais do Brasil
- Objetos que caracterizam a casa dos brasileiros
- As contas de um imóvel no Brasil
- Os azulejos portugueses

COMUNICATIVO
- Compreender um anúncio de imóvel
- Pedir informações sobre um imóvel
- Compreender e descrever um imóvel e um ambiente
- Expressar necessidades
- Compreender e expressar permissão e interdição

GRAMÁTICA
- Futuro do pretérito I: verbos regulares
- Demonstrativos
- Advérbios de lugar
- Permissão x interdição
- Comparativos I: superlativo relativo
- Expressões de necessidade

LÉXICO
- Tipos de moradia
- Os cômodos da casa
- Abreviações usadas em anúncios de imóveis
- Os móveis
- Adjetivos para caracterizar um ambiente
- Expressões relativas à conservação de um imóvel

GÊNEROS TEXTUAIS
- Infográfico
- Planta de um imóvel
- Classificados
- Tirinha
- Guia de visitação
- Enquete
- Texto instrucional

FONÉTICA
- Os fonemas [t] [d]

OBJETIVOS
▶ Compreender anúncios
▶ Descrever ambientes
▶ Obter informações sobre um imóvel
▶ Expressar necessidades e as regras da casa

UNIDADE 5 · PÁGINA 115
A GRANDE FAMÍLIA

SOCIOCULTURAL
- A imigração e formação do povo brasileiro
- Sobrenomes brasileiros
- O Museu da Imigração
- A família brasileira hoje
- Adoção no Brasil
- José Eduardo Agualusa

COMUNICATIVO
- Falar de suas origens
- Descrever sua família e as relações de parentesco
- Expressar posse
- Narrar eventos passados
- Analisar e expressar os dados de um gráfico

GRAMÁTICA
- Formação de plural
- Verbos em -cer
- Possessivos
- Números cardinais: as centenas
- Verbos SABER x CONHECER
- Pretérito perfeito
- Verbo VIR

LÉXICO
- Relação de parentesco
- Expressões para leitura de gráficos
- Adjetivos/ gírias

GÊNEROS TEXTUAIS
- *Flyer*
- Verbete
- Árvore genealógica
- Cartum/ tirinha
- Infográfico
- Campanha comunitária
- Cartaz de filme
- Promoção comercial – concurso
- Reportagem

FONÉTICA
- Os fonemas [s] [z]

OBJETIVOS
▶ Falar de sua origem
▶ Descrever sua família
▶ Narrar eventos no passado

UNIDADE 6 · PÁGINA 135
BRASIL NA MESA

SOCIOCULTURAL
- Raízes da culinária no Brasil
- Relações entre a gastronomia brasileira e religiões africanas
- A culinária nas regiões do Brasil
- A lenda da mandioca
- Os maiores chefs de cozinha do Brasil
- Comida de boteco e futebol
- Os pastéis de nata
- Os alimentos mais consumidos pelos brasileiros

COMUNICATIVO
- Fazer pedidos em um restaurante
- Opinar sobre a comida
- Aceitar e recusar
- Expressar elementos em ordem
- Expressar preferência
- Compreender e produzir receitas

GRAMÁTICA
- Números ordinais
- Números fracionários
- Verbos irregulares em -ir
- Expressões de quantidade
- Verbo PREFERIR

LÉXICO
- Tipos de alimento
- Utensílios à mesa
- Partes de uma refeição
- Tipos de prato
- Tipos de embalagem
- Formas de pagamento
- Verbos e expressões usados em receitas

GÊNEROS TEXTUAIS
- Fôlder
- Texto de blog
- Cardápio
- Receita

FONÉTICA
- Os fonemas [p] [b]

OBJETIVOS
▶ Identificar alguns pratos brasileiros e suas origens
▶ Fazer pedidos em um restaurante
▶ Opinar sobre as comidas
▶ Pagar as compras
▶ Ler e produzir receitas
▶ Ordenar elementos

UNIDADE 7 · PÁGINA 155
SAÚDE EM DIA

SOCIOCULTURAL
- Sistema de saúde no Brasil
- Sedentarismo no Brasil
- Vegetarianismo
- Doação de órgãos no Brasil
- Dengue, Zika e Chikungunya
- Plantas medicinais
- A medicina popular em Moçambique

COMUNICATIVO
- Expressar os cuidados com a saúde
- Expressar sensações físicas e sintomas
- Comunicar objetivos quanto a práticas de saúde
- Comunicação em uma consulta médica
- Compreender prescrições médicas
- Expressões com o verbo DAR

GRAMÁTICA
- Comparativos II: igualdade, superioridade e inferioridade
- Preposições POR x PARA
- Preposição POR + artigo
- Preposições SEM/ COM
- Verbo DAR e DOAR
- Expressões para dar conselho e orientações

LÉXICO
- Verbos relativos aos hábitos de saúde
- Categorias de alimento
- Partes do corpo
- Sintomas e algumas doenças
- Verbos usados em descrições de tratamentos
- Tipos de medicamento
- Verbos usados na descrição de sintomas
- Nomes de algumas plantas medicinais

GÊNEROS TEXTUAIS
- Campanha comunitária
- Site
- Infográfico
- Depoimento
- Petição digital
- Panfletos
- Prontuário médico
- Reportagem

FONÉTICA
- Os fonemas [f] [v]

OBJETIVOS
- Falar dos seus cuidados com a saúde
- Falar sobre seu estado físico em uma consulta médica
- Compreender orientações médicas e prescrições de medicamentos

UNIDADE 8 · PÁGINA 175
COM QUE ROUPA?

SOCIOCULTURAL
- Moda e estilo no Brasil
- Tamanhos e medidas
- "O biquíni made in Brazil"
- Tipos de consumidor
- Trocaria e brechó
- SPFW – São Paulo Fashion Week
- Os tipos de clima do Brasil
- Tatuagem
- Portugal Fashion Week

COMUNICATIVO
- Expressões usadas em uma loja de roupas e/ ou sapatos
- Descrever uma roupa
- Falar sobre hábitos de consumo
- Compreender a previsão do tempo
- Descrever o tempo/ clima
- Expressões para pechinchar

GRAMÁTICA
- Sufixos -ismo e -ista
- Expressões de condição
- Verbos LEVAR e TRAZER (presente e pretérito perfeito)
- Futuro do pretérito II: verbos irregulares

LÉXICO
- Tamanhos de vestuário
- Vestuário
- Adjetivos para descrever roupas
- Tipos de estilos
- Expressões usadas na meteorologia

GÊNEROS TEXTUAIS
- Tabelas de medidas e tamanhos
- Blog
- Gráfico
- Teste de revista
- Reportagem
- Depoimento
- Diagrama
- Cartaz
- Narrativa
- Previsão do tempo
- Infográfico

FONÉTICA
- Os fonemas [k] [g]

OBJETIVOS
- Descrever e analisar roupas
- Comprar roupas e acessórios
- Pedir descontos
- Compreender a previsão do tempo
- Falar sobre hábitos de consumo
- Expressar desejo ou possibilidade

UNIDADE 9 · PÁGINA 195
RESPONSABILIZE-SE

SOCIOCULTURAL
- A Amazônia
- Lixo e reciclagem no Brasil
- Créditos de carbono
- Jogos Mundiais dos Povos Indígenas
- Vik Muniz: Lixo extraordinário
- Biomas do Brasil e Parques Nacionais
- Recursos hídricos no Brasil
- Ecoturismo em Cabo Verde
- Cidades brasileiras mais arborizadas
- Projeto TAMAR

COMUNICATIVO
- Expressar ações para a proteção do meio ambiente
- Expressar ordem e conselho
- Discutir questões ambientais
- Propor soluções

GRAMÁTICA
- Verbos impessoais PÔR e HAVER
- Pronomes indefinidos
- O imperativo

LÉXICO
- Palavras e expressões relativas ao meio ambiente
- Tipos de materiais e lixo
- Verbos de ações para proteção ambiental
- Números cardinais a partir de um milhão

GÊNEROS TEXTUAIS
- Infográfico
- Publicidade
- Campanha comunitária
- Panfleto
- Texto de apresentação: Vik Muniz
- Mapa

FONÉTICA
- Os fonemas [ʎ] [l]

ANEXOS · PÁGINA 215

ANEXO 1 — A FONÉTICA DO PORTUGUÊS BRASILEIRO
- Alfabeto
- Tabela fonética do português
- Acentos gráficos

ANEXO 2 — ANEXOS GRAMATICAIS
- Estrutura básica da frase
- Artigos definidos e indefinidos
- Substantivos
- Adjetivos
- Pronomes
- Numerais
- Conjunções
- Preposições
- Advérbios
- Verbos

ANEXO 3 — TABELA DE CONJUGAÇÃO
- Modo indicativo

ANEXO 4 — TRANSCRIÇÃO DE ÁUDIOS

ANEXO 5 — RESPOSTAS DOS EXERCÍCIOS

ANEXO 6 — MAPA POLÍTICO

ANEXO 7 — A LÍNGUA PORTUGUESA NO MUNDO

OBJETIVOS
▶ Discutir questões ambientais
▶ Falar sobre ações para proteção do meio ambiente
▶ Compreender panfletos e orientações
▶ Propor soluções

UNIDADE 0

 AQUELE ABRAÇO

BEM-VINDO AO BRASIL

NESTA UNIDADE VOCÊ VAI APRENDER:
- o alfabeto e os sons
- as cores e as emoções
- os países e as nacionalidades
- os números até 31
- o verbo SER
- os verbos em -ar / verbos pronominais
- afirmação / negação
- as principais datas comemorativas
- os artigos definidos e indefinidos

PARA:
- cumprimentar
- perguntar e dizer o nome e a nacionalidade
- falar seus dados pessoais
- identificar alguns lugares do Brasil
- soletrar e falar datas

O QUE VOCÊ SABE SOBRE O BRASIL?

▶ **QUE LUGARES DO BRASIL VOCÊ CONHECE?**

- Norte
- Nordeste
- Centro-Oeste
- Sudeste
- Sul

1. Associe as imagens ao nome de cada lugar.

☐ Pelourinho ☐ Palácio do Planalto
☐ Cristo Redentor ☐ Floresta Amazônica
☐ Foz do Iguaçu ☐ Pantanal

1.1. Marque no alfabeto abaixo as letras que não estão presentes nas siglas dos estados brasileiros:

A-B-C-D-E-F-G-H-I-J-K-L-M-N-O-P-Q-R-S-T-U-V-W-X-Y-Z

2. Escute os trechos de música e responda às questões a seguir.

a. Relacione o som aos ritmos musicais.

☐ Sertanejo ☐ Salsa ☐ Samba ☐ Funk ☐ Jazz
☐ Clássico ☐ Forró ☐ Rock ☐ Reggaeton ☐ *1* Tecnobrega

b. Na sua opinião, que ritmos são brasileiros? ....
c. De que ritmos você gosta? *Eu gosto de...* .... *E você?*

d. A partir de suas experiências, que palavras você conhece em português? Como elas são pronunciadas?*

....
....
....

* Verificar a tabela de fonética do português brasileiro no Anexo 1 deste livro.

3. Em grupo, associe as imagens às atividades correspondentes. Em seguida, escreva seu nome e de seus colegas no quadro abaixo e marque as áreas de interesse de cada um.

▶ **EU GOSTO DE... ELE/A GOSTA DE... NÓS GOSTAMOS DE...**

IMAGEM	ATIVIDADE	NOME:	NOME:	NOME:	NOME:
	Música				
	Comidas				
A	Esportes				
	Festas populares				
	Natureza				
	Arte e artesanato				
	Cinema				
	Museus				

 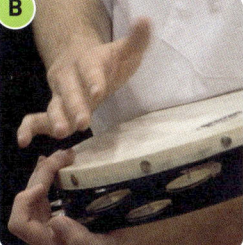   

PRONOMES PESSOAIS	GOSTAR
Eu	gosto
Você	gosta
Ele/ Ela	gosta
Nós	gostamos
Vocês	gostam
Eles/ Elas	gostam

De que você gosta?/ Você gosta **de** quê?

Exemplo: Eu gosto **de cantar**. (de + verbo no infinitivo)

Exemplo: Eu gosto **de futebol**. (de + substantivo)

COMO VAI VOCÊ?

4. Escute os diálogos e os associe às imagens correspondentes.

☐ No bar com amigos ☐ Na universidade ☐ No trabalho

DIÁLOGO 1	DIÁLOGO 2	DIÁLOGO 3
– Oi! Tudo bem? – Tudo bem. – Qual é o seu nome? – Meu nome é Marina. E o seu? – Eu me chamo Eric. Muito prazer!	– Bom dia! – Bom dia! – Como vai o senhor? – Eu vou bem, obrigado. E a senhora? – Eu também, obrigada.	– E aí, gente? Beleza? – Beleza! – Tudo bem com vocês? – Tudo. E você?

Bom dia!/ Boa tarde!/ Boa noite!
Oi!/ Olá! Beleza?!/ Tudo bem?/ Como vai você?/ Como você está? Tudo joia?

➡ Bem./ Tudo bem./ Muito bem, obrigado (a).
➡ Eu vou bem. E você?
➡ Mais ou menos.

Tchau! Até logo! Até mais! Até amanhã!

- senhor (Sr.)/ senhora (Sra.)
- seu/ dona
- moço/ moça
- você

↑ FORMAL

- (Muito) obrigado (a) ➡ De nada
- Por favor
- Desculpe/ desculpa (oralidade)
- Com licença

O apelido é uma maneira informal de nomear uma pessoa.

▶ No Brasil, as pessoas geralmente se chamam pelo primeiro nome, mesmo em situações formais. É possível que as pessoas se apresentem também por um apelido pelo qual são conhecidas ou pelo próprio sobrenome. Não é raro o uso do nome no aumentativo ou diminutivo. Exemplos:

OLÁ! EU SOU O PAULÃO.

PRAZER! SOU A ANINHA.

OI, SOU O PIMENTEL.

OI, EU ME CHAMO ISA. MUITO PRAZER!

OI, MEU NOME É JOÃO FERREIRA.

OS DOCUMENTOS OFICIAIS

- **CPF:** Cadastro de Pessoa Física
- **CI/ RG:** Carteira de Identidade/ Registro Geral
- **CRNM:** Carteira de Registro Nacional Migratório
- **Filiação =** nome do pai **+** nome da mãe

5. Associe o nome dos documentos às imagens.

▶ Os documentos oficiais registram as pessoas para os sistemas administrativos do país. O CPF existe para brasileiros e estrangeiros com visto permanente. O CPF temporário existe para estrangeiros com outros vistos.

Fonte: bit.ly/336VdT1 (Acesso em: 22 maio 2018. Adaptado.)

A Carteira de identidade **B** Passaporte **C** Cadastro de Pessoa Física

6. Complete as informações que estão ausentes na cédula de identidade de estrangeiro.

▶ data de nascimento ▶ sobrenome ▶ validade ▶ nacionalidade ▶ sexo ▶ ~~filiação~~ ▶ nome

Carteira de Registro Nacional Migratório:
- A STRAVINSKY
- B GERARD
- C 29/03/1990
- D MASCULINO
- E JOHANN PAUL STRAVINSKY / MARIE STRAVINSKY
- F ALEMÃ
- G 10/12/2032
- RNM X123456-Y

A ....
B ....
C ....
D ....
E *Filiação*
F ....
G ....

O verbo **CHAMAR-SE** no **presente do indicativo**.

PRONOMES PESSOAIS	PRONOMES REFLEXIVOS	CHAMAR-SE
Eu	me	chamo
*Tu	te	chamas
Ele/ Ela/ Você/ **A gente	se	chama
Nós	nos	chamamos
***Vós	vos	chamais
Eles/ Elas/ Vocês	se	chamam

Como você se chama?

Eu me chamo
João Mendes Silva.

João é o **nome**.
Mendes Silva é o **sobrenome**.

Qual é o seu nome?
Meu nome é...

* *Tu* é falado apenas em algumas regiões do Brasil e no português europeu. No Brasil, o pronome **VOCÊ** é equivalente ao **TU**. Por isso, ao longo do livro, não vamos utilizar essa conjugação nos padrões de conjugação apresentados.

** *A gente* (informal) **= Nós** (formal)

*** *Vós* é raramente usado. Usamos o pronome **vocês**.

FELIZ ANIVERSÁRIO

▶ **VAMOS COMEMORAR O ANIVERSÁRIO NA SALA DE AULA?**

7. Cada aluno, a partir dos dados da cédula de identidade, apresenta um colega, soletra o nome dele e fala a data de aniversário. Todos escrevem o nome e a data de aniversário do colega no quadro abaixo. É importante não se esquecer do professor.

PARABÉNS PRA VOCÊ

PARABÉNS PRA VOCÊ
NESTA DATA QUERIDA
MUITAS FELICIDADES
MUITOS ANOS DE VIDA

2x

JANEIRO	FEVEREIRO	MARÇO	ABRIL

MAIO	JUNHO	JULHO	AGOSTO

SETEMBRO	OUTUBRO	NOVEMBRO	DEZEMBRO

Quando é o aniversário de Gerard?

➡ O aniversário de Gerard **é dia 20 de dezembro.**

Quando é o seu aniversário?

➡ Meu aniversário **é dia 25 de abril.**/
Meu aniversário **é dia 25, em abril.**

DIAS DA SEMANA

- a segunda-feira
- a terça-feira
- a quarta-feira
- a quinta-feira
- a sexta-feira
- o sábado
- o domingo

0 ➡ zero	6 ➡ seis	12 ➡ doze	17 ➡ dezessete	22 ➡ vinte e dois	27 ➡ vinte e sete
1 ➡ um	7 ➡ sete	13 ➡ treze	18 ➡ dezoito	23 ➡ vinte e três	28 ➡ vinte e oito
2 ➡ dois	8 ➡ oito	14 ➡ catorze/quatorze	19 ➡ dezenove	24 ➡ vinte e quatro	29 ➡ vinte e nove
3 ➡ três	9 ➡ nove		20 ➡ vinte	25 ➡ vinte e cinco	30 ➡ trinta
4 ➡ quatro	10 ➡ dez	15 ➡ quinze	21 ➡ vinte e um	26 ➡ vinte e seis	31 ➡ trinta e um
5 ➡ cinco	11 ➡ onze	16 ➡ dezesseis			

MÊS DE FESTAS

DEZEMBRO

dom	seg	ter	qua	qui	sex	sáb
		1	2	3	4	5
6	7	8	9	10	11	12
13	14	15	16	17	18	19
20	21	22	23	24	(25)	26
27	28	29	30	(31)		

8. Observe o calendário e responda.
  a. Quais festas comemoramos nos dias 25 e 31 de dezembro?
  b. No seu país, essas festas são comemoradas? ☐ Sim ☐ Não
  c. Quais datas são importantes no seu país?
  d. Que dia é hoje? Hoje é dia...
  e. Em qual dia da semana é o Natal e o réveillon este ano?

VALE DO SOL, BOM DIA!

9. Escute o diálogo e responda.

a. O telefonema é para: ☐ restaurante ☐ hotel ☐ pousada ☐ hostel

b. Qual é a data da reserva? Do dia _____ de _____ ao dia _____ de _____ .

c. O quarto é: ☐ simples ☐ duplo ☐ casal

d. A reserva é em nome de quem? _____

e. Qual é o número de telefone do cliente? _____

f. E o e-mail? _____

g. Que festa acontece durante a estadia? _____

Qual é o número do seu telefone? ➡ Meu telefone é...
Você tem WhatsApp?/ Me passa seu zap?
➡ É... 99515-1330.
Você tem telefone fixo? ➡ É 3441-4251.

** Pode-se falar seis ou meia para número de telefone e endereço. Não existe uma forma única de ler os números. **Exemplo:** 98765-4321 (nove oito sete **meia** cinco quatro três dois um)*

Qual é o seu e-mail?
@ (arroba) **.** (ponto) _ (underline) **-** (traço)
Exemplo: Meu e-mail é joao_lmc-15@samba.com.br

ATENÇÃO! Os códigos DDD (nacional) e DDI (internacional) são necessários para fazer ligações telefônicas para diferentes **cidades**, **estados** ou **países**.

No Brasil, o aplicativo de mensagens instantâneas mais usado pela população é o WhatsApp. Essa ferramenta ficou tão usada que se tornou uma forma de pedir o número de telefone a alguém.

PRONOMES	SER
Eu	sou
Você	é
Ele/ Ela/ A gente	é
Nós	somos
Vocês	são
Eles/ Elas	são

O verbo **SER** é usado para se apresentar e descrever características mais difíceis de mudar.
➡ Gerard Stravinsky **é** filho de Johann Paul Stravinsky e Marie Stravinsky. Os pais de Gerard **são** Johnann e Marie.
➡ O aniversário de Gerard **é** dia 20 de dezembro.
➡ Ele **é** de nacionalidade alemã./ Gerard **é** alemão.
➡ Johann e Marie **são** casados.
➡ Gerard **é** estrangeiro.

AS CORES E A CULTURA DO BRASIL

▶ **SIGNIFICADO DAS CORES PARA O ANO NOVO** Fonte: bit.ly/2YzG2Cr (Acesso em: 22 set. 2017.)

- **BRANCO:** Paz, Purificação
- **AMARELO:** Prosperidade, Otimismo
- **MARROM:** Segurança, Simplicidade
- **LARANJA:** Alegria, Coragem
- **VERMELHO:** Amor, Paixão
- **ROSA:** Romance
- **VERDE:** Esperança, Estabilidade
- **AZUL CLARO:** Tranquilidade, Saúde
- **ROXO:** Respeito, Intuição
- **AZUL ESCURO:** Maturidade

10. A partir das informações anteriores, responda às questões a seguir.
   a. E no seu país? As cores têm significados diferentes? Qual é a sua cor favorita?
   b. Qual é a cor do Ano Novo para você? O que ela significa?

? No Brasil as pulseiras do Senhor do Bonfim são usadas para fazer três desejos. Amarra-se a pulseira com duas voltas e três nós. Quando ela se rompe, acredita-se que os desejos são realizados.

- 🟢 A cor verde simboliza as matas, as florestas.
- 🟡 A cor amarela simboliza o ouro e as riquezas.
- 🔵 A cor azul simboliza os céus e os rios.
- ⚪ A cor branca simboliza a paz.
- ⭐ Cada estrela representa os estados brasileiros e o Distrito Federal. São 27 no total.

Fonte: bit.ly/2fphna6 (Acesso em: 21 jul. 2019.)

11. Quais as cores da bandeira do seu país? Você sabe o que elas significam?
   a. As cores são... ....
   b. Elas significam... ....

CALENDÁRIO DO BRASIL

12. Em grupo, procure as datas das principais celebrações do Brasil e complete o quadro abaixo. Você pode usar suas ferramentas digitais.

FERIADOS NACIONAIS	
	Confraternização universal
	Carnaval
	Sexta-feira Santa
21/04	Tiradentes
01/05	Dia do Trabalhador
	Corpus Christi
	Independência do Brasil
	Padroeira do Brasil
02/11	Finados
	Proclamação da República
25/12	Natal

DATAS COMEMORATIVAS	
25/01	Aniversário de São Paulo
01/03	Aniversário do Rio de Janeiro
	Dia Internacional da Mulher
19/04	Dia do Índio
	Dia das Mães
	Dia dos Namorados
24/06	Dia de São João
	Dia dos Pais
15/08	Assunção de Nossa Senhora
	Dia das Crianças
	Dia do Professor
	Dia Nacional da Consciência Negra

O RÉVEILLON NO BRASIL
▶ No Brasil, as pessoas usam tradicionalmente a cor branca no dia do réveillon. O costume tem origem nos cultos religiosos de matriz africana, para os quais a cor branca simboliza a paz e a pureza. Muitas pessoas vão à praia para jogar flores e fazer pedidos para Iemanjá, a deusa dos mares. É um ritual para começar bem o ano novo.

FEMININO X MASCULINO

Geralmente as palavras terminadas em **-a** são femininas e as palavras terminadas em **-o** são masculinas. Algumas terminações determinam o gênero.
Feminino: -dade/ -eza/ -agem/ -a   **Masculino:** -ismo/ -ume/ -á/ -o
*Exemplo: a liber**dade**/ a bel**eza**/ a gar**agem**/ a mes**a**/ o otim**ismo**/ o vol**ume**/ o cop**o**/ o sof**á***

▶ Complete com artigos definidos.

	nacionalidade		férias		identidade		flores
	imagem		nome		praia		pureza
	respeito		nacionalismo		cor		sucesso

ARTIGOS DEFINIDOS		
	Singular	Plural
Fem.	a	as
Masc.	o	os

ARTIGOS INDEFINIDOS		
	Singular	Plural
Fem.	uma	umas
Masc.	um	uns

▶ DESAFIO DAS BANDEIRAS: QUAL É QUAL?

13. Em dupla, associe cada bandeira ao nome do país. A dupla que terminar primeiro ganha o jogo.

- ☐ a Colômbia
- ☐ a China
- ☐ a Alemanha
- ☐ a Espanha
- ☐ Portugal

- ☐ o Chile
- ☐ os Estados Unidos
- ☐ a Grécia
- ☐ o Canadá
- ☐ a França

- ☐ o Japão
- ☐ a Argentina
- ☐ a Itália
- ☐ a Rússia
- ☐ a Coreia do Sul

- [A] o Brasil
- ☐ a Bélgica
- ☐ Angola
- ☐ Israel
- ☐ o Uruguai

ATENÇÃO: as cores em português geralmente variam de gênero quando associadas aos nomes.

➡ A cas**a** amarel**a** X O carr**o** amarel**o**

➡ A cas**a** rox**a** X O carr**o** rox**o**

As cores azul, verde, laranja, marrom, rosa, cinza e lilás são invariáveis.

➡ A cas**a** *azul* X O carr**o** *azul*

➡ A cas**a** *verde* X O carr**o** *verde*

NACIONALIDADES

brasileiro ➡ brasileira
-ês ➡ -esa
-eno ➡ -ena
-ano ➡ -ana
-guaio ➡ -guaia
-l ➡ -la
-ão ➡ -ã
-ense (comum para masc. e fem.)

14. Veja algumas nacionalidades e complete com o artigo adequado. Escreva a forma feminina das nacionalidades.

▶ *Exemplo:* __O__ português ➡ *A portuguesa*

a. _____ brasileiro ➡ _____
b. _____ canadense ➡ _____
c. _____ alemão ➡ _____
d. _____ chinês ➡ _____
e. _____ chileno ➡ _____
f. _____ espanhol ➡ _____
g. _____ francês ➡ _____
h. _____ colombiano ➡ _____

15. Complete as frases abaixo.

a. A roupa _____ no réveillon simboliza a riqueza.
b. A bandeira _____ simboliza a paz.
c. A cor _____ no Brasil simboliza o luto.
d. A camisa oficial da seleção brasileira de futebol é _____ .

16. Descubra o nome dos objetos que você usa para estudar a partir das cores. Quais objetos têm nomes do gênero masculino? E do feminino?

① caneta amarela
② computador branco
③ mochila preta
④ cola vermelha
⑤ borracha roxa
⑥ apontador amarelo
⑦ estojo azul
⑧ celular cinza
⑨ caderno vermelho
⑩ lápis roxo

MASCULINO	FEMININO

▶ **A ESTRUTURA BÁSICA DAS FRASES EM PORTUGUÊS:**

▶ Pronome + verbo + complemento
  Exemplo: Eu sou americano.
  Ela gosta de música popular brasileira.

▶ Pronome + **não** + verbo + complemento
  Exemplo: Eu **não** sou americano.
  Nós **não** gostamos de cantar.

17. Em grupo, troque o seu número de telefone com o de seus colegas.

18. Escute e complete a agenda com os nomes e números de telefone.

Adriana	
Beatriz	98664-1913
	99731-2211
Daniela	
Eduardo	98866-4239
Frederico	
Alice	98514-2341
Heitor	99234-8877

Ivete	99051-6554
Juliana	
	98732-0224
Laura	98052-1478
Mônica	
Nair	98663-1230
	98234-5678
Patrícia	99008-4465

A COMUNIDADE DE PAÍSES DE LÍNGUA PORTUGUESA (CPLP)

▶ No mundo inteiro temos mais de 244 milhões de pessoas que falam português e, desse total, 80% são brasileiros. A CPLP é formada por nove países: Angola, Brasil, Cabo Verde, Guiné-Bissau, Moçambique, Portugal, São Tomé e Príncipe, Guiné Equatorial e Timor Leste.

▶ Escute as palavras e marque os sons [e], [ɛ] e [i] no final de cada palavra.

	1	2	3	4	5	6	7	8	9	10
[ɛ] chimpanzé										
[i] identidade										
[e] bebê										

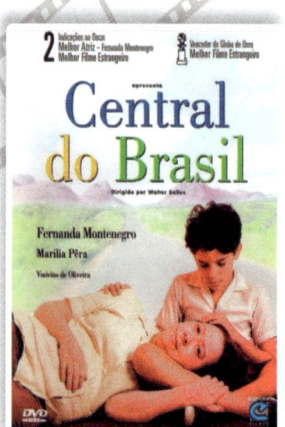

Fonte: bit.ly/316DCsP (Acesso em: 18 maio 2017. Adaptado.)

▶ **CENTRAL DO BRASIL**

1998 . DRAMA/COMÉDIA DRAMÁTICA . 1H 55M

Dora, uma amargurada ex-professora, trabalha escrevendo cartas para pessoas analfabetas, que ditam o que querem contar às suas famílias. Ela fica com o dinheiro sem postar as cartas. Um dia, Josué, o filho de nove anos de idade de uma de suas clientes, acaba sozinho quando a mãe é morta em um acidente de ônibus. Dora tenta abandonar o menino, mas acaba se juntando a ele em uma viagem pelo interior do Nordeste para encontrar o pai de Josué, que ele nunca conheceu.

DATA DE LANÇAMENTO: 3 de abril de 1998 (Brasil)
DIREÇÃO: Walter Salles
MÚSICA COMPOSTA POR: Antonio Pinto, Jaques Morelenbaum
PRÊMIOS: Urso de Ouro, Globo de Ouro e BAFTA
ROTEIRO: Marcos Bernstein, João Emanuel Carneiro

BEM-VINDO AO BRASIL

CORES
- o azul
- o rosa
- o branco
- o laranja
- o marrom
- o cinza
- o verde
- o preto
- o amarelo
- o roxo
- o vermelho
- o bege

RITMOS MUSICAIS
- o samba
- o sertanejo
- o funk
- o rock
- a salsa
- o forró
- o clássico (a música clássica)
- o pop

OBJETOS ESCOLARES
- o caderno
- a cola
- o apontador
- o estojo
- a mochila
- o lápis
- a borracha
- a mesa
- a caneta
- o livro

NÚMEROS DE 0 A 31
- 0 ➡ zero
- 1 ➡ um
- 2 ➡ dois
- 3 ➡ três
- 4 ➡ quatro
- 5 ➡ cinco
- 6 ➡ seis
- 7 ➡ sete
- 8 ➡ oito
- 9 ➡ nove
- 10 ➡ dez
- 11 ➡ onze
- 12 ➡ doze
- 13 ➡ treze
- 14 ➡ catorze/ quatorze
- 15 ➡ quinze
- 16 ➡ dezesseis
- 17 ➡ dezessete
- 18 ➡ dezoito
- 19 ➡ dezenove
- 20 ➡ vinte
- 21 ➡ vinte e um
- 22 ➡ vinte e dois
- 23 ➡ vinte e três
- 24 ➡ vinte e quatro
- 25 ➡ vinte e cinco
- 26 ➡ vinte e seis
- 27 ➡ vinte e sete
- 28 ➡ vinte e oito
- 29 ➡ vinte e nove
- 30 ➡ trinta
- 31 ➡ trinta e um

MESES DO ANO
- janeiro
- fevereiro
- março
- abril
- maio
- junho
- julho
- agosto
- setembro
- outubro
- novembro
- dezembro

DIAS DA SEMANA
- a segunda-feira
- a terça-feira
- a quarta-feira
- a quinta-feira
- a sexta-feira
- o sábado
- o domingo

NACIONALIDADES
- o brasileiro/ a brasileira
- o chinês/ a chinesa
- o chileno/ a chilena
- o colombiano/ a colombiana
- o alemão/ a alemã

EXPRESSÕES ÚTEIS NO DIA A DIA
- (Muito) obrigado (a)
  ➡ De nada
- Por favor
- Desculpe (desculpa)
- Com licença

QUAL É O SEU E-MAIL?
- @ (arroba) . (ponto)
- _ (underline) - (traço)
- ➡ *Exemplo:* joao_lmc15@samba.com.br

ANIVERSÁRIO
- **Quando** é o aniversário de Gerard?
  ➡ O aniversário de Gerard **é dia 20 de dezembro**.
- **Quando** é o seu aniversário?
  ➡ Meu aniversário é **dia 25 de abril**./ Meu aniversário é **em abril**.

FORMAS DE TRATAMENTO
- o senhor/ a senhora
- seu/ dona
- o moço/ a moça
- você

SAUDAÇÕES
Bom dia!/ Boa tarde!/ Boa noite!
Oi!/ Olá!/ Tchau!
Beleza?!/ Tudo bem?/
Como vai você? Como você está?
- ➡ Bem./ Tudo bem./ Muito bem, obrigado (a).
- ➡ Eu vou bem. E você?
- ➡ Mais ou menos.

EXERCÍCIOS UNIDADE 0

1 Associe as perguntas às respostas.
   a. Qual é a sua nacionalidade?
   b. Qual é o seu nome?
   c. Como vai você?
   d. Qual é o seu sobrenome?
   e. Qual é o seu número de telefone?
   f. Qual é o seu e-mail?
   g. Qual é a sua data de aniversário?
   h. Qual é o feminino de polonês?
   i. Qual é a sua cor favorita?
   j. Você é argentino?

   (   ) É abcd18@samba.com.br
   (   ) É verde.
   (   ) Não. Eu sou paraguaio.
   (a) Eu sou boliviano.
   (   ) Eu me chamo Clarice.
   (   ) Muito bem, obrigado.
   (   ) É Silva.
   (   ) É 99873-4819
   (   ) É dia 17 de maio.
   (   ) É polonesa.

2 Responda às questões de acordo com o exemplo a seguir.

   Exemplo: Qual é o seu nome? ➡ **Eu me chamo Laura./ Meu nome é Laura.**

   a. Qual é o seu sobrenome? ➡ _____
   b. Qual é o seu país de origem? ➡ _____
   c. Qual é a sua nacionalidade? ➡ _____
   d. Qual é a sua cor favorita? ➡ _____
   e. Qual é a sua data de aniversário? ➡ _____
   f. Qual é o seu número de telefone? ➡ _____
   g. Qual é o seu e-mail? ➡ _____

3 Complete com o verbo ser.
   a. Lucas __é__ francês.
   b. Patrícia e Fiona _____ italianas.
   c. Nós _____ canadenses.
   d. Ela _____ japonesa.
   e. Os estudantes _____ estrangeiros.
   f. Vocês _____ do Canadá.
   g. Vocês não _____ dos Estados Unidos.
   h. Eu _____ Andrea.
   i. Isabel e Clara _____ professoras de português.
   j. O curso de português _____ bom.

4 Passe a nacionalidade para o feminino.
   a. Martin é francês. Martine é __francesa__.
   b. John é inglês. Kelly é _____.
   c. Paul é canadense. Julie é _____.
   d. Pablo é cubano. Maria é _____.
   e. Juan é espanhol. Lurdes é _____.
   f. Antônio é brasileiro. Alice é _____.

5 Responda às perguntas na forma negativa e escreva a resposta correta.

   Exemplo: O Brasil é pequeno? ➡ **Não. O Brasil não é pequeno. Ele é grande.**

   a. Os brasileiros falam espanhol? ➡ _____
   b. A moeda do Brasil é o peso? ➡ _____
   c. A capital do Brasil é o Rio de Janeiro? ➡ _____
   d. O Brasil tem seis regiões? ➡ _____
   e. As cores da bandeira do Brasil são verde, amarelo e preto? ➡ _____

6 Identifique o gênero das palavras acrescentando o artigo definido adequado.

a. _A_ energia.
b. _____ romantismo.
c. _____ respeito.
d. _____ alegria.
e. _____ beleza.
f. _____ medo.
g. _____ prosperidade.
h. _____ pureza.
i. _____ emoção.
j. _____ harmonia.
k. _____ sucesso.
l. _____ liberdade.
m. _____ excitação.
n. _____ otimismo.
o. _____ mistério.
p. _____ esperança.
q. _____ tranquilidade.

7 Complete com o verbo ser no presente do indicativo.

a. Eu _sou_ brasileiro.
b. Joana _____ dentista.
c. Carlos e Joaquim _____ amigos.
d. Eu e Isabel _____ professoras.
e. Maria e Luísa _____ canadenses.
f. O Brasil _____ lindo.
g. Ele _____ diretor executivo.
h. Marcelo e Clarice _____ casados.
i. Pedro _____ um homem inteligente.
j. Rosa _____ uma flor, uma cor e um nome.
k. Você _____ mexicano ou cubano?
l. Ela _____ bonita e simpática.
m. Patrícia _____ uma estudante dedicada.
n. Vocês _____ estrangeiros?

8 Escreva a nacionalidade das pessoas conforme o modelo.

Exemplo: Saafa é do Paquistão
Saafa é paquistanesa.

a. Júlio é do Brasil ➡ _____
b. Juan é do México ➡ _____
c. Maria é da Bolívia ➡ _____
d. Sarah é de Israel ➡ _____
e. Jarrod é da Austrália ➡ _____
f. Michel é da Alemanha ➡ _____
g. Nicole é dos Estados Unidos ➡ _____
h. Kamília é das Bahamas ➡ _____
i. Juca é de Portugal ➡ _____

9 Substitua nas frases os nomes pelos pronomes pessoais adequados.

*Exemplo: **Júlia** fala inglês e português.*
Ela fala inglês e português.

a. Thiago e Pedro estudam na universidade.

b. Maria e João são portugueses.

c. Bruna canta no coral da escola.

d. Lara e Maria caminham no parque da cidade.

e. Quando você e João viajam?

10 Complete o texto com o vocabulário adequado.

- comidas
- sexta-feira
- cultura
- oito
- português
- verão
- mar
- música
- janeiro
- ~~japonês~~
- segunda-feira
- três
- dezembro
- praia

Eu me chamo Pedro. Sou ¹ _japonês_ e trabalho de ² _____ a ³ _____ durante ⁴ _____ horas por dia na fábrica. Eu moro no Brasil há ⁵ _____ anos. Agora eu já falo ⁶ _____ com todos os brasileiros. Todos os anos nos meses de ⁷ _____ e ⁸ _____, quando é ⁹ _____ no Brasil, eu e minha família viajamos para a ¹⁰ _____. Nós gostamos de nadar no ¹¹ _____ e experimentar ¹² _____ diferentes. Nós temos interesse na ¹³ _____ e na ¹⁴ _____ local. Morar no Brasil é uma boa experiência.

11 Escreva abaixo os números por extenso.

Exemplo: 0 ➡ *Zero*

a. 3 ➡ ....
b. 5 ➡ ....
c. 9 ➡ ....
d. 11 ➡ ....
e. 12 ➡ ....
f. 16 ➡ ....
g. 19 ➡ ....
h. 20 ➡ ....
i. 22 ➡ ....
j. 29 ➡ ....

12 Escreva o nome e a cor dos objetos.

Exemplo: Coco verde

a. ....
b. ....
c. ....
d. ....
e. ....
f. ....

13 Escreva o artigo indefinido e determine o gênero das palavras a seguir.

a. *Uma* casa
b. .... livro
c. .... lápis
d. .... maçãs
e. .... carteira
f. .... mesa
g. .... estojos
h. .... mochila
i. .... cadernos
j. .... borracha
k. .... caneta
l. .... quadros
m. .... folha
n. .... régua
o. .... pastas
p. .... marca-texto
q. .... lapiseira
r. .... mural
s. .... estantes
t. .... envelopes

14 Relacione as informações das colunas e indique o que você fala para...

a. se despedir de alguém
b. agradecer
c. cumprimentar
d. se desculpar
e. se apresentar
f. negar
g. avisar que não compreende
h. pedir ajuda

( ) Socorro!/ Preciso de ajuda.
( ) Oi, tudo bem?
( ) Me desculpe.
( ) Não, obrigado (a).
( ) Não entendi.
(*a*) Tchau.
( ) Prazer, João.
( ) Obrigado (a).

15 Complete o diálogo com as palavras do quadro abaixo.

- me chamo
- ~~oi, tudo bem?~~
- francesa
- prazer
- tudo bem
- brasileira
- bem também

A: *Oi, tudo bem?*
B: .... E você?
A: .... Eu .... José.
B: .... , sou Rose Mary.
A: Você é .... ?
B: Não. Eu sou .... Sou de Santa Catarina.

16 Associe os dias da semana aos hábitos dos brasileiros.

a. Segunda-feira
b. Domingo
c. Sábado
d. Sexta-feira

( ) o dia de tomar cerveja depois do trabalho.
( ) o dia de sair à noite com amigos.
( ) o dia do almoço em família.
( ) o primeiro dia útil da semana.

e. Quando é sua aula de português? ....

17 Encontre os países que pertencem à Comunidade de Países de Língua Portuguesa (CPLP).

[x] Macau
( ) Guiné Bissau
( ) São Tomé e Príncipe
( ) Timor Leste
( ) Angola
( ) Guiné Equatorial
( ) Brasil
( ) Portugal
( ) Cabo Verde
( ) Moçambique

[x] *Macau é uma cidade chinesa em que o português é uma das línguas faladas entre os habitantes.*

18 Marque o termo intruso.

Exemplo: amarelo - verde - ~~cabo-verdiano~~ - azul

a. americano - japonês - verão - belga
b. outono - chuva - inverno - primavera
c. rock - axé - boate - samba
d. sábado - junho - abril - maio
e. lápis - caderno - casa - borracha

19 Reescreva os dias da semana na ordem correta.

▶ ~~domingo~~
▶ sexta-feira
▶ quinta-feira
▶ segunda-feira
▶ sábado
▶ quarta-feira
▶ terça-feira

▶ *Domingo,* ....

UNIDADE 1

 A VOZ DO MORRO

OI! BELEZA?

NESTA UNIDADE VOCÊ VAI APRENDER:
- os verbos TER, ESTAR e FAZER
- SER de (origem)
- o estado civil
- as profissões
- números de 31 a 100
- adjetivos
- palavras interrogativas

PARA:
- apresentar-se e apresentar alguém
- descrever-se e descrever uma pessoa
- falar de sua origem
- perguntar preços
- expressar emoções

EU FALO PORTUGUÊS, E VOCÊ?

SUSAN, 23
Olá! Preciso praticar meu português para viajar pelo Brasil. Adoro a Marta da seleção! Amo esportes.

CAMILA, 31
Blz, Susan! Moro em Salvador. Falo português e inglês. Salvador é a terra da capoeira. Nosso esporte favorito.

JULIE, 14
Eu toco violão e gosto das músicas de Gilberto Gil, Vinícius de Moraes e Seu Jorge. Quero praticar português tb.

JOÃO CLÁUDIO, 32
Oi! Tdb! Sou desenhista e quero aprender francês. Adoro quadrinhos.

MARCUS, 30
Blz? Sou Marcus. Professor de capoeira, do Brasil. E vc?

SUSAN, 23
Sou estudante de arquitetura. Gosto de Niemeyer e vou assistir ao carnaval. Estou super ansiosa!

MARCUS, 30
Moro em Recife. Tem lindas praias, como no Rio. Alugo um quarto. Vc precisa conhecer!

JUAN, 29
Oi, Marcus! Beleza? Sou Juan. Quando é o carnaval? Chego ao Brasil em fevereiro.

▶ **O QUE VOCÊ PODE DIZER SOBRE VOCÊ EM PORTUGUÊS?**

....

1. Leia as mensagens acima e responda oralmente.
   a. Quem é Susan?
   b. Por que ela precisa praticar português?
   c. Onde Camila mora? Quais línguas ela fala?
   d. Quantos anos tem Julie? De que ela gosta?
   e. Qual é a profissão de Marcus? Onde ele mora?
   f. Quando Juan chega ao Brasil?

1.1. O chat é de...
   ( ) Encontro
   ( ) Relacionamento
   ( ) Trabalho
   ( ) Bate-papo
   ( ) Estudo de línguas
   ( ) Entretenimento

PARA CONHECER UMA PESSOA
- **Qual** é (o) seu nome?
- **Qual** é (o) seu estado civil?
- **Qual** é (a) sua nacionalidade?
- **Qual** é (a) sua profissão?
- **Como** você aprende línguas?
- **Quantos** anos você tem?
- **Por que** você estuda português?
- **Quando** é (o) seu aniversário?
- **De que** você gosta?
- **Onde** você mora?

Bate-papo ➡ conversar
Vc ➡ você
Blz ➡ beleza
Tb ➡ também
Tdb ➡ tudo bem

2. Escute o áudio.

a. Responda: O documento é ...

☐ uma notícia ☐ um programa de rádio ☐ uma entrevista

b. Escute o áudio novamente e associe o nome à profissão.

1. Eduardo Pio é... ( ) ator e diretor de teatro
2. Augusto Nunes Filho é... ( ) cantoras
3. Eduardo Moreira é... ( ) presidente da Fundação Clóvis Salgado
4. Aurélie e Verioca são... ( ) cantor, compositor e instrumentista

c. Quem é estrangeiro? _____ **d.** Qual é a sua nacionalidade? _____

QUEM É QUEM

3. Veja o documento abaixo e responda.

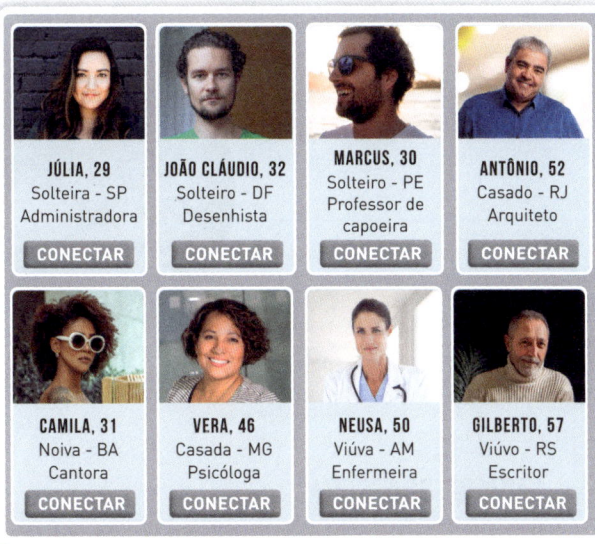

JÚLIA, 29 — Solteira - SP — Administradora — CONECTAR
JOÃO CLÁUDIO, 32 — Solteiro - DF — Desenhista — CONECTAR
MARCUS, 30 — Solteiro - PE — Professor de capoeira — CONECTAR
ANTÔNIO, 52 — Casado - RJ — Arquiteto — CONECTAR
CAMILA, 31 — Noiva - BA — Cantora — CONECTAR
VERA, 46 — Casada - MG — Psicóloga — CONECTAR
NEUSA, 50 — Viúva - AM — Enfermeira — CONECTAR
GILBERTO, 57 — Viúvo - RS — Escritor — CONECTAR

a. Que tipo de documento é esse?

☐ uma rede social
☐ um blog
☐ um canal

b. Quais informações são apresentadas?

4. A partir do exercício anterior, descubra quem são as pessoas descritas:

a. Quem é solteiro e tem 30 anos?
b. Uma mulher é noiva. Qual é seu nome e sua profissão?
c. Qual é o nome e a idade do escritor?
d. Quem gosta de esportes?
e. Uma pessoa tem 32 anos. Qual é sua profissão?
f. Quem tem menos de 30 anos? Qual é seu estado civil?
g. Quais são as profissões das pessoas casadas?

PRONOMES PESSOAIS	TER	
Eu	tenho	20 anos.
Você	tem	um carro azul.
Ele/ Ela	tem	amigos.
Nós	temos	fome.
Vocês	têm	sono.
Eles/ Elas	têm	sede.

✓ **ESTADO CIVIL** • solteiro (a) • casado (a)
• divorciado (a)
• separado (a)
• viúvo (a)

✓ **NÚMEROS DE 31 A 100**

31 ➡ trinta e um
32 ➡ trinta e dois
33 ➡ trinta e três
34 ➡ trinta e quatro
35 ➡ trinta e cinco
36 ➡ trinta e seis
37 ➡ trinta e sete
38 ➡ trinta e oito
39 ➡ trinta e nove
40 ➡ quarenta
50 ➡ cinquenta
60 ➡ sessenta
70 ➡ setenta
80 ➡ oitenta
90 ➡ noventa
100 ➡ cem

ELE É KOBRA

5. Leia a biografia abaixo e responda por escrito.

▶ Eduardo Kobra é um artista de rua do Brasil. Nasceu em 1 de janeiro de 1976 em São Paulo-SP. Suas obras estão em mais de 20 países como Japão, Estados Unidos, Inglaterra, Itália, França, Suécia, Polônia e Grécia. Eduardo é casado, trabalha e mora em São Paulo. Ele se considera muralista.

Fonte: bit.ly/2yvJxvm (Acesso em: 9 set. 2017.)

a. Quem é o artista? _____
b. Quando ele nasceu? _____
c. Onde ele mora? _____
d. Qual é a profissão dele? _____
e. Qual é seu estado civil? _____
f. Quantos anos ele tem? _____

? O mural "Etnias", no Rio de Janeiro, é o maior grafite do mundo, segundo o *Guiness Book 2017*.

6. Escute a apresentação das personalidades brasileiras a seguir e indique a cidade de nascimento, a profissão e a data de aniversário de cada uma delas.

a. Nome: **ARIANO SUASSUNA**
- Aniversário: _____ / _____
- Cidade: _____
- Profissão: _____

b. Nome: **CHICO BUARQUE DE HOLLANDA**
- Aniversário: _____ / _____
- Cidade: _____
- Profissão: _____

7. A partir do modelo da biografia de Eduardo Kobra, escreva um texto sobre um artista do seu país para apresentar à turma.

8. Escute o áudio e responda.

a. O áudio é uma: ☐ enquete na rua ☐ conversa entre amigos

b. Escute o áudio novamente e assinale se as informações são verdadeiras (**V**) ou falsas (**F**).

( ) Sônia tem dois filhos.
( ) Marcela fala inglês.
( ) Giuseppe é francês.
( ) Ricardo trabalha em uma empresa de informática.
( ) Marcela estuda em São Paulo.
( ) Marcela tem 29 anos.

c. Agora faça uma pergunta para cada uma das afirmações acima; use as palavras interrogativas.

PALAVRAS INTERROGATIVAS	SENTIDO
Qual/ Quais?	identificação ou escolha
Quem?	pessoa
Quando?	tempo/ hora/ dia/ mês/ ano
Onde?/ Aonde	lugar
Quantos (as)?	quantidade/ preço
Por quê?	motivo
Como?	maneira

1. ....
2. ....
3. ....
4. ....
5. ....
6. ....

9. Observe as frases abaixo.

- Giuseppe é **da** Itália.
- Sônia é **do** Brasil.
- Marcela não é **de** São Paulo.
- A empresa que Ricardo trabalha é **de** Brasília.
- O diploma de Giuseppe é de uma universidade **dos** Estados Unidos.
- As receitas da pizzaria de Sônia são **das** Bahamas.

a. Quais palavras vêm antes de nomes de cidades ou países? ....

b. Para nomes de países de gêneros masculino e feminino usamos as formas .... ou ....

c. Brasília e São Paulo são cidades ou países?
....

USOS DO VERBO SER

SENTIDO/ USO	EXEMPLOS
Caracterização (física/ psicológica)	• Joaquim é gentil e talentoso. • Rosilda é dinâmica. • Davidson é moreno e alto.
Identificação (nome, profissão, nacionalidade, cor, forma, religião)	• Juliana é a nova estudante. • Eu sou a professora de inglês. • Júlia é a estudante alemã. • Nós somos cristãos. • O livro é vermelho e branco.
Origem (Sempre usado com a preposição "de")	• Luca é de Amsterdam. • Jane é da Austrália.

GÊNERO		PREPOSIÇÃO + ARTIGO
Feminino	Singular	de + a = da
	Plural	de + as = das
Masculino	Singular	de + o = do
	Plural	de + os = dos

✓ PROFISSÕES

- arquiteto (a)
- médico (a)
- professor (a)
- cantor (a)
- administrador (a)
- dentista
- ator/ atriz
- aposentado (a)
- desempregado (a)

EU SOU ASSIM ▶ A DESCRIÇÃO FÍSICA

▶ **OS CABELOS SÃO...**

- A Pretos
- B Loiros
- C Castanhos
- D Ruivos

Crespos   Cacheados   Ondulados   Lisos

▶ **A PELE É...**

- Preta
- Parda
- Amarela
- Branca

ADJETIVOS (CARACTERÍSTICAS FÍSICAS)

- alto (a) ≠ baixo (a)
- bonito (a) ≠ feio (a)
- magro (a) ≠ gordo (a)
- careca ≠ cabeludo (a)
- loiro (a) ≠ moreno (a)

No Brasil, as pessoas que têm cabelos pretos ou castanhos são chamadas morenas, mesmo quando têm a pele branca. Quanto à cor da pele, dizemos que as pessoas são: brancas, morenas ou negras. O Instituto Brasileiro de Geografia e Estatística (IBGE) classifica a população brasileira em cinco etnias: brancos, pardos, pretos, amarelos e indígenas por autodeclaração.

➡ Pronome + **ser** + adjetivo
Exemplo: Ela é alta.

➡ Pronome + **ter** + substantivo
Exemplo: Ela tem cabelos pretos.

ANA & JORGE

▶ **SER X TER**

➡ Ana Carolina **é** branca e alta, **tem** olhos e cabelos castanhos e **tem** um sorriso lindo.
Seu Jorge **é** negro e alto, tem olhos e cabelos pretos. Na foto ao lado, ele **tem** barba e bigode. Eles **são** a cara do Brasil.

- O que Jorge e Ana têm em comum? Descubra.
- O que é ser "a cara do Brasil"?

10. Em dupla ou em grupo, com a ajuda das ferramentas digitais, busque as informações das personalidades lusófonas abaixo. Depois descreva características físicas de duas pessoas da lista e apresente aos colegas.

NOME: MAYRA ANDRADE
NACIONALIDADE: ....
PROFISSÃO: ....
IDADE: ....

NOME: NEYMAR
NACIONALIDADE: ....
PROFISSÃO: ....
IDADE: ....

NOME: SEBASTIÃO SALGADO
NACIONALIDADE: ....
PROFISSÃO: ....
IDADE: ....

NOME: ALICE BRAGA
NACIONALIDADE: ....
PROFISSÃO: ....
IDADE: ....

NOME: CARMINHO
NACIONALIDADE: ....
PROFISSÃO: ....
IDADE: ....

NOME: MIA COUTO
NACIONALIDADE: ....
PROFISSÃO: ....
IDADE: ....

NOME: BONGA KWENDA
NACIONALIDADE: ....
PROFISSÃO: ....
IDADE: ....

NOME: ADRIANA VAREJÃO
NACIONALIDADE: ....
PROFISSÃO: ....
IDADE: ....

NOME: KÁTIA LUND
NACIONALIDADE: ....
PROFISSÃO: ....
IDADE: ....

NOME: LÁZARO RAMOS
NACIONALIDADE: ....
PROFISSÃO: ....
IDADE: ....

COMO VOCÊ ESTÁ HOJE?

11. Escute o áudio.
Associe as frases às imagens do quadro ao lado.

a. Ahhhh! Tenho uma ótima ideia! _____
b. Por favor, por favor, eu preciso de você! _____
c. Poxa! Acho que não tem jeito... _____
d. Que raiva! Ele/ Ela vai ver... _____
e. Obaaaa! Que delícia! _____
f. Acho que vou chorar... _____

FELIZ INSPIRADA CARENTE
BRAVA TRISTE FRUSTRADA

> ele é alegre ≠ ele está alegre
> o sorvete é frio ≠ hoje está frio
> eu sou do Brasil ≠ eu estou no Brasil
> (+PERMANENTE)   (+MOMENTÂNEO)

12. Relacione as imagens abaixo ao estado físico ou emocional descrito a seguir. Depois forme frases para cada personagem com o verbo estar no presente do indicativo.

| 1. feliz | 3. com frio | 5. com sono | 7. com fome | 9. nervoso | 11. cansado |
| 2. triste | 4. com sede | 6. com calor | 8. preocupado | 10. doente | 12. com medo |

[1] A mulher [ ] Clarice [ ] Tia Carla [ ] O menino [ ] José [ ] Você

[ ] Juquinha [ ] Senhor Carlos [ ] Papai [ ] Papai e eu [ ] Eu [ ] Maria

Exemplo: Clarice **está com** sede.
Verbo ESTAR (presente) + com + substantivo.

ADJETIVOS (ESTADOS EMOCIONAIS)
alegre/ feliz ≠ triste/ infeliz
calmo ≠ nervoso
tranquilo ≠ bravo/ zangado
animado ≠ desanimado/ entediado

ORIGINAL DO BRASIL

▶ Havaianas é uma marca brasileira de sandálias de borracha criada em 1962. As sandálias, ou chinelos, como podemos chamar, são vendidas em mais de 100 países dos cinco continentes. O slogan da marca é "Todo mundo usa". Fonte: bit.ly/2sxjRuX (Acesso em: 27 set. 2017. Adaptado.)

13. Responda por escrito.
a. Desde quando os brasileiros usam Havaianas?
b. Em quantos países os chinelos são vendidos?
c. Qual é o slogan da marca?
d. O que a palavra "havaiana" quer dizer?

DESDE = A PARTIR DE
➡ Os brasileiros usam **Havaianas desde** 1962.
= **A partir de** 1962, os brasileiros começam a usar **Havaianas**.

▶ **AMIGO SECRETO NA SALA DE AULA**

14. Leia o documento ao lado e responda.
a. O documento é...
   ☐ uma publicidade ☐ uma carta
b. Que serviço ele oferece?
   ☐ participar de um sorteio
   ☐ organizar um "amigo secreto"
   ☐ comprar Havaianas
c. De acordo com o documento, por que Havaianas é um bom presente?
d. Em qual rede social o jogo é organizado?
e. De acordo com o documento, como organizar o "amigo secreto"?

	ADJETIVOS	
MASCULINO > FEMININO	**MASCULINO**	**FEMININO**
Vogal o > a	simpático	simpática
Consoantes + a	trabalhador	trabalhadora
ão > ã	alemão	alemã
ADJETIVOS COMUM DE DOIS GÊNEROS		
-ista	pessimista/ otimista	
outros	feliz/ legal/ jovem	
-e	inteligente/ triste/ alegre	

PRONOMES	ESTAR	FAZER
Eu	estou	faço
Você	está	faz
Ele/ Ela	está	faz
Nós	estamos	fazemos
Vocês	estão	fazem
Eles/ Elas	estão	fazem

ALUGO QUARTO
BARATO NO CENTRO

Olá, Meu nome é Marcus e falo português e francês. Eu sou de São Luís do Maranhão e moro com uma amiga em Recife, em um apartamento no centro. Sou professor de português e capoeira. Gosto de cinema e literatura. Em nossa casa alugamos um quarto para hóspedes.

Eu me chamo Susan. Sou de Nova York, Estados Unidos. Eu tenho 23 anos. Estou no Brasil para assistir ao carnaval. Não gosto de barulho e de morar com pessoas que fumam. Sou tranquila, educada, cozinho bem e adoro fazer amigos. Quanto é o aluguel do quarto?

15. Responda às perguntas por escrito.

a. Quem é Marcus? O que você pode falar sobre ele?

b. Com quem Marcus mora?

c. De onde é Susan? Como ela é?

d. De que Susan não gosta?

e. Quantos anos ela tem?

16. A exemplo das mensagens de Marcus e Susan, escreva seu perfil para compartilhar um apartamento com um brasileiro.

GILBERTO, BRASIL ★★★★★
▶ É uma linda casa na praia. Ela é grande e confortável. Tem uma vista incrível para o mar. O aluguel de quartos tem excelente serviço de café da manhã. Super recomendo.

JUAN, BOLÍVIA ★★★★
▶ O apartamento de Amanda é bom e limpo. É um pouco pequeno, mas está bem localizado. Ela é educada, simpática e recebe todos muito bem.

CAMILA, BRASIL ★★★★★
▶ O apartamento é claro, limpo e muito bonito. É longe da praia. O Marcus é muito legal! Recomendo.

17. Onde podemos encontrar a avaliação das acomodações acima?
☐ em blog ☐ em site de aluguel para temporada ☐ em redes sociais ☐ em revistas de viagens

18. Para você, o que é mais importante ao alugar um apartamento?
☐ a decoração ☐ o conforto ☐ a privacidade ☐ o silêncio ☐ outro ☐ a localização ☐ o preço

Quais são as qualidades do apartamento de Amanda?

Qual é a desvantagem do apartamento de Marcus?

19. Escute o áudio e responda.

a. O áudio é: ☐ uma entrevista na rádio
☐ uma conversa informal ☐ uma sondagem na rua

b. Os entrevistados falam sobre:
☐ a vida privada ☐ o trabalho ☐ os gostos e as preferências

c. Escute o áudio novamente e numere os elementos da tabela abaixo de acordo com o número do depoimento.

Você trabalha...	ONDE?
	( ) Em casa
	( ) No escritório
	(**1**) Na estrada
	QUANDO?
	( ) De manhã
	( ) De tarde
	( ) De noite
	( ) Em tempo integral
	COMO?
	( ) Com computador/ telefone
	( ) Com as mãos
	( ) Com carro/ caminhão
Você...	( ) Dirige
	( ) Atende o telefone e escreve e-mails
	( ) Organiza/ limpa

d. Adivinhe a profissão dos entrevistados. Ele/ Ela é...

1. _____ 2. _____ 3. _____

20. Agora é sua vez de entrevistar. Em dupla, faça perguntas para seu colega e adivinhe a profissão do pai ou da mãe dele. Você pode fazer no máximo 10 perguntas e **não pode perguntar qual a profissão**.

PRONOME	FALAR	COMER	ABRIR
Eu	fal**o**	com**o**	abr**o**
Você	fal**a**	com**e**	abr**e**
Ele/ Ela	fal**a**	com**e**	abr**e**
Nós	fal**amos**	com**emos**	abr**imos**
Vocês	fal**am**	com**em**	abr**em**
Eles/ Elas	fal**am**	com**em**	abr**em**

SAMBA! • UNIDADE 1

QUANTO CUSTA?

APOSENTE O CARTÃO POSTAL!
LEMBRANÇA?
SÓ SE FOR havaianas.
TODO MUNDO USA!

SUSAN, 23
Oi, Marcus!
Quero comprar chinelos do Brasil para todos os amigos. Quanto custam? São caros?

MARCUS, 30
Custam entre 20 e 80 reais, depende do modelo. Por que você não leva cachaça pra fazer caipirinha? Acho que é mais barato.

SUSAN, 23
Gosto mais dos chinelos. São bonitos e todo mundo usa.

21. Leia a conversa na imagem ao lado e responda oralmente.

a. O que Susan gostaria de comprar?
b. Para quem ela gostaria de comprar presentes?
c. Qual é a sugestão de Marcus?
d. Quanto custam os chinelos?
e. Para que se usa a cachaça?
f. Por que Susan gosta mais dos chinelos?

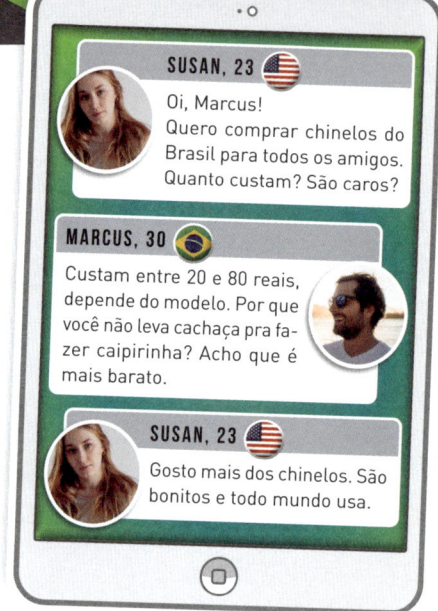

Por favor, **quanto custa**... ?
Qual é o preço de... ?
Quanto é...?

Exemplos:
→ **Quanto** custa a camiseta?
→ **Qual** é o preço do chinelo?
→ **Quanto** é o kit caipirinha?

▶ **AS LEMBRANÇAS DO BRASIL. VOCÊ SABE QUANTO CUSTAM?**

22. Escute o áudio e escreva o preço e o nome das lembrancinhas.

A. *Imã de geladeira* — R$ _____
B. _____ — R$ *12,00*
C. _____ — R$ *20,00*
D. *Boné* — R$ _____
E. *Chinelos* — R$ _____
F. *Chaveiro* — R$ _____
G. _____ — R$ *35,00*
H. *Kit caipirinha* — R$ _____

O DINHEIRO NO BRASIL CHAMA-SE REAL

▶ **1 REAL = 100 centavos**

O dinheiro se divide em:
- notas de 2, 5, 10, 20, 50, 100 e 200 reais.
- moedas de: 1, 5, 10, 25 e 50 centavos e a moeda de 1 real.

23. Responda oralmente.

a. Quais as cores das notas?

b. Quais valores são semelhantes aos do seu país?

24. Veja o verso das notas no Brasil.

a. Associe os valores das notas aos animais listados abaixo.

( ) A onça pintada ( ) A arara
( ) O peixe ( ) A garça
( ) A tartaruga ( ) O mico
( ) O lobo-guará

▶ OS BRASILEIROS E O DINHEIRO

Quando a pessoa tem muito dinheiro, ela é rica ou abastada, ela é "bem de vida".

Quando a pessoa não tem dinheiro, ela é pobre, modesta, ela tem "uma vida difícil".

A pessoa que não é rica nem pobre é de classe média.

A pessoa que gasta muito dinheiro com os outros é generosa. A pessoa que não gasta dinheiro é avarenta, "pão dura" ou "mão de vaca".

O contrário de "gastar dinheiro" é "guardar dinheiro" ou economizar.

No Brasil, pagamos as contas "em dinheiro vivo", boleto bancário e, principalmente, com cartão de débito ou crédito. Existem lugares que não aceitam cheque e cartão.

- nota
- moeda
- dinheiro
- moeda corrente
- troco

25. Escreva os valores abaixo por extenso.

a. R$ 95,30 ➡ ....

b. R$ 21,50 ➡ ....

c. R$ 100,25 ➡ ....

d. R$ 77,10 ➡ ....

Em alguns lugares do Brasil fala-se: R$ 4,50 ➡ quatro e cinquenta/ quatro com cinquenta.

O CHÃO QUE NOS UNE

▶ As calçadas são o espaço público reservado para as pessoas caminharem. As famosas calçadas portuguesas são uma marca de estilo arquitetônico em diferentes países lusófonos. Elas usam pedras de diferentes cores que formam mosaicos. O Rio de Janeiro tem 1.218.000 m² * desse tipo de calçada. Copacabana é a paisagem mais famosa da cidade que mostra essa marca portuguesa no Brasil.

*m²: metro quadrado.

PRAÇA DOM PEDRO IV, LISBOA

O famoso "Calçadão de Copacabana" é um lugar que todos os turistas visitam e apreciam na Cidade Maravilhosa. Também temos esse tipo de calçada em outras cidades brasileiras. Em Portugal, esse mosaico é característico e podemos ver muitos desenhos iguais aos do Brasil. Na Praça Dom Pedro IV, em Lisboa, temos, por exemplo, o mesmo desenho da calçada de Copacabana.

COPACABANA, RIO DE JANEIRO

▶ Escute as palavras e marque os sons [r] e [h].

	1	2	3	4	5	6	7	8	9	10
[r] ira										
[h] carregar régua										

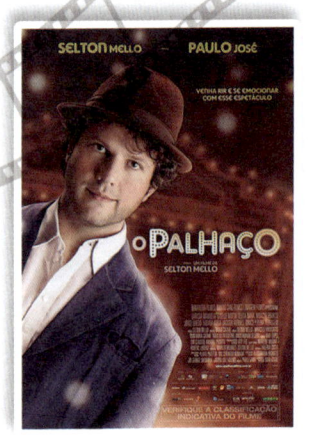

▶ O PALHAÇO

2011 . DRAMA/ AVENTURA . 1H 30M

Benjamim e Valdemar formam a divertida dupla de palhaços Pangaré e Puro Sangue. Mas Benjamin decide deixar o circo e mergulhar numa nova aventura para realizar um grande sonho.

DATA DE LANÇAMENTO: 28 de outubro de 2011 (Brasil)
DIREÇÃO: Selton Mello
MÚSICA COMPOSTA POR: Plínio Profeta
COMPANHIA PRODUTORA: Globo Filmes
PRÊMIO: Grande Prêmio do Cinema Brasileiro - Melhor Longa-Metragem Ficção

Fonte: bit.ly/2LVi5Q2
(Acesso em: 18 maio 2017. Adaptado.)

ADJETIVOS

- alto (a) ≠ baixo (a)
- alegre ≠ triste
- bonito (a) ≠ feio (a)
- gentil ≠ grosseiro (a)
- engraçado (a)
- magro (a) ≠ gordo (a)
- simpático (a) ≠ antipático (a)
- legal ≠ chato (a)

PROFISSÕES

- arquiteto (a)
- administrador (a)
- médico (a)
- dentista
- professor (a)
- ator/ atriz
- cantor (a)
- aposentado (a)
- desempregado (a)

IDENTIDADE

- o nome
- o sobrenome
- o sexo
- a idade
- a nacionalidade
- a profissão
- o estado civil

VERBOS IRREGULARES

- ser
- ter
- fazer

NÚMEROS DE 31 A 100

- 31 ➡ trinta e um
- 32 ➡ trinta e dois
- 33 ➡ trinta e três
- 34 ➡ trinta e quatro
- 35 ➡ trinta e cinco
- 36 ➡ trinta e seis
- 37 ➡ trinta e sete
- 38 ➡ trinta e oito
- 39 ➡ trinta e nove
- 40 ➡ quarenta
- 50 ➡ cinquenta
- 60 ➡ sessenta
- 70 ➡ setenta
- 80 ➡ oitenta
- 90 ➡ noventa
- 100 ➡ cem

ESTADO CIVIL

- solteiro/ solteira
- casado/ casada
- divorciado/ divorciada
- separado/ separada
- viúvo/ viúva

DESDE = A PARTIR DE

➡ Os brasileiros usam Havaianas **desde** 1962.
= **A partir de** 1962 os brasileiros começam a usar *Havaianas*.

OI! BELEZA?

DINHEIRO

- nota
- moeda
- dinheiro
- moeda corrente
- troco

LINGUAGEM DE INTERNET

Bate-papo ➡ conversar
Vc ➡ você
Blz ➡ beleza
Tb ➡ também

SER X TER

- Ela **é** ruiva.
- Ela **tem** os cabelos ruivos, longos e cacheados.
- Ela **tem** a pele clara e os olhos verdes.
- Ele **é** moreno, **tem** a pele clara e tem os olhos azuis.
- Ele **é** careca/ calvo. (não tem cabelos)

CONHECER UMA PESSOA

1. **Qual** é o seu nome?
2. **Como** você se chama?
3. Qual é (a) sua nacionalidade?
4. Qual é (a) sua profissão?
5. Qual é (o) seu estado civil?
6. **Quantos** anos você tem?
7. Como você é?
8. **Quantas** línguas você fala?
9. **De** onde você é?

IDENTIFICAÇÃO PESSOAL

1. Meu nome é.../ Eu me chamo...
2. Eu sou... (*nacionalidade*)
3. Eu sou... (*estudante/ professor...*)
4. Eu sou... (*solteiro/ casado,...*)
5. Eu tenho... anos.
6. Eu sou... (*alegre, jovem, alta...*)
7. Eu falo... (*3 línguas/ português, inglês, espanhol*)

PERGUNTAR O PREÇO

- Por favor, **quanto custa**...?
- **Qual** é o preço de...?
- **Quanto é**...?

Exemplos:
➡ **Quanto** custa a camiseta?
➡ **Qual** é o preço do chinelo?
➡ **Quanto** é o kit caipirinha?

EXERCÍCIOS UNIDADE 1

1 Associe as perguntas às respostas.

( ) Qual é sua nacionalidade?
( ) Qual é seu nome?
( ) Qual é sua profissão?
( ) Qual é seu estado civil?
( ) Qual é sua idade?/
   Quantos anos você tem?

a. Eu sou professor.
b. Eu tenho 33 anos.
c. Eu me chamo Marcos.
d. Eu sou italiano.
e. Eu sou casado.

2 Organize o diálogo.

( ) – Como? Não entendi. Você pode soletrar?
( ) – Bom dia! Tudo bem?
( ) – Eu me chamo Kazuo Fukuyama.
( ) – Obrigada. Bom dia!
( ) – Tudo ótimo. Qual é o seu nome?
( ) – É W352775DPMAFSP
(*2*) – Tudo bem. E você?
( ) – K-A-Z-U-O F-U-K-U-Y-A-M-A.
( ) – De nada!
( ) – Sr. Kazuo, qual é o seu RNE?

3 Escreva por extenso a idade das pessoas, sua nacionalidade e profissão. (Use os verbos TER e SER)

John, 28 – Inglaterra
Exemplo: **John é inglês. Ele tem 28 anos e é jogador de basquete.**

b. Kelly, 19 – EUA

c. Michel, 30 – Alemanha

d. Joana, 26 – China

e. Eric, 48 – Bélgica

4 Faça uma pergunta para cada resposta.

Exemplo: **Qual é sua nacionalidade?**
   – Eu sou canadense

a.
– Eu tenho 43.
b.
– Falo três línguas.
c.
– Minako Takahashi, muito prazer.
d.
– Ela é engenheira eletricista.
e.
– Meu número é 7890-3984.

5 Associe as informações entre as colunas.

a. Nós escutamos   ( ) doce de leite.
b. Eu estudo   ( ) Austrália.
c. Ela organiza   ( ) muitos esportes.
d. Ela gosta de   (*b*) administração.
e. Vocês adoram   ( ) uma música.
f. Nós temos   ( ) uma festa.
g. Joana é da   ( ) português.
h. Beatriz pratica ( ) o churrasco brasileiro.
i. Eles estudam   ( ) uma casa grande.

6 Complete o texto com os verbos no presente do indicativo.

- gostar
- tocar
- falar
- morar
- ser (2 x)
- adorar
- ~~estudar~~
- estar

Jeanne **1** _estuda_ em uma escola de administração no Brasil e **2** _____ com estudantes canadenses e belgas. Ela **3** _____ inglês e espanhol. Ela **4** _____ de teatro e música clássica. A mãe de Jeanne **5** _____ professora de música em Bordeaux. O pai de Jeanne **6** _____ engenheiro e **7** _____ nos Estados Unidos. Jeanne **8** _____ piano e violão e **9** _____ dançar nos fins de semana com os colegas.

7 Conjugue os verbos abaixo no presente do indicativo.

Exemplo: Comprar/ nós ➡ **Nós compramos.**

a. Falar/ ele ➡
b. Comer/ eu ➡
c. Partir/ você ➡
d. Almoçar/ ela ➡
e. Pagar/ vocês ➡
f. Beber/ eu ➡
g. Aprender/ vocês ➡
h. Abrir/ eu ➡
i. Dividir/ vocês ➡

8 Identifique o verbo nas perguntas abaixo e depois escreva sua forma infinitiva.

Exemplo: Você está com calor ➡ **Estar.**

a. Eles bebem caipirinha? ➡
b. Nós falamos português no Brasil? ➡
c. Você abre a porta? ➡
d. Ela mora no Rio de Janeiro? ➡
e. Eles fumam? ➡
f. Nós gostamos de sambar? ➡
g. Você joga futebol? ➡
h. Você tem amigos brasileiros? ➡
i. Eles respondem às perguntas? ➡
j. Você escreve para a sua família? ➡
k. Você recebe muitos e-mails? ➡
l. Os brasileiros praticam esportes? ➡
m. Você vive bem no Brasil? ➡
n. Você adora as praias brasileiras? ➡
o. O hotel permite animais? ➡
p. Você divide seu apartamento? ➡
q. Você telefona sempre para a família? ➡
r. Você come arroz com feijão no almoço? ➡

9 Complete as frases com o verbo no presente do indicativo.

Ana **1** _____ (ser) estudante de comércio internacional. Ela **2** _____ (ser) alemã e **3** _____ (morar) em São Paulo. Ana **4** _____ (ter) 25 anos e **5** _____ (ser) solteira. Ela **6** _____ (ter) um namorado brasileiro. Ele **7** _____ (se chamar) Henrique. Ele **8** _____ (ser) enfermeiro e **9** _____ (trabalhar) muito. Eles **10** _____ (ter) muitos amigos brasileiros e estrangeiros. Ana **11** _____ (gostar) de dançar e ir ao cinema no fim de semana. Ana **12** _____ (ser) vegetariana e Henrique **13** _____ (adorar) churrasco. Ele **14** _____ (gostar) de ir ao restaurante self-service porque **15** _____ (ter) muitas opções. Henrique **16** _____ (jogar) futebol com os amigos todos os domingos de manhã. Ana **17** _____ (aproveitar) o tempo para correr no parque. Ana **18** _____ (estudar) português e espanhol. Ana **19** _____ (achar) bom viver no Brasil porque **20** _____ (gostar) de calor e das praias brasileiras.

10 Preencha com o verbo **ser** ou **estar**.

a. Eu _____ na aula de inglês.
b. Nós _____ calmos.
c. Elas _____ de São Paulo.
d. Vocês _____ estrangeiros.
e. A mesa _____ de madeira.
f. João _____ simpático.
g. João _____ alegre.
h. Ela _____ americana.
i. O dia _____ frio.
j. O livro _____ de matemática.
k. A porta _____ aberta.
l. O professor _____ nervoso.
m. Os alunos _____ agitados.
n. As roupas _____ coloridas.
o. As roupas _____ sujas.

11 Pense em duas pessoas que você gosta: familiares, colegas de trabalho, amigos ou vizinhos. Complete as fichas com as informações correspondentes.

NOME: Ana Luísa
SOBRENOME: Ribeiro Cesário
ESTADO CIVIL: Casada
IDADE: 25 anos
PROFISSÃO: secretária
DATA DE ANIVERSÁRIO: 30 de janeiro
GOSTA DE... ler, fazer compras e viajar
DESCRIÇÃO: Ela é loira, alta, tem a pele clara, cabelos lisos e é muito engraçada.
RELAÇÃO COM VOCÊ: amiga

NOME: _____
SOBRENOME: _____
ESTADO CIVIL: _____
IDADE: _____
PROFISSÃO: _____
DATA DE ANIVERSÁRIO: _____
GOSTA DE... _____
DESCRIÇÃO: _____
RELAÇÃO COM VOCÊ: _____

NOME: _____
SOBRENOME: _____
ESTADO CIVIL: _____
IDADE: _____
PROFISSÃO: _____
DATA DE ANIVERSÁRIO: _____
GOSTA DE... _____
DESCRIÇÃO: _____
RELAÇÃO COM VOCÊ: _____

12 Imagine que você precisa escolher um companheiro para dividir um apartamento. Quais características são importantes? Marque na tabela e compare os resultados com os outros colegas.

	+	++	+++	++++	+++++	++++++
Engraçado (a)						
Sério (a)						
Trabalhador (a)						
Organizado (a)						
Inteligente						
Independente						
Sociável						
Confiável						
Calmo (a)						
Corajoso (a)						
Honesto						
Jovem						
Simpático (a)						
Dinâmico (a)						
Otimista						

13 Escreva um texto para descrever como você imagina que os brasileiros são.

Os brasileiros são...

_____

_____

14 Marque a palavra intrusa. Pode haver diferentes critérios.
   a. casada · carinhosa · viúva · separada · solteira
   b. francesa · japonesa · noruega · espanhola · americana
   c. dentista · professor · médico · comunista · esteticista
   d. amigo · vizinho · colega · arquiteto · parente
   e. antipático · chato · motorista · ansioso · pessimista

15 CORREIO ELETRÔNICO: Leia os perfis abaixo. Em seguida, escreva uma mensagem para se corresponder com uma das pessoas.

Olá, meu nome é Larissa. Tenho 23 anos e sou de Belo Horizonte. Eu adoro música, cinema e teatro. Procuro corresponder com uma pessoa sensível à arte e que goste de viajar.
CONTATO: lari-santos@samba.com.br

Sou Rose Mary, tenho 19 anos e sou de São Paulo. Eu tenho uma banda de rock e faço shows nos fins de semana. Gosto de sair com pessoas diferentes para conhecer mais sobre cultura e diversidade. Procuro um amigo na região Norte do Brasil. Quero conhecer a Amazônia.
CONTATO: mary.rose@samba.com.br

Me chamo Túlio, tenho 28 anos, moro em Salvador e sou arquiteto. Sou um pouco tímido, mas gosto muito de conhecer pessoas diferentes. Sou muito dedicado a meu trabalho e adoro o que faço. No tempo livre eu bebo com meus amigos ou viajo pelo Brasil. Quero conhecer pessoas de outros estados para poder fazer amizade e visitar.
CONTATO: tuliobraga@samba.com.br

Meu nome é Thomas, tenho 25 anos, sou de Porto Alegre e trabalho como analista de sistemas. Curto muitas séries de TV, gosto de estar sempre conectado e no tempo livre trabalho no meu canal de games da internet. Gosto muito de tecnologia. Procuro um amigo da Europa para poder corresponder e visitar.
CONTATO: thomasjp@samba.com.br

▶ **RESPOSTA PESSOAL COM AUXÍLIO DO PROFESSOR:**

16 Descreva as características dos atores Leandro Hassum e Marcius Melhem e das cantoras Anitta e Ludmilla.

Ⓐ
Ⓑ
Ⓒ
Ⓓ

Cinquenta e quatro

UNIDADE 2

VAMOS FUGIR

VAMBORA

NESTA UNIDADE VOCÊ VAI APRENDER:
- futuro com verbo IR
- verbo ESTAR (localização)
- preposições EM/ A/ PARA
- expressões de localização e direção
- meios de transporte
- pontos cardeais
- nomes de estabelecimentos

PARA:
- planejar viagens
- dar endereços
- indicar caminhos
- explicar localizações
- fazer reservas em hotel

#PARTIUBRASIL

1. Quais palavras você associa à palavra "viagem"?

1.1. Observe as imagens acima e responda.

a. As imagens são:

☐ reportagem ☐ publicidade de agência de viagens ☐ campanha governamental

b. Relacione as *hashtags* acima com as atividades descritas a seguir:

(   ) Jogar uma pelada com os amigos
(   ) Participar do festival Comida de Buteco
(   ) Fazer trilha na Chapada Diamantina
(   ) Visitar o Museu do Amanhã
(   ) Tomar sol em Jericoacoara
(   ) Curtir as atrações do parque aquático

c. Como você gosta de viajar?

☐ Sozinho   ☐ Com parceiro/ parceira   ☐ Em família   ☐ Com amigos

LUGARES PARA VISITAR

- praias
- cachoeiras
- rios
- montanhas
- museus
- monumentos
- igrejas
- parques
- restaurantes
- teatros
- feiras e mercados
- parques temáticos

2. Escute as pessoas a seguir falando das férias. Anote as informações para completar o quadro abaixo.

ESTAÇÕES DO ANO
- primavera
- outono
- verão
- inverno

	DIÁLOGO 1	DIÁLOGO 2	DIÁLOGO 3
Onde? (país)			
Com quem?			
Quando? (estação do ano)			
Como? (transporte)			
Atividades			

TURISMO EM NÚMEROS

PERFIL DO TURISTA ESTRANGEIRO NO BRASIL

COMO CHEGAM AO BRASIL?

- AVIÃO: 4.318.419 (1)
- CARRO OU ÔNIBUS: 1.870.626 (2)
- NAVIO: 116.783 (3)

MEIO DE TRANSPORTE

IR + DE + MEIO DE TRANSPORTE

▶ *Exemplo*: Eu vou **de** avião para o Rio.
Você vai **de** carro para a festa?
Você vai **de** ônibus?

Observação: Às vezes podemos usar a preposição **EM** com o verbo ir:
Você vai **no** ônibus das 7 h ou das 7h20?

3. Observe os documentos e responda.

a. Quais são as três cidades brasileiras mais visitadas por turistas estrangeiros?

b. Qual é a cidade menos visitada? Em qual região ela fica?

c. Como os estrangeiros chegam ao Brasil?

EU VOU...
- a pé
- de ônibus
- de avião
- de bicicleta
- de carro
- de motocicleta (moto)
- de táxi
- de metrô

DEZ CIDADES BRASILEIRAS MAIS VISITADAS PELOS TURISTAS ESTRANGEIROS PARA LAZER - 2013-2014

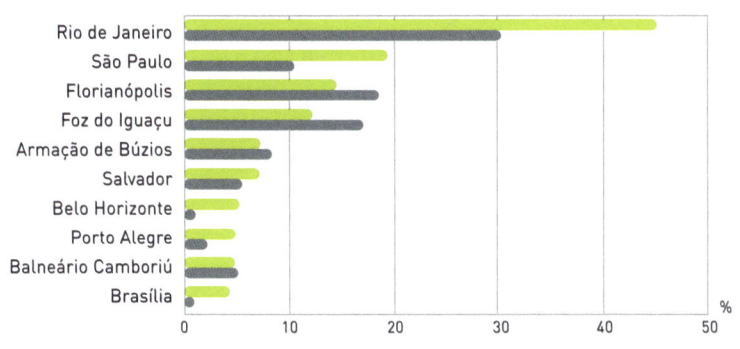

Rio de Janeiro, São Paulo, Florianópolis, Foz do Iguaçu, Armação de Búzios, Salvador, Belo Horizonte, Porto Alegre, Balneário Camboriú, Brasília

2013 / 2014

Fonte: Estudo da Demanda Turística Internacional 2010-2014. Brasília, DF: Ministério do Turismo, 2015. Disponível em: <https://goo.gl/FmKVhZ>. (Acesso em: 2 abr. 2016.)

4. Em dupla, pergunte ao seu colega qual cidade brasileira ele vai visitar e quais atividades deseja realizar.

BONITO É BONITO DE VER!

DOCUMENTO 1

É BONITO, É BONITO E É BONITO

Lagos azuis e de águas cristalinas, cavernas, trilhas e cachoeiras incríveis. Aventure-se em um dos melhores destinos de ecoturismo no Brasil em um roteiro de cinco dias.

5. Observe o documento acima.

a. O documento é uma:
   ☐ publicidade   ☐ abertura de reportagem

b. Qual é o nome da cidade?

c. Quais são as atrações?

6. Associe os nomes das direções às siglas dos pontos cardeais.

( ) Nordeste   ( ) Noroeste
( ) Oeste   ( ) Leste
( ) Sudoeste   ( ) Norte
( ) Sudeste   ( ) Sul

7. Agora localize a cidade do documento no mapa ao lado.

a. Perto de quais cidades ela se localiza?

b. Quais cidades estão ao leste?

c. A quais cidades podemos ir de trem?

d. Qual cidade está ao Leste da capital do Mato Grosso do Sul (MS)?

e. Quais estados brasileiros fazem divisa com o MS? (Ver Anexo 6 deste livro.)

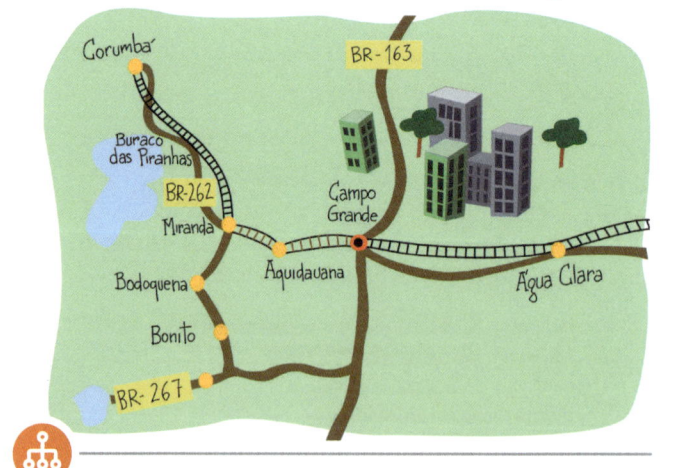

▶ **Todos os nomes das regiões são masculinos**
Exemplos:
- A Floresta Amazônica fica **no** Norte do Brasil.
- O Rio de Janeiro fica **no** Sudeste.
- As praias **do** Nordeste são lindas.
- **No** Sul do Brasil tomamos chimarrão.

CENTRAL DE OFERTAS

EMBARQUE DE BELO HORIZONTE — 08 Dias / 07 Noites

★★★★★ **OURO PRETO-MG**
Data de saída: 01/07
A PARTIR DE 10XR$ **67,77** SEM JUROS — Detalhes

Transporte Rodoviário – Casal
Hotel c/ café da manhã
Jantar romântico
Visitas guiadas

EMBARQUE DE BELO HORIZONTE — 08 Dias / 07 Noites

★★★★★ **IMBASSAÍ-BA FÉRIAS EM FAMÍLIA**
Data de saída: 02/01
A PARTIR DE 10XR$ **374,76** SEM JUROS — Detalhes

Diária Resort (all inclusive)
Aéreo + Aluguel de carro
Duas crianças até 11 anos grátis na hospedagem
Seguro viagem grátis

EMBARQUE DE BELO HORIZONTE — 08 Dias / 07 Noites

★★★★★ **FOZ DO IGUAÇU-PR**
Data de saída: 02/07
A PARTIR DE 10XR$ **370,77** SEM JUROS — Detalhes

Transporte Aéreo – Individual
Traslado aeroporto - Hotel
Hotel c/ café da manhã
Compras no Paraguai

---

8. Observe o material acima e responda.

a. O material é uma: ☐ publicidade ☐ notícia ☐ cartão postal

b. Quais são as diferenças entre os pacotes? ☐ preço ☐ destino ☐ forma de pagamento ☐ meio de transporte ☐ tempo de estadia ☐ estação do ano ☐ público destinado

c. O que os pacotes de viagem têm em comum? _____

d. Qual é o pacote de viagem mais barato? _____ Quanto ele custa no total? _____

O que está incluído nesse pacote? ☐ hospedagem ☐ transporte ☐ acompanhante ☐ outros _____

e. Qual é o destino do pacote de viagem para família? _____

f. Qual é o valor da parcela? _____ Em quantas vezes o cliente pode pagar? _____

---

10 X R$ 374 = 10 vezes de 374 reais
1X = Uma parcela

- Eu gostaria de fazer uma reserva.
- Quais os serviços do hotel?
- Quanto é a diária?
- Eu gostaria de fazer uma reserva para duas pessoas.
- Onde fica o hotel?
- No hotel tem piscina, restaurante, café da manhã...
- A reserva é do dia... ao dia...
- Um quarto de solteiro/ casal.

---

9. Escute o áudio e marque verdadeiro (**V**) ou falso (**F**).

a. ( ) O preço da diária é 240 reais por pessoa.
b. ( ) O hotel tem café da manhã.
c. ( ) O hotel fica perto da praia.
d. ( ) A reserva é para duas pessoas.
e. ( ) O quarto é de solteiro.
f. ( ) A reserva é para o dia 12 de janeiro.
g. ( ) O quarto tem TV e ar condicionado.
h. ( ) O hotel tem piscina e não tem estacionamento.

OS SERVIÇOS DO HOTEL

- serviço de quarto
- o ar-condicionado
- o bar/ o café
- a academia
- a piscina
- o frigobar
- o Wi-Fi
- a sauna
- o café da manhã/ o almoço/ o jantar

ESTOU EM... VOU PARA...

PONTO CULTURAL: BRASILEIROS PREFEREM VIAJAR DE ÔNIBUS E DE CARRO PELO BRASIL

▶ Quase 60 milhões de brasileiros viajam pelo país todos os anos, segundo um estudo do Ministério do Turismo. No entanto, 44,4% dos brasileiros nunca viajou a turismo pelo país.

O avião não é o principal meio de transporte desses turistas, mas sim o carro e o ônibus. Entre os entrevistados, 39,5% usam o carro, 38,2% usam o ônibus e apenas 20,6% dos entrevistados viajam de avião.

Viajar de ônibus é uma alternativa mais barata e uma ótima oportunidade de conhecer melhor os caminhos de cada destino e apreciar a paisagem.

Outra vantagem de viajar de ônibus é a facilidade na hora da troca da passagem. Se você precisar cancelar uma viagem ou transferir a data, esse processo é feito, geralmente, sem cobrança de taxas extras e a nova passagem tem validade de um ano para ser utilizada. Fonte: bit.ly/2Ykk4Eb (Acesso em: 27 nov. 2017. Adaptado.)

---

10. Leia o documento abaixo e responda por escrito.

a. Qual é o nome do documento? ....

b. Qual é o local de partida? E de destino? ....

c. Qual é a data de embarque? Qual é o horário? ....

d. Em qual lugar o passageiro vai se assentar? ....

e. Qual é a classe de conforto e serviço? ....

f. Qual é o preço? ....

g. Como se chama o local de embarque? ....

h. Qual é a distância do deslocamento em km? ....

▶ NO BRASIL EXISTEM 4 CLASSES DE CONFORTO E SERVIÇO PARA AS VIAGENS DE ÔNIBUS:

CLASSES	Nº DE GRAUS DE INCLINAÇÃO DA POLTRONA
Convencional	35°
Executivo	40°
Semileito	55°
Leito	80°

▶ A viagem de ônibus mais longa do mundo começa no Rio de Janeiro e termina em Lima, no Peru. São 6.035 km percorridos em cinco dias de viagem.

IDA E VOLTA?

11. Escute o áudio e responda.

➡ Onde se passa o diálogo?
- ☐ na agência de viagens
- ☐ no aeroporto
- ☐ na rodoviária

➡ O cliente quer...
- ☐ comprar uma passagem
- ☐ trocar uma passagem
- ☐ reagendar a viagem

11.1. Escute o áudio novamente e marque verdadeiro (**V**) ou falso (**F**).

( ) A passagem de ida é para o dia 27 de dezembro.
( ) São oito horas de viagem.
( ) O pagamento é com cartão.
( ) O ônibus é leito.
( ) A passagem de volta é para o dia 3 de janeiro.
( ) A pessoa vai viajar sozinha.

➡ Qual é o destino? ....

PRONOMES	VERBO ESTAR	COMPLEMENTOS
Eu	estou	**em** São Paulo.
Você	está	**no** Brasil.
Ele/ Ela	está	**na** praia.
Nós	estamos	**nos** Estados Unidos.
Vocês	estão	**nas** Filipinas.
Eles/ Elas	estão	**em** Paris.

PRONOMES	VERBO IR	COMPLEMENTOS
Eu	vou	**a** São Paulo.
Você	vai	**ao** Rio de Janeiro.
Ele/ Ela	vai	**aos** Estados Unidos.
Nós	vamos	**às** Bahamas.
Vocês	vão	**de** carro ou de avião?
Eles/ Elas	vão	**para a** escola.

Eu estou .... e vou ....

Preposição **em** + artigo definido
▶ EM + A = NA   ▶ EM + AS = NAS
▶ EM + O = NO   ▶ EM + OS = NOS

▶ **ESTAR EM (artigo) + LUGAR = LOCALIZAÇÃO**

PREPOSIÇÃO EM

➡ **Em** + cidade
Exemplo: Ele está **em** Lisboa.

➡ **Em + artigo** + País
Exemplo: Nós estamos **no** Brasil/ **na** Argentina / **nos** Estados Unidos/ **nas** Bahamas.

Atenção para exceções:

➡ **Alguns países sem artigo:** Portugal, Angola, São Tomé e Príncipe, Moçambique, Israel, Cuba...
Exemplo: Nós estamos em Portugal.

➡ **Algumas cidades com artigo:** Rio de Janeiro, Porto, Cairo...
Exemplo: Maria e Andrea estão no Rio de Janeiro.

A (preposição) + **artigo definido**
▶ A + A = À   ▶ A + OS = AOS
▶ A + O = AO   ▶ A + AS = ÀS

Para onde/ Aonde Luísa vai?
➡ Luísa vai a São Paulo. (formal)
➡ Luísa vai para São Paulo.

O verbo ir + a/ para = destino

A preposição **para** não contrai com artigo formalmente. Os brasileiros usam as formas *pra/ pro/ pras/ pros* informalmente.

* Luísa vai **em** São Paulo no sábado.

⚠ *A preposição EM acompanhando o verbo IR é usada informalmente.*

FIM DE SEMANA EM SALVADOR

ELEVADOR LACERDA, SALVADOR

> Oi Tuca,
>
> Que saudade! Aqui em Salvador tá muito legal.
> Estou em um hotel na cidade baixa que fica bem perto do Pelourinho, o principal ponto turístico da cidade. Vou a muitos lugares a pé. Os principais são o Mercado Modelo, onde compro comidas típicas, e o Cravinho, um lugar que vende essa bebida de cachaça com cravo! Experimento de tudo aqui. Subindo o elevador Lacerda tem também a sorveteria "A cubana", com sabores únicos! Eu estou adorando tudo.
>
> Volto logo! Beijos,
> Bia

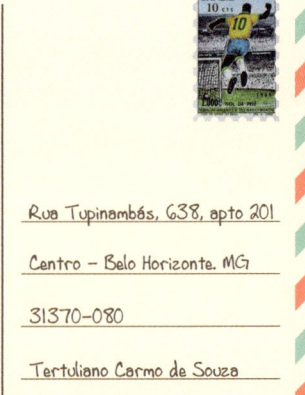

Rua Tupinambás, 638, apto 201
Centro – Belo Horizonte. MG
31370-080
Tertuliano Carmo de Souza

ENDEREÇO EM PORTUGUÊS

[Rua/ Avenida] + [número] + [bairro] + [cidade]

Exemplo: Eu moro na Rua Tupinambás,
número 658, apto 201,
bairro* Centro,
em Belo Horizonte – MG.
CEP 31370-080
(Código de Endereçamento Postal)

Algumas variações*:

Nº 658/201
Belo Horizonte = BH/ São Paulo = SP
Rua **X** esquina com rua **Y**
Perto de **Z** (ponto de referência)

* Uso opcional.

▶ Onde fica o hotel?
▶ O hotel fica perto da praia?
▶ Onde fica o banheiro?
▶ Onde fica o caixa eletrônico mais próximo?

12. Leia o documento e responda.

a. Que tipo de mensagem Bia envia para Tuca?
☐ uma carta ☐ um cartão postal
☐ um e-mail ☐ um bilhete

b. Onde Bia está hospedada?
☐ em um albergue ☐ na casa de amigos
☐ em uma pousada ☐ em um hotel

c. Como Bia visita os locais da cidade?
☐ de ônibus ☐ de táxi ☐ de bicicleta
☐ a pé ☐ de metrô

d. O que Bia gosta de fazer na cidade?
☐ ir a museus ☐ fazer compras
☐ ir a restaurantes ☐ experimentar novos alimentos

e. E você? O que gosta de fazer quando visita uma cidade? ***Eu gosto de*** _____

f. Para onde Bia vai enviar essa mensagem?

VOCÊ CONHECE UM ATALHO?

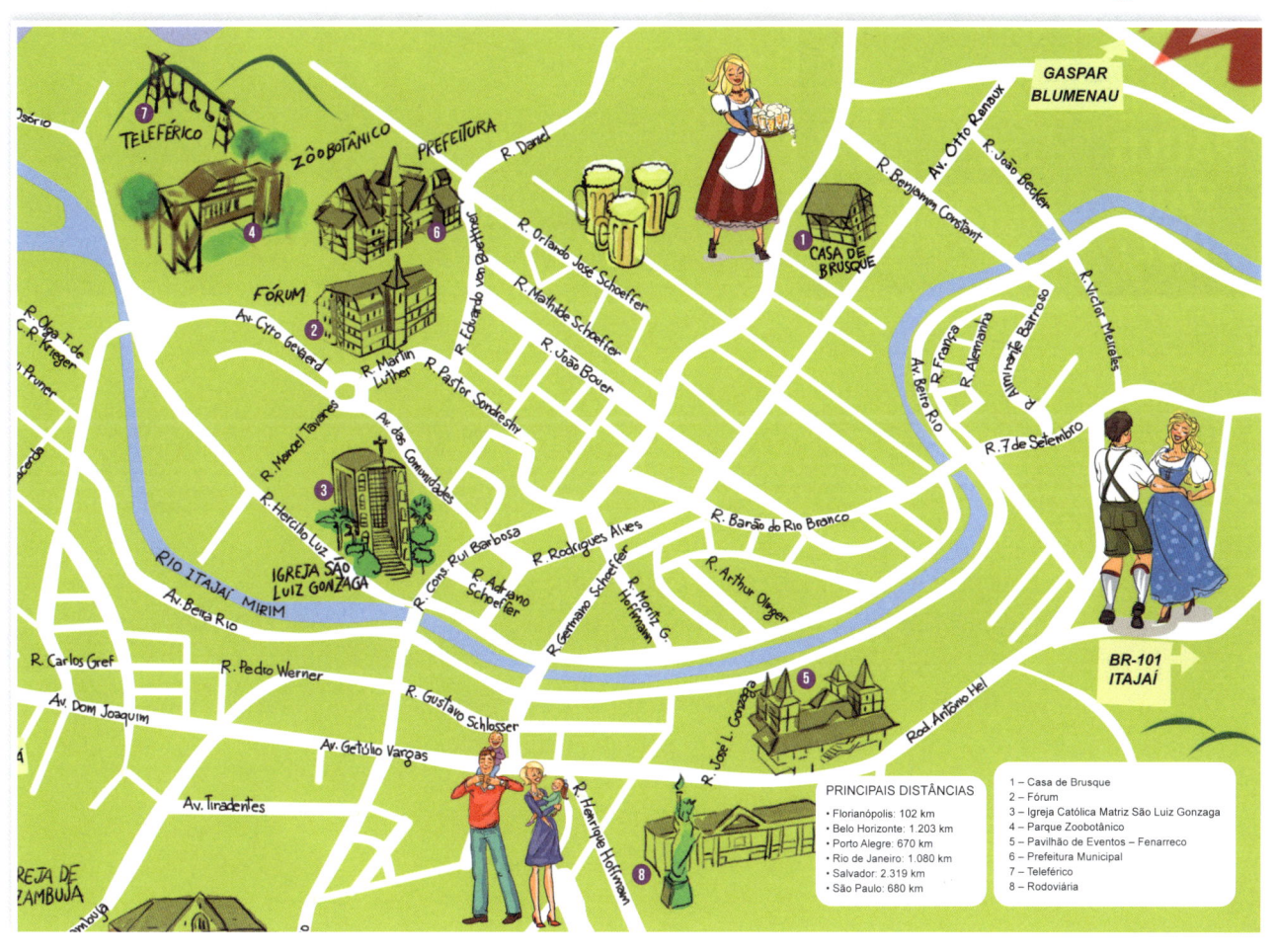

PRINCIPAIS DISTÂNCIAS
- Florianópolis: 102 km
- Belo Horizonte: 1.203 km
- Porto Alegre: 670 km
- Rio de Janeiro: 1.080 km
- Salvador: 2.319 km
- São Paulo: 680 km

1 – Casa de Brusque
2 – Fórum
3 – Igreja Católica Matriz São Luiz Gonzaga
4 – Parque Zoobotânico
5 – Pavilhão de Eventos – Fenarreco
6 – Prefeitura Municipal
7 – Teleférico
8 – Rodoviária

13. A Família Lopes está visitando Brusque. Trace o caminho indicado pelo GPS no mapa.

14. Observe o mapa da cidade Brusque e responda.
a. Onde fica a prefeitura?
b. Descreva o caminho da Casa de Brusque para a prefeitura.
c. Quais estabelecimentos estão representados no mapa?
d. Segundo o mapa, a cidade mais distante de Brusque fica em qual região?

- Na frente de
- Atrás de
- Dentro de
- Fora de
- Ao lado de
- Entre
- Em cima de
- Embaixo de

INDICAÇÃO DE CAMINHO

- ir
- passar
- atravessar
- virar
- pegar
- subir
- descer
- continuar
- contornar
- chegar
- vir
- seguir

VOCÊ VIAJA PARA QUÊ?

15. Observe as imagens e responda.
   a. O que você sabe sobre a cidade de São Paulo?
   b. Como você associa a frase "São Paulo para quê?" às imagens?
   c. Na sua opinião, São Paulo é uma cidade interessante para quem?

15.1. Afinal, ir a São Paulo para quê? Escolha entre as opções a seguir as atividades mais interessantes para você e descubra por que São Paulo é especial.
( ) Correr no Parque do Ibirapuera: São Paulo tem 109 parques, além de estádios, clubes e academias.
( ) Fazer negócios: São Paulo é o maior centro financeiro da América Latina.
( ) Comer bem: São Paulo tem 20 mil restaurantes, 1,5 mil pizzarias, 3,2 mil padarias e 30 mil bares.
( ) Fazer boas compras: São Paulo tem 53 shoppings e 240 mil lojas.
( ) Curtir o circuito cultural: São Paulo tem 138 teatros e 158 museus.
( ) Outro ....

16. Com a ajuda das suas ferramentas digitais, descubra as informações abaixo.
   a. Quantos anos a cidade de São Paulo tem hoje?
   b. São Paulo tem quantos habitantes?
   c. Quem nasce na cidade do Rio e Janeiro é carioca e quem nasce na cidade de São Paulo é
   d. Quais os nomes dos principais times de futebol de São Paulo?

17. Leia as frases abaixo e relacione o significado da expressão "para" em cada frase.
( ) As praias são boas **para** surf.
( ) O ônibus **para** o Rio sai às 18 h.
( ) São Paulo é uma cidade boa **para** quem gosta de cultura.
( ) Nós vamos **para** São Paulo.
( ) Ele está em São Paulo **para** trabalhar.
( ) Vamos fazer o trabalho de português, o trabalho de inglês fica **para** amanhã.

① Pessoa ou objeto a que se dirige
② Lugar/ destinação (física)
③ Relação temporal
④ Finalidade/ objetivo

São Paulo possui a maior colônia de japoneses, italianos, portugueses e libaneses fora de seus respectivos países.

O PERFIL DO VIAJANTE ESTRANGEIRO NO BRASIL

Quem são
- 1º Argentinos — 1,7 milhão
- 2º Norte-americanos — 656,8 mil
- 3º Chilenos — 336,9 mil

O que procuram
- 1º Lazer — 54,7%
- 2º Negócios — 21,9%
- 3º Amigos e parentes — 20,1%

Quanto tempo ficam (2014)
- 1º Portugueses — 32,4 dias
- 2º Espanhóis — 30,3 dias
- 3º Italianos — 28,6 dias

Satisfação com o turismo*
- hospitalidade — 97,2%
- gastronomia — 94,4%
- hospedagem — 92,4%

Onde se hospedam
- Hotel, flat, pousada e resort — 49,5%
- Hospedagem alternativa* — 47,3%

Destinos preferidos* (*a lazer)
- 1º Rio de Janeiro — 45,2%
- 2º São Paulo — 19,4%
- 3º Florianópolis — 14,6%

Fonte: bit.ly/2kOMGTD (Acesso em: 12 dez. 2017. Adaptado.)

DOCUMENTO 1

18. Leia o documento acima e responda verdadeiro (**V**) ou falso (**F**).

( ) **A menor parte dos** estrangeiros que visitam o Brasil é da América Latina.
( ) **Muitos** estrangeiros gostam da gastronomia do Brasil.
( ) **A maior parte** dos estrangeiros vem ao Brasil para visitar amigos e parentes.
( ) Os estrangeiros ficam **em média** um mês no Brasil.
( ) **Poucos** estrangeiros vão a São Paulo para negócios.
( ) **Quase 50%** dos turistas têm o Rio de Janeiro como destino.

QUANTIFICADORES
- a maior parte
- a menor parte
- em média
- quase
- muitos ≠ poucos

19. Leia os documentos 2 e 3 e responda.

a. Como o turista escolhe o destino de viagem? ....
b. Qual a porcentagem de turistas que compram passagens pela internet? ....
c. Como os turistas escolhem os melhores hotéis e restaurantes? ....
d. Por que os meses de dezembro, janeiro e fevereiro são os favoritos para viagem?

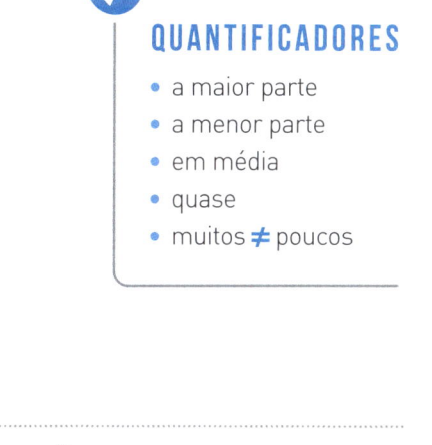

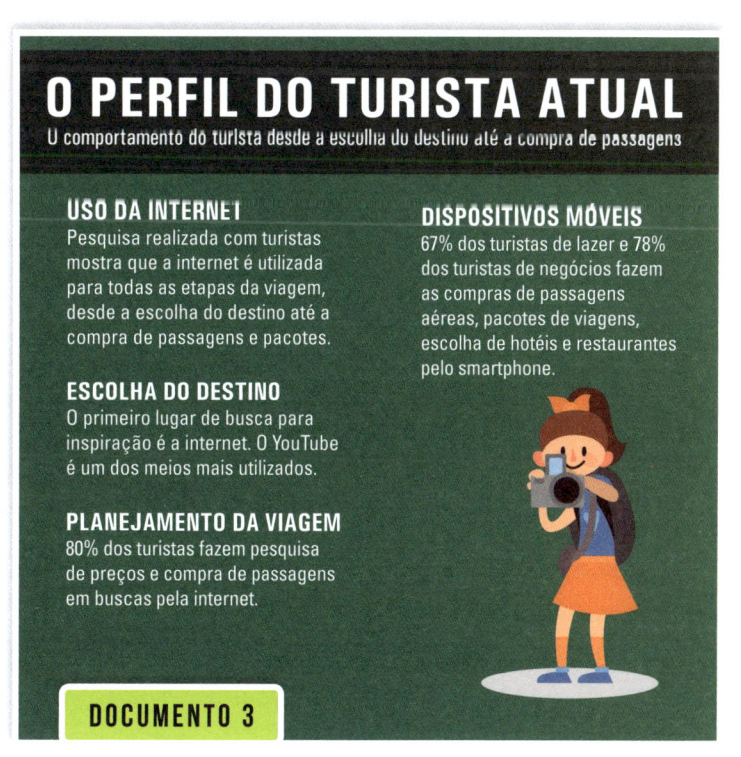

DOCUMENTO 2 ▶ **MESES FAVORITOS PARA VIAGEM**

- JANEIRO — 915.056 (1)
- DEZEMBRO — 784.562 (2)
- FEVEREIRO — 719.513 (3)

O PERFIL DO TURISTA ATUAL
O comportamento do turista desde a escolha do destino até a compra de passagens

USO DA INTERNET
Pesquisa realizada com turistas mostra que a internet é utilizada para todas as etapas da viagem, desde a escolha do destino até a compra de passagens e pacotes.

ESCOLHA DO DESTINO
O primeiro lugar de busca para inspiração é a internet. O YouTube é um dos meios mais utilizados.

PLANEJAMENTO DA VIAGEM
80% dos turistas fazem pesquisa de preços e compra de passagens em buscas pela internet.

DISPOSITIVOS MÓVEIS
67% dos turistas de lazer e 78% dos turistas de negócios fazem as compras de passagens aéreas, pacotes de viagens, escolha de hotéis e restaurantes pelo smartphone.

DOCUMENTO 3

GUIA BH.COM

Agenda Balada Bares Carnaval 2020 Cinema Festas Gastronomia Grátis Programação
Shows Teatro Turismo

20. Observe o site da cidade de Belo Horizonte, confira as opções sobre o que fazer e responda.
a. Qual seção do site você tem interesse?
b. O que você imagina que vai encontrar nessa seção?
c. O que significa a seção "Grátis"?
d. Que evento importante vai acontecer em BH?

21. Escute o áudio e responda.
a. Qual a situação comunicativa?
☐ conversa no barzinho   ☐ depoimento   ☐ consulta   ☐ entrevista de rua
b. Bruna quer saber sobre...
☐ horário dos shows   ☐ agenda da cidade   ☐ ferramentas de pesquisa   ☐ site da cidade
c. Como Isaac busca informações? ....
d. Quais informações Isaac encontra?
☐ lojas on-line   ☐ horários dos shows   ☐ dicas de moda   ☐ eventos com entrada franca

• shows   • festas   • eventos   • bares   • restaurantes   • boate

• frete   • ingresso   • bilheteria   • cupom   • camarote

O FUTURO COM O VERBO IR

Verbo IR (presente) + verbo principal (no infinitivo)

Exemplos:
➔ Nós **vamos** estudar depois do almoço.
➔ Eu **vou** me deitar às 21 h.

Observação: Não usamos formalmente essa formação de futuro quando o verbo principal é IR.
Exemplo: Ela **vai** ao cinema. (vai ir)

22. Entre no site de eventos de Belo Horizonte para conferir a programação cultural.
a. O que você encontra na seção "Agenda"?
b. Quais os principais espaços culturais dessa cidade?

23. Em dupla, imagine que você e seu colega vão passar o fim de semana em BH. O que vocês vão fazer? Planejem e contem para a turma.

MERCADOS MUNICIPAIS

▶ Para compreender a cultura local de uma região do Brasil, um bom passeio é visitar o mercado municipal da cidade. Os mercados são um patrimônio histórico, cultural e gastronômico, com o melhor artesanato e culinária local. Dentro do mercado temos muitos tipos de loja, como padarias, açougue, peixarias, bancas de frutas, biscoitos e cachaças, restaurantes e bares com comidas típicas da região. Conheça quatro mercados municipais para visitar no Brasil:

1 Mercado Modelo de Salvador - BA (1912): com 263 lojas, fica de frente para a Baía de Todos os Santos, oferece a tradicional culinária baiana, lojas de artigos religiosos, frutas nordestinas e artesanato e, aos sábados, tem rodas de capoeira atrás do mercado.

2 Mercado Central de Belo Horizonte - MG (1929): é um espaço que mistura religiosidade, cultura popular, artesanato, queijos, frutas, doces e muita tradição. Tem mais de 400 lojas e excelentes bares e restaurantes.

3 Mercado Municipal de São Paulo - SP (1933): tem 280 lojas, lindos vitrais e oferece, entre frutas e artesanato, os deliciosos sanduíche de mortadela e pastel de bacalhau.

4 Mercado Ver-o-Peso de Belém - PA (1901): é o maior mercado a céu aberto da América Latina. Fica nas margens do rio Baía do Guajará. Além de peixes e muitas frutas do Norte, como o açaí, tem 35 mil metros quadrados e é um dos mercados públicos mais antigos do Brasil.

PORTUGUÊS DE PORTUGAL

▶ Para muitos portugueses, a língua falada no Brasil é o brasileiro. As diferenças entre o português falado em Portugal e o português falado por aqui podem ser marcantes. Além da diferença fonética, temos também variações de vocabulário e sintaxe. Por exemplo, para compreender uma indicação de caminho em Portugal, é necessário saber que "bairro" se chama "freguesia" em terras lusitanas; uma padaria pode ser uma "pastelaria" e um açougue é um "talho". Já quando falamos de meios de transporte, é preciso saber que um ônibus é um "autocarro", um trem é um "comboio" e o metrô se chama "metro". Em Portugal, endereço é "morada". Agora, sabendo disso, traduza a frase: onde é a estação de comboios?

Fonte: bit.ly/2Pw87W1 (Acesso em: 5 dez. 2019. Adaptado.)

24. Você vai jogar um jogo de tabuleiro com seus colegas. Em grupos, você e seus colegas vão relembrar todo o conteúdo estudado. Fique atento às regras descritas.

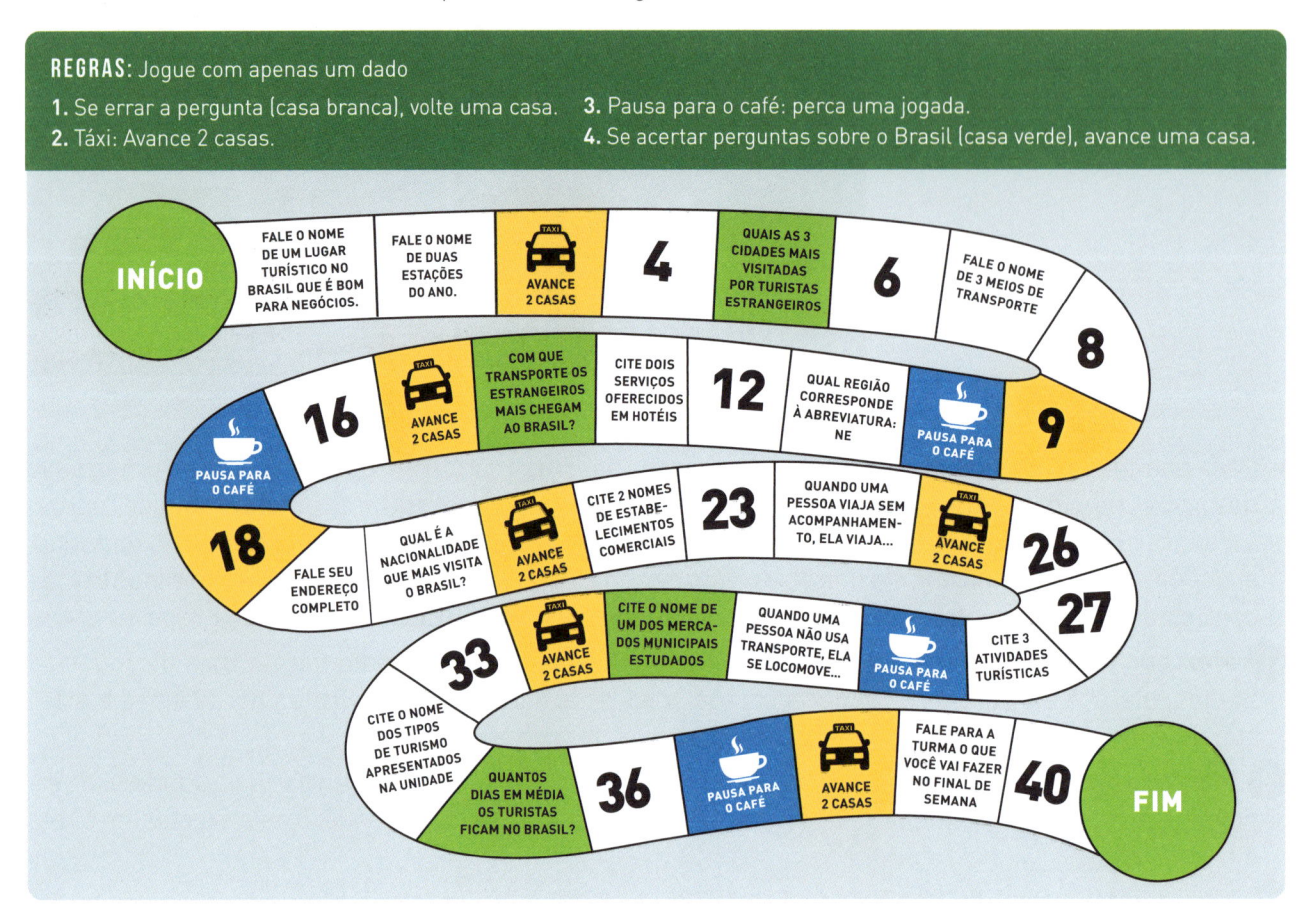

REGRAS: Jogue com apenas um dado
1. Se errar a pergunta (casa branca), volte uma casa.
2. Táxi: Avance 2 casas.
3. Pausa para o café: perca uma jogada.
4. Se acertar perguntas sobre o Brasil (casa verde), avance uma casa.

INÍCIO
- FALE O NOME DE UM LUGAR TURÍSTICO NO BRASIL QUE É BOM PARA NEGÓCIOS.
- FALE O NOME DE DUAS ESTAÇÕES DO ANO.
- TÁXI AVANCE 2 CASAS
- 4
- QUAIS AS 3 CIDADES MAIS VISITADAS POR TURISTAS ESTRANGEIROS
- 6
- FALE O NOME DE 3 MEIOS DE TRANSPORTE
- 8
- PAUSA PARA O CAFÉ
- 9
- QUAL REGIÃO CORRESPONDE À ABREVIATURA: NE
- 12
- CITE DOIS SERVIÇOS OFERECIDOS EM HOTÉIS
- COM QUE TRANSPORTE OS ESTRANGEIROS MAIS CHEGAM AO BRASIL?
- TÁXI AVANCE 2 CASAS
- 16
- PAUSA PARA O CAFÉ
- 18
- FALE SEU ENDEREÇO COMPLETO
- QUAL É A NACIONALIDADE QUE MAIS VISITA O BRASIL?
- TÁXI AVANCE 2 CASAS
- CITE 2 NOMES DE ESTABELECIMENTOS COMERCIAIS
- 23
- QUANDO UMA PESSOA VIAJA SEM ACOMPANHAMENTO, ELA VIAJA...
- TÁXI AVANCE 2 CASAS
- 26
- 27
- CITE 3 ATIVIDADES TURÍSTICAS
- PAUSA PARA O CAFÉ
- QUANDO UMA PESSOA NÃO USA TRANSPORTE, ELA SE LOCOMOVE...
- CITE O NOME DE UM DOS MERCADOS MUNICIPAIS ESTUDADOS
- TÁXI AVANCE 2 CASAS
- 33
- CITE O NOME DOS TIPOS DE TURISMO APRESENTADOS NA UNIDADE
- QUANTOS DIAS EM MÉDIA OS TURISTAS FICAM NO BRASIL?
- 36
- PAUSA PARA O CAFÉ
- TÁXI AVANCE 2 CASAS
- FALE PARA A TURMA O QUE VOCÊ VAI FAZER NO FINAL DE SEMANA
- 40
- **FIM**

▶ Escute as palavras e marque os sons [b] e [v].

	1	2	3	4	5	6	7	8	9	10
[b] **b**elo										
[v] **v**elho										

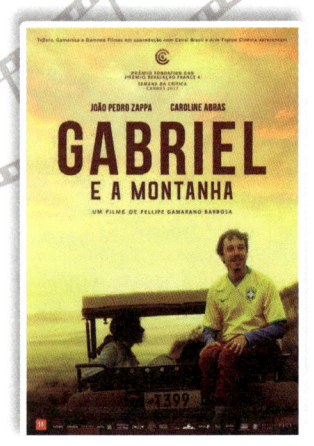

▶ **GABRIEL E A MONTANHA**

2017 . DRAMA . 2H 11M

Gabriel é um jovem aventureiro cheio de planos. Antes de se preparar para a vida acadêmica na Universidade da Califórnia, ele decide ir para a África. Durante a viagem, Gabriel decide subir o Monte Mulanje, um dos mais altos do Malawi.

DATA DE LANÇAMENTO: 21 de maio de 2017 (Brasil)
DIREÇÃO: Fellipe Gamarano Barbosa
PRODUÇÃO: Roberto Berliner, Clara Linhart, Rodrigo Letier, Yohann Cornu
PRÊMIOS: Semana da Crítica do Festival de Cannes

Fonte: bit.ly/2ZoDuEp (Acesso em: 26 set. 2018.)

#PARTIUBRASIL

LOCALIZAÇÃO
- em frente de
- ao lado de
- perto de
- fora de
- em cima de (sobre)
- embaixo de (sob)
- à direita
- à esquerda
- atrás de
- longe de
- dentro de

PREPOSIÇÃO + TRANSPORTES
- de carro
- de ônibus
- de avião
- de táxi
- de bicicleta
- a pé
- de trem
- de moto
- de metrô
- de navio

VERBOS PARA INDICAÇÃO DE CAMINHO
- atravessar
- continuar
- pegar
- descer
- chegar
- seguir
- virar
- passar
- contornar
- subir
- vir

ESPAÇOS DA CIDADE
- museu
- praça
- boate
- teatro
- shopping
- parque
- feira
- clube
- cinema
- lojas

ALOJAMENTOS
- um hotel
- uma casa
- um apart-hotel
- um camping
- uma pousada
- uma pensão
- uma república
- uma quitinete

OS SERVIÇOS DE HOTEL/HOSPEDAGEM
- Serviço de quarto
- o frigobar
- o Wi-Fi
- o ar-condicionado
- a academia
- a piscina
- a sauna
- o bar/ o café

PONTOS CARDEAIS
- Norte (N)
- Sul (S)
- Leste (L)
- Oeste (O)
- Nordeste (NE)
- Sudeste (SE)
- Sudoeste (SO)
- Noroeste (NO)

ESTABELECIMENTOS
- a padaria
- a lanchonete
- o açougue
- o sacolão
- o supermercado
- o banco
- o correio
- a escola
- o hotel
- o hospital
- o bar
- o restaurante
- a farmácia

NO HOTEL
- Quais os serviços do hotel?
- Quanto é a diária?
- Eu gostaria de fazer uma reserva para duas pessoas.
- Onde fica o hotel?
- No hotel tem piscina? Restaurante? Café da manhã?
- A reserva é do dia... ao dia...
- Um quarto de solteiro/ casal.

EXPRESSAR DESEJO
- Eu gostaria de + verbo
- Eu queria + verbo/ substantivo

PLANEJAR UMA VIAGEM
- Com quem você vai viajar?
- Como você vai viajar?
- Quando você vai viajar?
- Onde você vai ficar?
- Onde fica o hotel?

EXERCÍCIOS UNIDADE 2

1 Sublinhe a expressão correta.

*Exemplo: Você vai passar **debaixo**/ em frente da igreja.*

a. Você vai **atravessar/ entre** a praça.
b. Eu te espero **em frente/ sobre** a escola.
c. A loja fica **ao lado/ em cima** da farmácia.
d. O parque fica **sob/ entre** o teatro e o museu.
e. O ônibus para na rua **fora/ embaixo** do shopping.

2 Marque o intruso.

Exemplo: Virar/ atravessar/ ~~comer~~/ passar

a. rua/ avenida/ praça/ ar-condicionado
b. ônibus/ sacolão/ caminhão/ carro
c. moto/ hospital/ hotel/ supermercado
d. casa/ apartamento/ quitinete/ restaurante

3 Associe as colunas para completar as frases.

a. Você vai passar   ( ) à esquerda.
b. Você vai atravessar ( ) um táxi.
c. Nós vamos viajar   ( ) de carro.
d. Ela vai virar   ( ) a rua.
e. Eu vou pegar   ( ) entre o banco e o correio.
f. Nós vamos ficar   (f) no Hotel Marítimo.

4 Coloque as palavras na ordem correta para formar frases. (Use o futuro do verbo IR)

Exemplo: ir –metrô – de - igreja – você – à
Você vai de metrô à igreja.

a. morar – do – ao lado – hotel – Maria - ir

b. direita – primeira – você – ir – rua – virar – a – à

c. em – em frente – hotel – ficar – à praia – ir – elas – um

d. morar – do cinema – ir - uma – perto – eu – avenida – em

5 Escreva os endereços abaixo na ordem e forma como se leem.

A. ACADEMIA MALHAÇÃO
R. Monte Cristo/ 16/ B. Serra Verde/ Rio de Janeiro

B. HOTEL MIRAMAR
Alameda das Acácias/ B. Miramar/ 73 / Curitiba

C. RESTAURANTE GOLDEN CHINA
B. Centro/ 154/ Av. Afonso Pena/ Belo Horizonte

D. SHOPPING CRUZEIRO
Boulevard Hortência/ 13/ B. Vila Paris/ Londrina

Exemplo:

A. *A academia Malhação fica na rua Monte Cristo, número dezesseis, no bairro Serra Verde, na cidade do Rio de Janeiro.*

B.

C.

D.

6 Escreva a localização dos lugares indicados.

Exemplo: **O mercado fica atrás da praça.**

▶ Onde fica a padaria?

▶ Onde fica a escola?

▶ Onde fica a praça?

7 Coloque o artigo definido em frente ao nome e depois risque a palavra intrusa.

a. _A_ farmácia _O_ banco ~~_O_ mar~~
b. ____ igreja ____ padaria ____ escultura
c. ____ carro ____ praça ____ correio
d. ____ supermercado ____ bar ____ estrada
e. ____ livraria ____ banheiro ____ café
f. ____ teatro ____ ônibus ____ clube

8 Associe as colunas para saber qual atividade você faz quando vai...

a. ao banco   ( ) estudar
b. ao teatro   ( ) comer
c. ao cinema   ( ) nadar
d. ao clube   ( ) dançar
e. à farmácia   ( ) ver um filme
f. à lanchonete ( ) sacar dinheiro
g. à escola   (_b_) assistir a uma peça
h. à boate   ( ) comprar remédios

9 Localize os objetos na sala.

Exemplo: Onde está a almofada?
▶ *A almofada está* _em cima_ *do sofá.*

a. Onde está a bola? A bola está _____ do sofá.
b. Onde está a mesa? A mesa está no _____ da sala.
c. Onde estão os quadros? Os quadros estão _____ da estante.
d. Onde está a TV? A TV está _____ as caixas de som.
e. Onde está o carro? O carro está _____ da casa.
f. Onde está o jornal? O jornal está _____ a mesa.

10 Complete os espaços vazios com a preposição EM. (Faça adaptações quando necessário.)

Exemplo: Breno mora _em_ *Salvador. Sua família não mora* _no_ *Brasil, pois ele é chileno e todos os seus familiares moram* _no_ *Chile.*

a. Joana é brasileira, ela vive _____ Estados Unidos desde 2013, _____ Los Angeles.
b. Marcus vive _____ Londres, _____ Inglaterra. Ele é holandês e sua família ainda mora _____ Holanda.
c. Ludovica nasceu _____ Itália. Ela atualmente mora _____ Rio de Janeiro com seu marido brasileiro. Ela gosta de morar _____ Brasil.
d. Andrew é neozelandês. Ele vive _____ Portugal com sua família. Ele é casado com Wong. Ela é chinesa. Todos os anos eles visitam a família de Wong _____ Hong Kong.

11 Use a preposição adequada (DE ou EM) nas frases abaixo. (Faça adaptações quando necessário.)

Exemplo: Maria Clara é _da_ *Alemanha. Ela mora* _em_ *Munique.*

a. Júlia está _____ Rio de Janeiro. Ela é _____ Salvador.
b. Marcos visita sua família _____ Brasil uma vez por ano. Ele está _____ Avignon, _____ França, desde 2001.
c. Maria Júlia está _____ Argentina. Ela é casada com um homem _____ Buenos Aires, mas eles estão _____ Bariloche.
d. André é _____ Portugal. Ele está _____ Coimbra de férias com a família.

12 Complete as frases com o verbo IR.

Exemplo: Mário e Paul **vão ao** *Rio de Janeiro no fim de semana./ Mário e Paul* **vão para o** *Rio...*

a. Maria e Pedro _____ churrascaria no fim de semana.

b. Ana e eu _____ zoológico no domingo.

c. Andrea e as filhas _____ Trancoso nas férias de julho.

d. Eu _____ Mercado Central amanhã.

e. Carla _____ Marrocos em julho.

13 O que você vai fazer? Use as expressões a seguir e crie frases contando que atividades você vai realizar.

Exemplo: Depois de amanhã

➡ **Depois de amanhã eu vou visitar minha amiga.**

a. Amanhã _____

b. Hoje à noite _____

c. Na semana que vem _____

d. No próximo fim de semana _____

e. No mês que vem _____

f. Nas próximas férias _____

14 Complete as frases com os pontos cardeais adequados.

Exemplo: O Aquífero Guarani fica no **Sudoeste** *do Brasil.*

a. A Floresta Amazônica fica no _____ do Brasil.

b. O _____ é a região do Brasil com as praias mais bonitas.

c. O _____ tem o clima mais frio do Brasil.

d. O Rio de Janeiro fica no _____ do Brasil.

e. O sol nasce no _____ e se põe no _____ no Brasil.

15 Associe as colunas de acordo com os meses correspondentes às estações **no Brasil**:

1. Verão   ( ) março – abril – maio
2. Outono   ( ) dezembro – janeiro – fevereiro
3. Inverno   ( ) junho – julho – agosto
4. Primavera ( ) setembro – outubro – novembro

16 Escreva um texto para descrever seu endereço, contar sobre os estabelecimentos nas proximidades, e depois indicar o trajeto para chegar até o local do curso de português.

Exemplo: **Eu moro na rua Florianópolis, nº 25, no bairro Centro. A casa onde moro fica perto do Mercado Central, de uma farmácia e de uma padaria. Para ir ao curso de português eu vou de carro, porque fica longe do meu endereço. Eu chego no curso em 20 minutos.**

_____
_____
_____
_____

17 Complete o texto com o vocabulário adequado.

▶ reserva ▶ internet ▶ apartamentos
▶ hotel ▶ piscina ▶ ar-condicionado
▶ turísticos ▶ preços ▶ ~~praia~~
▶ restaurante

Com uma localização privilegiada, a 300 metros da **1 praia** de Atalaia e próximo aos principais pontos **2** _____ da cidade, o Hotel Parque das Águas dispõe de 56 charmosos **3** _____ prontos para recebê-lo.

Seja bem-vindo e venha usufruir o que nosso **4** _____ tem de melhor.

Nossa estrutura conta com **5** _____ com cozinha regional e internacional, **6** _____ Wi-Fi gratuita, business center (sala de reunião), **7** _____ minibar, TV a cabo, *room service* (até as 22 horas), estacionamento fechado e gratuito, salão de jogos, **8** _____ semiolímpica (com toboágua para as crianças), parque infantil, salão de eventos com capacidade para 100 pessoas.

Faça sua **9** _____ pelo nosso site!
Temos os melhores **10** _____ da cidade.

Fonte: bit.ly/335GqIk (Acesso em: 19 out. 2017. Adaptado.)

18 Associe a imagem à frase correspondente.

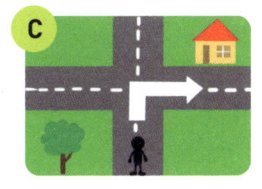

A **B** **C** **D** **E**

( ) Você vai atravessar a rua.
( ) Você vai virar à esquerda.

( ) Você vai virar à direita.
( ) Você vai atravessar o cruzamento.

( ) Você vai seguir em frente.

19 Observe as imagens e indique a localização das pessoas e para onde elas vão:

▶ Onde Sara está?

▶ Para onde ela vai?

▶ Onde Carlos e Marília estão?

▶ Para onde eles vão?

▶ Onde Fernando está?

▶ Para onde ele vai?

20 Vamos para o Rio? Veja o que vamos fazer

( ) Vamos passear no Jardim Botânico.
( ) Vamos assistir a um Fla-Flu no Maracanã.
( ) Vamos saltar de asa-delta da Pedra Bonita.
( ) Vamos assistir aos desfiles de carnaval no Sambódromo.

74 Setenta e quatro

UNIDADE 3

🔊 DIA DE COMEMORAR

DIA A DIA

NESTA UNIDADE VOCÊ VAI APRENDER:
- as horas
- expressões de frequência
- verbos de ações do dia a dia
- o presente contínuo
- as atividades esportivas
- as atividades de lazer

PARA:
- falar das atividades cotidianas e em curso
- marcar compromissos
- convidar, aceitar e recusar um convite
- falar sobre atividades de lazer e hábitos esportivos

DE OLHO NA TV

1. Observe as imagens e responda.

a. Quais são os tipos de programas de televisão na imagem acima?

- programa de auditório
- telejornal
- novela
- programa esportivo
- talk show
- programa infantil/ desenhos
- reality show

① _____ ③ _____ ⑤ _____
② _____ ④ _____ ⑥ _____

b. Qual é o dia e o horário do futebol? _____
c. Quais são os horários das novelas? _____

EXPRESSÕES DE FREQUÊNCIA

- sempre ≠ nunca
- de segunda a sexta
- .... x por semana/ mês/ ano
- todos os dias
- raramente
- nos fins de semana/ Nas quartas-feiras
- de .... em .... dias
- a cada .... dias
- todas as manhãs/ tardes/ noites
- frequentemente

2. Escute o áudio e responda.

a. O áudio é:
☐ uma reportagem ☐ um programa de rádio ☐ uma entrevista

b. Qual é o assunto? _____

c. Escute novamente o documento e complete o quadro.

HORÁRIO	CANAL A	CANAL B	CANAL C
19 h		Novela Um grande amor	Desenho animado
20h30	Jornal da Noite		TV Fama: a vida dos artistas
21 h	Novela Laços de Família	Face a Face: entrevista	
21h45	Programa do Jô		
23h30	Minissérie Gabriela	Sessão Corujão	Tela de Sucessos (filmes)

3. Você costuma assistir à TV? Que tipo de programa faz parte da sua rotina?

4. Quando você assiste à TV?

☐ todos os dias ☐ .... X por semana ☐ nos fins de semana ☐ nunca ☐ _____

5. Observe o gráfico ao lado. Marque verdadeiro (**V**) ou falso (**F**).

a. ( ) Todos os dias 67% dos brasileiros assistem aos telejornais.
b. ( ) A TV não é o principal meio de informação dos brasileiros.
c. ( ) Depois da TV, o rádio é o principal meio de informação.
d. ( ) 26% dos brasileiros têm a internet como principal meio de informação.

▶ Qual mídia é mais popular no seu país?

PESQUISA BRASILEIRA DE MÍDIA 2016
- Assistem à TV todos os dias: 77
- Assistem a telejornais diários: 67
- Escutam rádio diariamente: 30
- Têm internet como principal meio de informação: 26

Fonte: bit.ly/2ZsGBLl (Acesso em: 26 set. 2018.)

▶ No Brasil considera-se como **horário nobre** toda a programação que está entre as **18 h** e a **meia-noite**, tem como **"pico"** o horário entre **20 h** e **23 h**, horário em que são exibidos programas como telenovelas, seriados, filmes, telejornais e *reality shows*, por exemplo.

AS HORAS

Para falar as horas em português, sempre é usado o verbo SER.

Quando é feita a pergunta, o verbo deve estar sempre na **3ª pessoa do plural (são)** e para responder depende do horário. 1 h, 12 h ou 0 h são sempre precedidas pela forma da **3ª pessoa do singular (é)**.

Exemplo: Que horas *são*?
- *É* meio-dia./ *É* uma hora./ *É* meia-noite.
- *São* duas e meia.

ABREVIAÇÃO DAS HORAS

O show começa às **21 h**.
Eu saio de casa às **7h15**.
O ônibus passa às **13h45min**.

AS HORAS

➡ **Que horas são?**
  É uma hora./
  São treze horas em ponto. (13 h)
  É meia-noite.
  É meia-noite e meia./ *É* meia-noite e trinta.

➡ **A que horas começa o filme?**
  À uma e quinze./
  Às treze e quinze. (13h15)

➡ **Você almoça a que horas?**
  À uma e meia./
  Às treze e trinta. (13h30)

➡ **Você tem horas?**
  É uma e quarenta e cinco./
  São quinze para as duas. (13h45)
  É uma e cinquenta./
  São dez para as duas. (13h50)

6. Que horas são? Expresse as horas abaixo.

a. _____
b. _____
c. _____
d. _____

SAMBA! • UNIDADE 3

LAZER O MELHOR DA VIDA

7. Observe as imagens.
  a. Quais atividades estão representadas?
  b. Onde as pessoas estão?

8. Leia o gráfico a seguir e responda oralmente.
  a. Qual é a atividade favorita dos brasileiros?
  c. Quais atividades você está praticando atualmente?
  e. Quais você nunca pratica?

9. Escute a enquete de rua e descubra o que as pessoas fazem em seus horários livres.
  a. Quais atividades as pessoas fazem no fim de semana?

  b. Quais atividades não são de lazer?

  c. Quais atividades são comuns entre os entrevistados?

QUAIS SÃO SUAS ATIVIDADES FAVORITAS PARA AS HORAS LIVRES?

Atividade	
ASSISTIR TV	37
OUVIR MÚSICA	33
LER	31
PASSAR O TEMPO COM AMIGOS E FAMÍLIA	22
VIAJAR	22
COMER	13
PRATICAR ESPORTES	13
EXERCITAR-ME	12
COZINHAR	12
JOGAR ONLINE	12
ARTESANATO	11
ACESSAR AS MÍDIAS SOCIAIS	10
JOGAR VIDEOGAME	9
POSTAR E ATUAR ATIVAMENTE NAS REDES SOCIAIS	9
COMPRAR ONLINE	7
COMPRAR EM LOJAS	6
IR AO TEATRO, MUSEU, EXPOSIÇÕES	6
VOLUNTARIADO	5
TRABALHAR	5
JARDINAGEM	3
OUTROS	2

Fonte: bit.ly/2YvEj1h (Acesso em: 5 jul. 2017.)

TEMPO BOM EM RECIFE

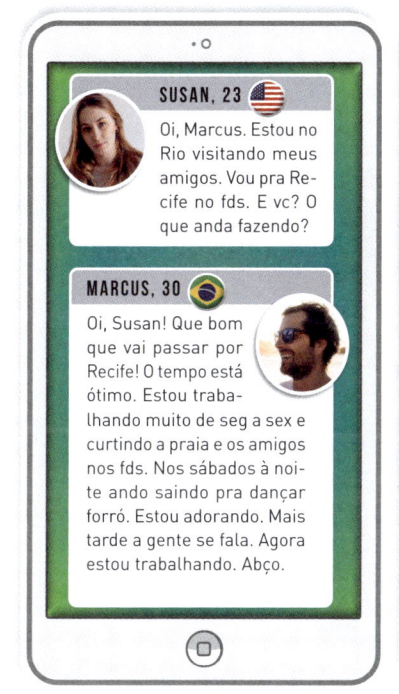

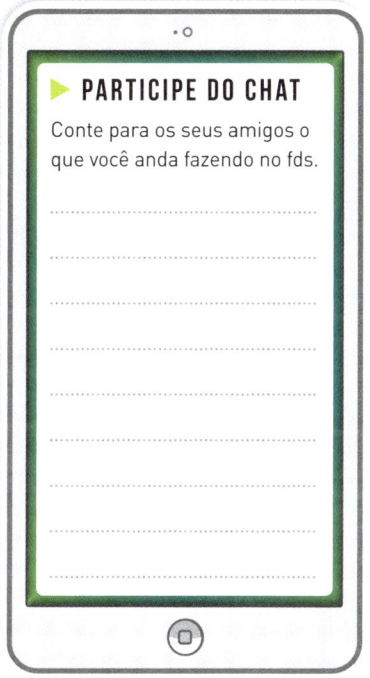

SUSAN, 23
Oi, Marcus. Estou no Rio visitando meus amigos. Vou pra Recife no fds. E vc? O que anda fazendo?

MARCUS, 30
Oi, Susan! Que bom que vai passar por Recife! O tempo está ótimo. Estou trabalhando muito de seg a sex e curtindo a praia e os amigos nos fds. Nos sábados à noite ando saindo pra dançar forró. Estou adorando. Mais tarde a gente se fala. Agora estou trabalhando. Abço.

▶ PARTICIPE DO CHAT
Conte para os seus amigos o que você anda fazendo no fds.

10. Leia as mensagens ao lado.
a. O que significam as palavras:
Vc:
seg a sex:
fds:
abço:
b. Onde está Susan? O que ela está fazendo?
c. Por que Marcus não tem tempo para encontrar Susan de segunda a sexta?
d. O que quer dizer "o tempo está ótimo em Recife"?
e. Entre as expressões no texto ao lado, quais expressam ação contínua no presente ou ação no momento da fala?

11. Em dupla, entreviste seu/ sua colega e descubra os hábitos dele/ dela.
   a. Apresente para a turma as atividades que ele/ ela anda fazendo ultimamente.
   b. Quais atividades ele/ ela sempre pratica.
   c. Quais atividades ele/ ela faz raramente.
   d. Existem atividades comuns entre você e seu/ sua colega? Quais?

➡ **Nos sábados à noite** saio para dançar.
➡ **Nas segundas-feiras de manhã** estudo português.

PARA EXPRESSAR HÁBITO/COSTUME

➡ **Sujeito + COSTUMAR (presente) + verbo (infinitivo)**
Luís **costuma praticar** esportes no fim de semana.

➡ **Sujeito + TER* O HÁBITO DE + VERBO (infinitivo)**
Joana **tem o hábito de correr** nos fins de semana.

➡ **Sujeito + VIVER* + GERÚNDIO**
Eu **vivo esquecendo** o telefone em casa. (Frequentemente)

➡ **Sujeito + ANDAR* + GERÚNDIO**
Eu **ando esquecendo** meus compromissos. (Ultimamente)

* Presente do indicativo.

O PRESENTE CONTÍNUO

Verbo **ESTAR (presente)** + **gerúndio** do verbo principal
(verbo no infinitivo sem o **-R** final + **-NDO**)

O presente contínuo transmite a ideia de que **uma ação está em curso no momento da fala** ou **uma atividade é praticada no momento atual**.

Exemplo:
a. Agora **estou estudando** português. (Ação no momento da fala)
b. Bia **está lendo** muito e **fazendo** ginástica todos os dias. (Práticas atuais)

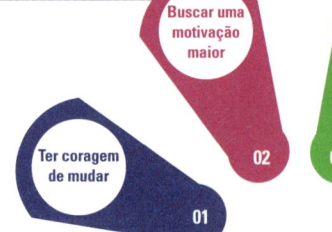

NA **SEGUNDA** EU COMEÇO...

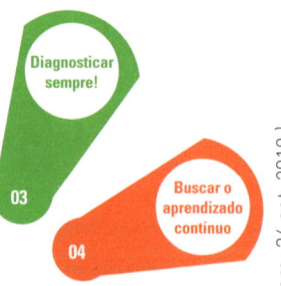

Infográfico:
- 01 Ter coragem de mudar
- 02 Buscar uma motivação maior
- 03 Diagnosticar sempre!
- 04 Buscar o aprendizado contínuo
- 05 Dar um passo de cada vez
- 06 Desistir jamais!
- 07 Comemorar resultados

Fonte: bit.ly/31eaMGK (Acesso em: 26 set. 2018.)

12. Leia o infográfico ao lado e responda oralmente.

a. De que trata o infográfico?

b. Quando você costuma estabelecer seus objetivos e metas?
- ☐ no começo de um novo ano ☐ a cada semestre
- ☐ a cada mês ☐ sempre que preciso alcançar um objetivo
- ☐ outro _____

c. Qual/ quais passo(s) você considera mais importante para alcançar um objetivo?

d. Para você, qual item é mais difícil de colocar em prática? E qual é mais fácil?

AGORA É SUA VEZ DE **CRIAR METAS!**

13. Em dupla, discuta, com o colega, estratégias para o aprendizado de português. Escreva no quadro abaixo metas para pôr em prática. Compartilhe com os colegas e o professor suas estratégias de aprendizagem.

✓ EXPRESSÕES DE FREQUÊNCIA

- todos os dias = diário
- de 7 em 7 dias = semanal
- de 30 em 30 dias = mensal
- de 6 em 6 meses = semestral
- de 12 em 12 meses = anual

▶ METAS MENSAIS

MÊS:	
FREQUÊNCIA	ESTRATÉGIAS
De ...... em ...... dias	Vamos fazer...

▶ METAS SEMANAIS

DIA	MICROMETA DIÁRIA
Dom	Assistir a novelas e filmes brasileiros
Seg	
Ter	
Qua	
Qui	
Sex	
Sab	

NO DIA A DIA

14. Escute o áudio e responda.

a. De que trata o diálogo?
☐ consulta ao nutricionista   ☐ dicas de saúde

b. Qual o objetivo da cliente? ....

c. A que horas Sofia acorda? ....

d. Quando ela tem aulas na faculdade? ....

e. Em quais dias da semana Sofia trabalha? ....

f. Qual é o horário de trabalho de Sofia? ....

g. Quantas horas por semana ela trabalha? ....

| ACORDAR |
| TOMAR CAFÉ DA MANHÃ/ ALMOÇAR/ JANTAR |
| TOMAR BANHO |
| ARRUMAR-SE/ VESTIR-SE |
| PENTEAR-SE/ BARBEAR-SE/ MAQUIAR-SE |
| ESCOVAR OS DENTES |
| PEGAR ÔNIBUS/ METRÔ/ TÁXI |
| ASSISTIR À TV |
| ESTUDAR/ TRABALHAR/ LER |
| MALHAR |

15. Escute o diálogo novamente. Em dupla, imaginem que vocês são amigos de Sofia e escrevam três conselhos de atividades para ela ter mais saúde. Indique o período do dia e a frequência.

....
....
....
....

- Eu corro **de manhã**, trabalho **de tarde** e estudo **de noite**./ Eu saio com os amigos todos os sábados **à noite**.

- Eu estudo às sete **horas da manhã**/ à uma **hora da tarde**/ às sete **horas da noite**.

- Depois de meia-noite, diz-se:
  Chego em casa **de madrugada**./
  Chego em casa **às duas horas da madrugada**.

- Chego na faculdade **antes das** 10 h.
  Depois do almoço vou ao supermercado.

Antes **de** ≠ Depois **de**
De noite = **à** noite (entre 18 h e 0 h)
De tarde = **à** tarde (entre 12 h e 18 h)/
De manhã = ~~à manhã~~ (entre 6 h e 12 h)

PRONOMES	VER	LER	SAIR	DORMIR	VESTIR-SE	QUERER	PODER
Eu	vejo	leio	saio	durmo	me visto	quero	posso
Ele/ Ela/ Você	vê	lê	sai	dorme	se veste	quer	pode
Nós	vemos	lemos	saímos	dormimos	nos vestimos	queremos	podemos
Eles/ Elas/ Vocês	veem	leem	saem	dormem	se vestem	querem	podem

*O Brasil atualmente não tem horário de verão.

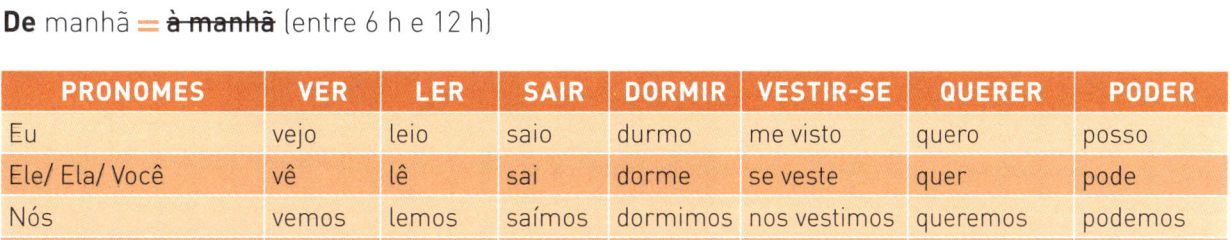

MALHAÇÃO

ESPORTES MAIS PRATICADOS

FUTEBOL	CAMINHADA	FITNESS (PILATES, SPINNING, HIDROGINÁSTICA)	CICLISMO
39,3%	24,6%	9%	3,2%

GINÁSTICA RÍTMICA E ARTÍSTICA	LUTAS E ARTES MARCIAIS	VOLEIBOL, BASQUETE E HANDEBOL	OUTROS
3,2%	3,1%	2,9%	14,7%

16. Observe as imagens e responda.

a. Quais esportes estão representados nas fotos acima?

1 ....
2 ....
3 ....
4 ....

b. Qual esporte representa o Brasil no mundo?

....

c. Quais são os três esportes que os brasileiros praticam mais?

.... , ... ,
....

d. Qual esporte representa melhor o seu país?

....

ESPORTES
- fazer musculação
- fazer natação/ nadar
- fazer corrida/ correr
- jogar tênis
- jogar futebol
- fazer ginástica
- fazer caminhada/ caminhar

A capoeira, reconhecida pela Unesco como patrimônio cultural imaterial da humanidade, criada no Brasil no século XVI por descendentes de escravos africanos, está presente em mais de 150 países. É uma mistura de arte marcial, luta, jogo, dança e brincadeira. Sempre acompanhada de música, é o esporte brasileiro que mais difunde a língua portuguesa no mundo.

QUE TAL UMA PELADA NO DOMINGO?

E-MAIL

De: iCont NFe (icont@icont.com.br)
Para: jose.silva@vinco.com.br
Assunto: PELADA

Oi, Zé! Beleza?

Que tal uma pelada no domingo? Vamos nos reunir às 9 h no campinho. Precisamos da sua confirmação para organizar os times. Você gostaria de ir? Depois do jogo vamos fazer um churrasco na casa do João. Dividimos a carne e a cerveja.

Um abraço. Pedro

17. Escreva um e-mail recusando o convite para a pelada mas aceitando o convite para o churrasco. Use as expressões ao lado.

FAZER UM CONVITE

- Vamos a...
- Que tal a gente ir a...
- Você gostaria de ir a (...) comigo?

RECUSAR UM CONVITE

- Eu não posso. Porque...
- Eu não estou livre...
- Eu não quero, porque...
- Eu não gostaria

ACEITAR UM CONVITE

- Eu posso
- Eu estou livre
- Eu quero
- Eu adoraria
- Eu gostaria

A PELADA

▶ **Pelada**, **racha**, **rachão** ou **baba** (na Bahia) é o nome dado no Brasil a uma partida de futebol com regras livres, normalmente sem a preocupação com tamanhos de quadra/ campo, condição dos calçados, uniformes e marcações básicas.

A pelada é a instância mais amadora do futebol, sendo praticada em qualquer espaço livre que permita a movimentação de 11 jogadores em cada time ou menos.

O **peladão**, com alguma sofisticação e regras próprias, é um dos maiores torneios de futebol amador do mundo, com mais de 500 equipes participantes. É realizado em Manaus, Brasil, desde 1973.

FUTEBOL DE RUA

MANIA DE LIMPEZA

Lista boa de limpeza diária da casa (que você deve adaptar às suas necessidades e às necessidades da sua casa, CLARO!).

Você pode imprimir, montar um quadro e colar apenas as tarefas que vai fazer em cada dia ou diariamente (isso serve pra você ou pra seu/sua ajudante!). Legal, né?

Todo mundo adora ter a casa limpa e organizada e encontrar a roupa cheirosa na gaveta.

Fonte: bit.ly/2yvveqs (Acesso em: 27 nov. 2017. Adaptado.)

18. Leia e responda por escrito.

a. O material acima foi retirado de um...
- ☐ site
- ☐ artigo de revista
- ☐ blog
- ☐ outro _____

b. O que ele oferece?

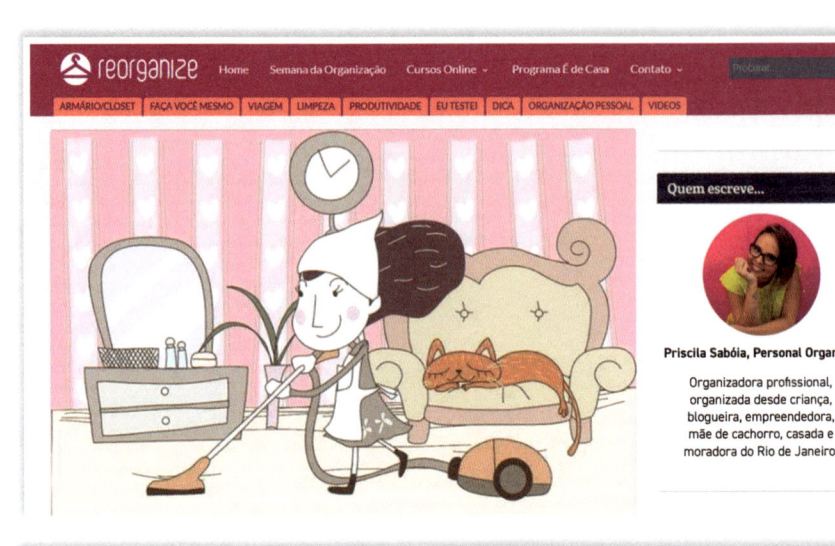

_____

c. Quem é a autora? _____

d. Na sua casa, quem realiza as tarefas domésticas?
- ☐ você
- ☐ todas as pessoas da casa
- ☐ um/ uma ajudante
- ☐ uma pessoa da casa

e. Marque na imagem acima as tarefas que você realiza. Quais você não gosta de praticar? Por quê?

> **?** A expressão "né", contração de "não é", pode ser usada quando queremos fazer uma confirmação ou afirmação.

CURIOSIDADES SOBRE OS HÁBITOS DOS BRASILEIROS

19. Leia algumas curiosidades sobre os hábitos dos brasileiros e responda oralmente.

a. Existem costumes semelhantes no seu país?

b. Qual/ quais dos hábitos são mais estranhos para você?

c. Cite três hábitos que caracterizam a cultura do seu país. Compare com as respostas dos colegas.

- DAR UM ABRAÇO FORTE NAS PESSOAS QUANDO VÃO CUMPRIMENTAR
- TOMAR MAIS DE UM BANHO POR DIA, GERALMENTE UM DE MANHÃ E OUTRO ANTES DE DORMIR 
- ESCOVAR OS DENTES NO TRABALHO, DEPOIS DO ALMOÇO 
- ALMOÇAR. O PRATO BÁSICO DO DIA A DIA É: ARROZ COM FEIJÃO, BIFE E SALADA  
- SENTAR AO LADO DO PARCEIRO NO RESTAURANTE 
- COMER COMIDA A QUILO E RODÍZIO 
- IR À MANICURE SEMANALMENTE 
- COMER ABACATE COM AÇÚCAR 

Fonte: bit.ly/2kPeOWl (Acesso em: 30 set. 2017. Adaptado.)

A PONTUALIDADE

▶ A questão da pontualidade na cultura brasileira é um tema complexo. Podemos atrasar em qualquer situação? É errado ser pontual? Até quanto tempo podemos atrasar? Na verdade, podemos atrasar em alguns compromissos e eventos, mas em outros não.

Em consultas médicas, aulas, compromissos de trabalho e ocasiões especiais – como casamentos e batizados – devemos ser pontuais. Nas consultas médicas e dentistas, por exemplo, devemos chegar na hora marcada, mas é comum esperar para ser atendido. Os horários de visita nos hospitais também costumam ser rigorosos. As missas começam na hora certa.

Nos almoços e jantares, é comum os convidados atrasarem entre 15 e 30 minutos, porém, não mais do que isso. Não devemos deixar as pessoas nos esperando para jantar.

Em eventos como festas e churrascos – eventos de mais longa duração –, a margem de atraso é maior, mas cuidado para não chegar no fim da festa.

E qual a hora de ir embora? Quando você perceber que a maior parte dos convidados está se despedindo, é sinal de que é hora de partir também...

20. Converse com os colegas.

▶ E no seu país como é a cultura da pontualidade?

▶ Em quais situações você não precisa ser pontual?

VAMOS AO CINEMA?

21. Escute o áudio sobre a programação do cinema e escreva abaixo os horários das sessões de cada filme.

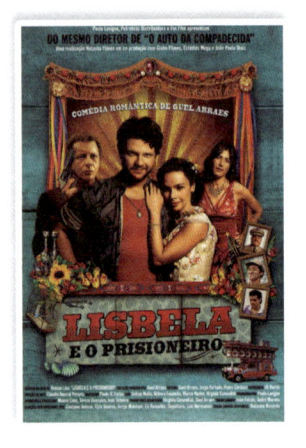

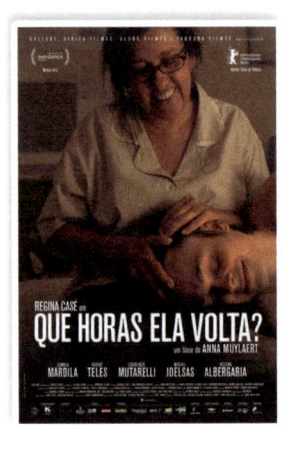

LISBELA E O PRISIONEIRO
- Sessão: _____
- Preço: R$ _____

QUE HORAS ELA VOLTA?
- Sessão: _____
- Preço: R$ _____

CIDADE DE DEUS
- Sessão: _____
- Preço: R$ _____

CASA DE AREIA
- Sessão: _____
- Preço: R$ _____

▶ Qual filme você gostaria de ver? _____
▶ Em quais horários o cinema é mais barato? _____

22. Em dupla, escreva uma mensagem convidando um amigo/ uma amiga para ir ao cinema com você. Escreva as opções de horários e qual filme você gostaria de ver. Depois leia a mensagem que seu/ sua colega escreveu e responda à mensagem dele/ dela dando uma sugestão de outro filme em outro horário.

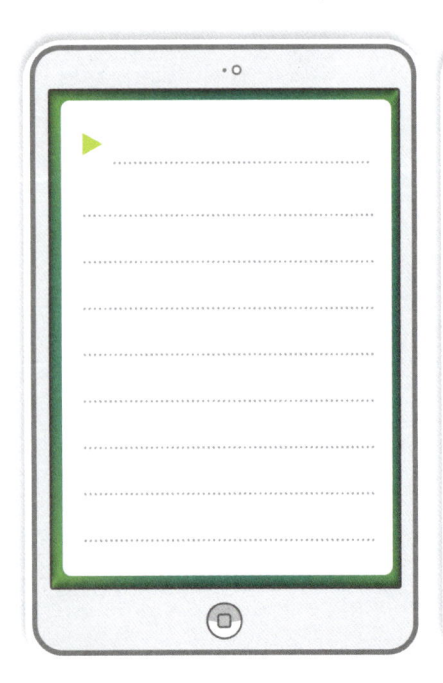

O que diferencia o preço do cinema no Brasil são os dias e horários e o tipo de sala. Nomes como 4DX e TSX fazem diferença na hora de ir ao cinema. O que diferencia uma sessão da outra (motivando, inclusive, variações de preço de 100% ou mais) são características como o tamanho da tela, tipos de projeção ou serviços oferecidos.

Fonte: bit.ly/2YBAOX8
(Acesso em: 26 set. 2018.)

ILHA DA MADEIRA

LOCALIZAÇÃO: Arquipélago da Madeira (Patrimônio da Humanidade pela Unesco)

CAPITAL: Funchal

NÚMERO DE HABITANTES: 270.000 habitantes

ÁREA: 742 km² (quilômetros quadrados)

ATRAÇÕES: Esportes radicais (asa-delta e parapente), mergulho, observação de golfinhos, pesca, surf, vela, golfe, kart, trail running, escalada e passeios de moto e bicicleta. Passeio de ônibus de Funchal até a Câmara de Lobos com belas paisagens.

PONTOS TURÍSTICOS: Ponta de São Lourenço, Ponta Gorda, Cais do Carvão, Baía de Machico, piscinas naturais de Porto Moniz, trilha do Pico Ruivo ao Pico do Areeiro, Jardim Botânico do Funchal, Igreja do Colégio, além de belas praias.

TRANSPORTES PARA CHEGAR À ILHA: Avião (uma hora e trinta saindo de Portugal) e navio (cruzeiros).

AEROPORTOS: Aeroporto Internacional da Madeira e Aeroporto do Porto Santo.

PORTOS: Porto Funchal e Porto de Abrigo do Porto Santo.

TRANSPORTES NA ILHA: Táxi, ônibus turístico Yellow Bus, bicicleta e carro. A cidade conta também com teleféricos, tuk-tuks e city bubbles.

HOSPEDAGEM: A cidade conta com grande número de hotéis, resorts e pousadas.

GASTRONOMIA: A cidade é famosa pelo vinho Madeira, pelos pastéis de bacalhau, pela espetada (tipo de churrasco de carne bovina com alho e sal), pelo bolo de mel e pelo bolo do caco. Em toda a ilha, você encontra excelentes restaurantes.

FUNCHAL: A CIDADE DE CRISTIANO RONALDO

23. Agora é a sua vez de criar um roteiro de passeio em uma cidade à sua escolha. Imagine que você vai produzir um vídeo tutorial de um dia de turismo para o site PeNaEstrada.com. Para isso, você precisa definir o dia da semana, os lugares a visitar, os meios de transportes que vão ser usados e as atrações, com os horários adequados para cada atividade proposta.

Atenção: é um roteiro de apenas um dia! Você precisa mostrar todos os detalhes para orientar os turistas. Seu vídeo deve ser produzido para exibir na sala de aula.

O BRASIL EM NÚMEROS

24. Utilizando suas ferramentas digitais, pesquise as informações abaixo.

a. As três novelas brasileiras mais famosas no exterior: ....

b. Os seis principais times de futebol do Brasil: ....

c. A cidade brasileira com maior número de bares: ....

d. O estado brasileiro que apresenta duas horas de diferença em relação ao fuso horário de Brasília (oficial): ....

▶ Cada aluno sorteia uma palavra, associa à palavra sorteada um verbo e forma uma frase. Quem errar perde a vez. Ganha o jogo quem acumular o maior número de palavras. Atenção! Uma das palavras é **BOOM!** Quem retira essa palavra perde todas as palavras que acumulou.

Exemplo: **FILME > ASSISTIR > Eu assisto aos filmes no fim de semana com os amigos.**

▶ Escute as palavras e marque os sons [l] e [r].

	1	2	3	4	5	6	7	8	9	10
[l] vala										
[r] vara										

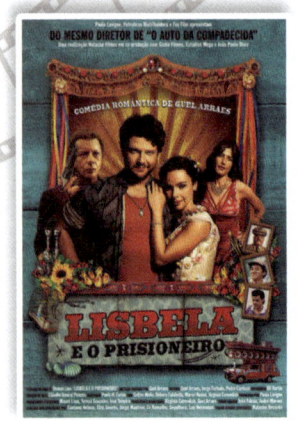

▶ **LISBELA E O PRISIONEIRO**

2003 . ROMANCE/ COMÉDIA . 1H 46M

Um viajante vigarista rouba o coração de uma jovem que está de casamento marcado.

DATA DE LANÇAMENTO: 22 de agosto de 2003 (mundial)
DIREÇÃO: Guel Arraes
MÚSICA COMPOSTA POR: João Falcão
COMPANHIA(S) PRODUTORA(S): Natasha Filmes; Globo Filmes; Estúdios Mega
ROTEIRO: Guel Arraes, Jorge Furtado, Pedro Cardoso

Fonte: bit.ly/2ZsA0Rn (Acesso em: 26 set. 2018)

DIA A DIA

EXPRESSÕES DE FREQUÊNCIA
- todos os dias = diário
- de 7 em 7 dias = semanal
- de 30 em 30 dias = mensal
- de 6 em 6 meses = semestral
- de 12 em 12 meses = anual
- segunda e quarta
- no fim de semana
- a cada ___ dias
- No horário de verão
- No horário de inverno

PROGRAMAS DE TV
- programa de auditório
- telejornal
- novela
- programa esportivo
- talk show
- programa infantil/ desenho
- reality show

PERÍODOS DO DIA
- de manhã
- de/ à tarde
- de/ à noite
- de madrugada

ATIVIDADES COTIDIANAS
- acordar
- dormir
- vestir-se
- escovar os dentes
- trabalhar
- estudar
- almoçar
- jantar
- ver televisão
- chegar (em casa/ no trabalho)
- pegar (o ônibus/ o metrô)
- tomar (banho/ café)

ATIVIDADES DE LAZER
- ir (ao cinema/ ao teatro)
- fazer esporte
- ver televisão
- sair com os amigos
- ler
- ouvir música
- jogar (futebol/ videogame)

FAZER UM CONVITE
- Vamos a ...
- Que tal a gente ir a...
- Você gostaria de ir a (...) comigo?

RECUSAR UM CONVITE
- Eu não posso. Porque...
- Eu não estou livre...
- Eu não quero, porque...
- Eu não gostaria

ESPORTES
- fazer musculação
- fazer natação/ nadar
- fazer corrida/ correr
- jogar tênis
- jogar futebol
- fazer ginástica
- fazer caminhada/ caminhar
- fazer Pilates

ACEITAR UM CONVITE
- Eu posso
- Eu estou livre
- Eu quero
- Eu adoraria
- Eu gostaria

AS HORAS
- Que horas são?
  → **É** uma hora./ **São** treze horas em ponto. (13 h)/ **É** meia-noite. **É** meia-noite e meia./ **É** meia-noite e trinta.
- A que horas começa o filme?
  → **À** uma e quinze./ **Às** treze e quinze. (13h15)
- Você almoça a que horas?
  → **À** uma e trinta./ **À** uma e meia./ **Às** treze e trinta. (13h30)
- Você tem horas?
  → **É** uma e quarente e cinco./ **São** quinze para as duas. (13h45)/ **É** uma e cinquenta./ São dez para as duas. (13h50)
- A que horas você almoça?
  → **Ao** meio-dia. (12 h)

EXERCÍCIOS UNIDADE 3

1 Leia o documento abaixo.

JULHO

DOM	SEG	TER	QUA	QUI	SEX	SAB
1	2 Aula de Pilates 15h20	3 Dentista 8 h	4 Aula de piano	5 Almoço com o Eduardo 12h30	6 Pelada da turma 20 h	7 Concerto no Palácio das Artes 20h30
8	9 Aula de Pilates 15h20	10	11	12 Prova final de economia	13 Pelada da turma 20 h Cinema com a Lu 22 h	14 Início das férias
15 Churrasco na casa do Augusto	16 Aula de Pilates 15h20	17	18 Aula de piano	19 Consulta com Dr. Sérgio 16h45	20 Pelada da turma	21 Shopping e cinema com a Vera
22 Caminhada na Serra do Curral 10 h	23 Aula de Pilates 15h20	24	25 Reunião com o grupo de pesquisa 13 h	26	27 Jantar na casa do Ricardo 19h30	28 Festa de aniversário da Ana 20 h
29	30 Aula de Pilates 15h20	31				

a. Você acha que esta agenda é de um homem ou de uma mulher? Por quê?

b. Qual é a ocupação dessa pessoa? (Levante hipóteses)

c. Quais dias da semana essa pessoa geralmente faz esporte?

d. Quando a pessoa entra de férias?

e. De quanto em quanto tempo a pessoa faz aula de piano?

f. O que essa pessoa vai fazer no dia 15? É importante ser pontual?

g. Qual é a atividade do dia 27? Até que horas a pessoa deve chegar?

h. Quando é a aula de Pilates? Qual é a frequência?

2 Complete o texto com as palavras disponíveis no quadro abaixo.

▶ ~~futebol~~ ▶ basquete ▶ tênis ▶ vôlei
▶ a ginástica rítmica e artística ▶ lutas e artes marciais ▶ ciclismo ▶ bola

a. Os brasileiros praticam muitos esportes, o favorito deles é o _futebol_.

b. Para praticar o _____ é necessário ter uma bicicleta com a sinalização correta e usar equipamentos de segurança.

c. As _____ são esportes que exigem muita disciplina e esforço físico. Todas elas buscam evitar a prática da violência.

d. Para realizar _____ o atleta precisa praticar muitos alongamentos e treinar os movimentos associados à dança.

e. A _____ é um equipamento importante em muitos esportes, como o _____, o _____ e o _____.

3 Associe os verbos com os esportes.

a. Natação
b. Vôlei de praia
c. Musculação
d. Corrida
e. Caminhada
f. Capoeira

(b) Jogar
( ) Caminhar
( ) Jogar

( ) Nadar
( ) Fazer
( ) Correr

4 Complete com os verbos no presente do indicativo.

Luna ¹ __é__ (ser) professora de inglês. Ela ² _____ (ser) brasileira e ³ _____ (morar) em Bogotá. Ela ⁴ _____ (ser) solteira, ⁵ _____ (gostar) de comida japonesa e de cinema americano. Todos os dias Luna ⁶ _____ (acordar) às 7 h e ⁷ _____ (ir) para o trabalho às 8 h. Nos fins de semana, ⁸ _____ (sair) com seus amigos do trabalho. Luna ⁹ _____ (ser) um pouco sedentária. Ela não ¹⁰ _____ (gostar) de fazer esportes e ¹¹ _____ (comer) muitos doces, por esse motivo, ela ¹² _____ (estar) com sobrepeso e ¹³ _____ (precisar) emagrecer. Ela já ¹⁴ _____ (estar) morando na Colômbia há cinco anos e, uma vez por ano, ¹⁵ _____ (visitar) a família no Brasil. Quando ¹⁶ _____ (viajar) para o Brasil, ela ¹⁷ _____ (levar) muitos presentes para todos. Mesmo sentindo muita saudade dos amigos brasileiros, Luna não ¹⁸ _____ (pensar) em voltar a morar no Brasil. Ela também ¹⁹ _____ (ter) muitos amigos em Bogotá e sempre ²⁰ _____ (convidar) a todos para sair no fim de semana. A vida na Colômbia não ²¹ _____ (ser) fácil, Luna ²² _____ (trabalhar) muito e, por isso, ela ²³ _____ (ficar) muito cansada. Ela sempre ²⁴ _____ (tirar) férias em janeiro e, depois de visitar a família, ²⁵ _____ (ir) para as praias do Nordeste do Brasil. Aos domingos, os amigos de Luna ²⁶ _____ (arrumar) a casa, ²⁷ _____ (lavar) as roupas e ²⁸ _____ (fazer) compras. Quando é possível, eles ²⁹ _____ (almoçar) juntos no shopping, e à tarde ³⁰ _____ (voltar) para casa cedo, porque na segunda-feira ³¹ _____ (ir) começar tudo de novo...

5 Complete com as preposições (a/ de... a/ de... em/ por) que indicam frequência.
   Exemplo: __Às__ quartas-feiras, gosto de correr no parque.

a. Eu trabalho _____ segunda _____ sexta.
b. Luiz joga futebol com os amigos uma vez _____ semana.
c. _____ terças-feiras e _____ quartas-feiras tenho aula de português.
d. Minhas aulas são _____ 9 h da manhã _____ meio-dia.
e. _____ 15 _____ 15 dias faço natação.
f. A consulta médica é _____ 15h30.
g. Vou viajar _____ 15 de maio _____ 2 de junho.

6 Escreva o que está acontecendo agora. Complete as frases com os verbos no presente contínuo.
   Exemplo: A professora/ ensinar/ português ➡ *__A professora está ensinando português.__*

a. Os alunos/ estudar/ na escola _____
b. Hoje/ chover _____
c. Hoje/ fazer sol _____
d. Nós/ fazer exercícios _____
e. O diretor da escola/ trabalhar _____
f. A secretária/ responder e-mail _____
g. O menino/ assistir à TV _____
h. Eu/ dormir cedo durante a semana _____

7 Use os verbos ANDAR e VIVER para expressar a frequência das atividades realizadas pelas pessoas.

Exemplo: Ana se alimenta mal. ➡ **Ana vive comendo fast food.**

Angélica está estudando para as provas. ➡ **Angélica anda estudando muito.**

a. Lunyse quase sempre corre na lagoa da Pampulha. ➡ ....
b. Gustavo está bebendo muita cerveja nas festas. ➡ ....
c. Júlio está praticando português todos os dias. ➡ ....
d. Luna come castanha o tempo todo. ➡ ....
e. Andressa sempre chega atrasada para as reuniões ➡ ....
f. Lucas está trabalhando muito esses dias. ➡ ....
g. Karine perde as chaves de casa com muita frequência. ➡ ....

8 Complete os espaços em branco com os verbos abaixo conjugados no presente do indicativo.

▶ tomar	▶ **pegar**	▶ limpar	▶ jogar	▶ chegar	▶ trabalhar	▶ ~~ser~~
▶ ir	▶ acordar	▶ fazer	▶ beber	▶ convidar	▶ comer	
▶ dormir	▶ ver	▶ assistir	▶ almoçar	▶ lavar	▶ preparar	

Marcos **1** *é* motorista de ônibus em Salvador e **2** .... de segunda a sábado. Ele **3** .... às 4h30 e **4** .... o ônibus às 5 h. Como a maior parte dos brasileiros, ele **5** .... ao meio-dia em ponto. Ele **6** .... em casa às 16h15, **7** .... banho e **8** .... televisão. Duas vezes por semana, à noite, Marcos **9** .... futebol com os amigos do bairro. No sábado à noite, Marcos **10** .... a um barzinho no centro da cidade, ele **11** .... tira-gosto e **12** .... cerveja. No domingo de manhã, Marcos **13** .... compras, **14** .... a casa e **15** .... as roupas. Ele **16** .... a um filme à tarde ou **17** .... um churrasco e **18** .... os amigos. Marcos **19** .... às 22 h porque na segunda-feira a semana recomeça.

9 Complete com: *a, à, às, de, nos, por, da, do, ao*.

Exemplo: Juliano faz musculação **de** *terça* **a** *sexta.*

a. Clarice trabalha .... dia e estuda .... noite.
b. A aula começa .... 14 h.
c. A loja abre .... 9 h e fecha .... 19 h.
d. Marta estuda português .... segundas e quartas.
e. Silvano corre quatro vezes .... semana.
f. Cláudia é guia turística, ela trabalha .... fins de semana.
g. .... uma hora .... madrugada ela chega em casa.
h. Eu viajo .... dia 20 .... dia 31 de janeiro.

10 Veja a lista de metas para o ano novo abaixo e determine uma atitude para realizar cada meta.

Exemplo: **1. Fazer atividade física três vezes por semana.**

Resoluções de ano novo:
1- Perder peso
2- Fazer exercícios
3- Beber mais água
4- Dormir mais cedo
5- Economizar dinheiro
6- Ajudar o próximo
7- Aproveitar a vida

2. ....
3. ....
4. ....
5. ....
6. ....
7. ....

11 Responda às perguntas de acordo com o perfil de cada pessoa.

Exemplo:

➡ **Somos secretárias**
- O que vocês fazem todo dia? (atender/ telefone)
  Nós atendemos o telefone e mandamos e-mails.
- O que vocês estão fazendo? (organizar/ armário)
  Nós estamos organizando o armário do escritório.
- Vocês estão atendendo clientes?
  Não, nós não estamos.

➡ **Somos repórteres**
- O que vocês fazem? (fazer/ reportagem)

- O que vocês estão fazendo? (entrevistar/ artistas)

- Vocês estão escrevendo uma matéria para o jornal?
  Não,

➡ **Sou estudante**
- O que você faz? (estudar/ línguas)

- O que você está fazendo? (fazer/ dever de casa)

- Você está estudando para a prova?

➡ **Neymar Jr.**
- O que ele faz? (jogar/ futebol)

- O que ele está fazendo? (treinar/ campeonato)

- Ele está se aposentando?
  Não,

12 Escreva frases conjugando os verbos no presente do indicativo.

Exemplo: Eu/ se maquiar/ todos os dias ➡ **Eu me maquio todos os dias para o trabalho.**

a. As crianças/ se vestir/ nunca
b. Nós/ se ver/ uma vez por semana
c. Eu/ ler/ todos os anos/um livro
d. Eu/ dormir/ 22 h
e. Ela/ sair/ sextas-feiras
f. João/ se pentear/ nunca

13 Leia o cartaz abaixo. Escreva um convite para um amigo para ir ao evento "DIVERcidade". Conte quais atividades vocês podem realizar juntos, combine o horário e o local de encontro. Essa atividade deve ser feita para entregar em folha separada para o seu professor.

DIVERCIDADE
Venha celebrar com a família e os amigos!
DIA 23 DE OUTUBRO — A PARTIR DAS 11H
NO PARQUE MUNICIPAL.
Teremos atividades diversas para
integrar todos os grupos de nossa cidade!
Traga bebidas e alimentos para compartilhar.

94 Noventa e quatro

UNIDADE 4

PAÍS TROPICAL

A CASA É SUA!

NESTA UNIDADE VOCÊ VAI APRENDER:
- os tipos de moradia do Brasil
- como ler e escrever os classificados de imóveis
- as partes da casa e o nome da mobília
- os pronomes demonstrativos
- as expressões de necessidades
- os advérbios de lugar e os gentílicos
- os superlativos relativos
- o futuro do pretérito

PARA:
- compreender anúncios
- descrever ambientes
- obter informações sobre um imóvel
- expressar necessidades e as regras da casa

MORADIA: RETRATOS DO BRASIL

1. Observe as imagens.

a. Por que as casas são diferentes?

b. Quais tipos de moradia você identifica?

- ☐ casa colonial
- ☐ casa popular
- ☐ oca
- ☐ barracão na favela/comunidade
- ☐ casa de luxo
- ☐ palafita
- ☐ casa de pau a pique
- ☐ barraco
- ☐ condomínio de apartamentos

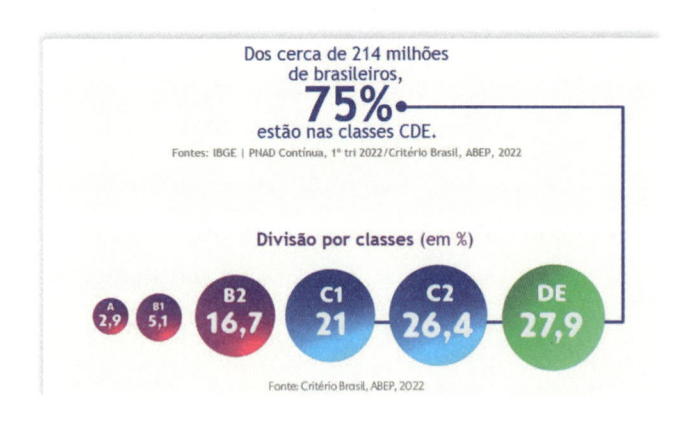

Dos cerca de 214 milhões de brasileiros, **75%** estão nas classes CDE.

Fontes: IBGE | PNAD Contínua, 1° tri 2022/Critério Brasil, ABEP, 2022

Divisão por classes (em %)

A 2,9 | B1 5,1 | B2 16,7 | C1 21 | C2 26,4 | DE 27,9

Fonte: Critério Brasil, ABEP, 2022

c. Relacione cada moradia a uma classe social.

d. Quais tipos de moradia se parecem com as moradias do seu país?

DE QUE OS BRASILEIROS PRECISAM PARA MORAR BEM?

▶ **MARANHENSES, CEARENSES, BAIANOS, GAÚCHOS, MINEIROS, CARIOCAS E PAULISTANOS...**

Na hora de comprar ou alugar um imóvel, seja casa, seja apartamento, o que se deve levar em conta?

2. Leia o texto e responda.

a. O que é importante para os moradores do Distrito Federal?

b. E para os cariocas?

c. De que os mineiros gostam? E os gaúchos?

d. O que é mais importante para você na hora de comprar/ alugar um imóvel?

- ☐ silêncio
- ☐ preço
- ☐ localização
- ☐ piso
- ☐ segurança
- ☐ luminosidade
- ☐ ar-condicionado
- ☐ espaço
- ☐ natureza
- ☐ vagas na garagem

e. O que é "namorar" um imóvel?

f. Como é o comprador do tipo "amor à primeira vista"?

▶ No estado de Minas Gerais, é muito comum o uso de "namoradeiras" na janela. São bonecas em cerâmica que são usadas na decoração das casas.

IMÓVEIS E SUAS PECULIARIDADES POR REGIÃO BRASILEIRA

NORTE E NORDESTE
A estrutura para instalar ar-condicionado é fundamental para maranhenses, cearenses, baianos, pernambucanos, amazonenses e todos os nortistas e nordestinos.

DISTRITO FEDERAL
O acesso ao transporte público é prioridade para os brasilienses.

MINAS GERAIS
Para morar bem, os mineiros preferem apartamentos arejados e com armários embutidos.

PARANÁ
Os paranaenses adoram "namorar" o apartamento muitas vezes antes de fechar negócio. Também adoram piscinas cobertas e aquecidas.

RIO GRANDE DO SUL
Os gaúchos não abrem mão da churrasqueira.

PERNAMBUCO
Os recifenses lavam a casa com muita água, por isso, a presença de ralos, principalmente, em banheiros e áreas externas, é muito importante.

RIO DE JANEIRO
Os cariocas valorizam muito áreas de lazer coletivas em condomínios.

SÃO PAULO
Os paulistanos são exigentes com a qualidade do piso e tamanho dos quartos.

SANTA CATARINA
O comprador catarinense é do tipo "amor à primeira vista": vê, gosta e compra.

Fonte: bit.ly/2mi2K0s (Acesso em: 26 set. 2018.)

3. Escute os diálogos e escreva o que cada cliente acha necessário ter no imóvel.

Em seguida, relacione as exigências dos clientes ao perfil peculiar de imóveis de cada região ou estado brasileiro e determine a possível origem do cliente.

Diálogo 1:
- O que é necessário: ....
- Qual a possível origem do cliente: ....

Diálogo 2:
- O que é necessário: ....
- Qual a possível origem do cliente: ....

Diálogo 3:
- O que é necessário: ....
- Qual a possível origem do cliente: ....

LÁ EM CASA TEM

4. Observe a imagem e responda verdadeiro (**V**) ou falso (**F**).

a. ☐ Esta planta é de um apartamento.
b. ☐ Há nove cômodos nesta residência.
c. ☐ O imóvel tem três quartos.
d. ☐ Há dois banheiros e duas suítes.
e. ☐ Esta casa não tem sala de jantar.
f. ☐ A sala de estar fica ao lado da cozinha.
g. ☐ A lavanderia fica dentro da cozinha.

5. Associe um verbo para cada cômodo da casa.

....

6. Qual é a diferença entre dormitório e suíte?

....

7. Escute o diálogo "Na imobiliária" e responda.

a. A cliente quer (marque mais de uma opção):
   ☐ comprar   ☐ alugar
   ☐ casa   ☐ apartamento

b. Quantos quartos o imóvel tem que ter?
   1 ☐   2 ☐   3 ☐ ....

c. Quantos imóveis a agência oferece à cliente?
   ....

d. Qual a vantagem dos prédios antigos?
   ....

e. O apartamento tem que ter elevador?
   ☐ sim   ☐ não

f. Como são os imóveis do centro? ....

g. Qual apartamento a cliente quer visitar? Por quê? ....

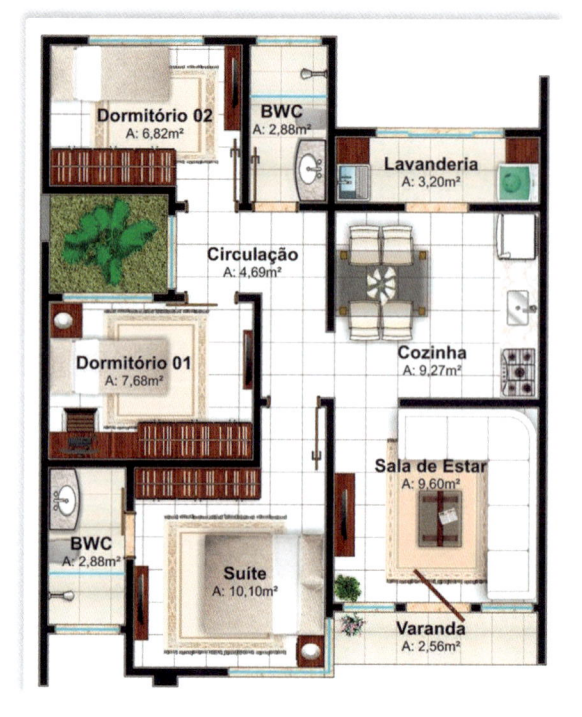

Dormitório 02 A: 6,82m²
BWC A: 2,88m²
Lavanderia A: 3,20m²
Circulação A: 4,69m²
Dormitório 01 A: 7,68m²
Cozinha A: 9,27m²
Sala de Estar A: 9,60m²
BWC A: 2,88m²
Suíte A: 10,10m²
Varanda A: 2,56m²

▶ Suíte é o quarto que tem um banheiro próprio.
▶ Cobertura é o imóvel que fica sobre o último andar de um edifício, ocupando uma grande área.
▶ Quando dizemos "vou pra casa", isso quer dizer "para o lugar onde moro", que pode ser uma casa ou um apartamento.

CONTAS DE UM IMÓVEL NO BRASIL
- Conta de luz/ energia
- Conta de água
- IPTU = Imposto Predial e Territorial Urbano
- Condomínio são as despesas de manutenção da área comum dos moradores. A água que você consome pode estar incluída no condomínio

OS CÔMODOS DA CASA
- a sala de estar/ de TV
- a sala de jantar ou copa
- o quarto
- a cozinha
- a lavanderia ou área de serviço
- o banheiro
- a suíte
- a varanda
- a garagem
- o quintal
- o jardim

8. Leia e responda.

CLASSIFICADOS IMÓVEIS

A — **VAGA EM REPÚBLICA**
Quarto mob. – individ. p/estud. reg. Central - acesso ráp. ao metrô. Coz. – 2 Sls - lavand. – divisão das despesas de luz, internet, água e + R$ 350,00 do aluguel.
Sem fiador
Rose: (31) 90683-1200

B — **ALUGUEL**
Próx . do centro – apto 80 m² – 3 dorms. (1 suíte) – sala c/ 2 amb. – 2 banh. – dce – 3º andar s/elevador – salão de festas – arm. emb. – 2 vgs gar. – port. 24h – cond. R$ 400 – R$ 1.500/mês
Tratar **direto c/ prop.**
(31) 90756-3618

C — **VENDE**
Linda casa colonial – 2 and. – 4 qts (1suíte) – 3 sls – 1000 m² – pisc. – salão de festas – dce compl. – 4 vgs gar. – coz. planejada c/ arms. – ár. de laz. completa – churrasq. – Próx. Comerc. **Oportunidade!**
Só R$ 1.500.000,00 pço a negociar
Milton: (73) 90887-2411

a. O que significam as abreviações abaixo?

▶ coz.   ▶ dce.   ▶ banh.
▶ sls.   ▶ pisc. ▶ gar.
▶ apto. ▶ vgs.   ▶ lavand.
▶ dorms. ▶ arm. emb. ▶ cond.

b. Qual destes imóveis é mais interessante para você? Por quê?
c. Você mora em imóvel próprio ou alugado?
d. Como você encontrou seu imóvel?

- O apartamento tem quantos quartos?
- Tem suíte?
- Tem quantos metros quadrados (m²)?
- Qual o preço do aluguel? E do condomínio?
- Os quartos têm armário embutido?
- Tem quantas vagas na garagem?
- O apartamento fica em qual andar?
- Tem elevador? Tem porteiro?
- Tem quantas salas? O apartamento é claro?
- É silencioso ou barulhento? É arejado?
- É permitido ter cachorro no prédio?
- Tem área de lazer?

9. Discuta com seus colegas quais anúncios acima podem interessar às pessoas abaixo. Justifique suas escolhas.

10. Escreva um anúncio do imóvel ao lado para venda ou locação. Descreva o imóvel onde você mora usando as abreviações dos anúncios do exercício anterior.

ESTE OU AQUELE?

▶ Na hora de comprar ou alugar um local para morar, muitas vezes ficamos perdidos. Este ou aquele? A escolha do imóvel ideal envolve muitos fatores como tamanho, localização e região. Quais fatores são importantes para você? Veja fatores que influenciam na escolha e no preço do imóvel.

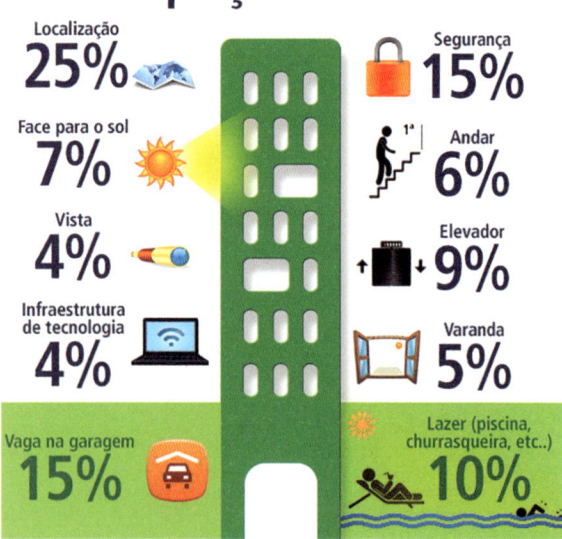

Fatores que influenciam no preço do imóvel

- Localização: 25%
- Segurança: 15%
- Face para o sol: 7%
- Andar: 6%
- Vista: 4%
- Elevador: 9%
- Infraestrutura de tecnologia: 4%
- Varanda: 5%
- Vaga na garagem: 15%
- Lazer (piscina, churrasqueira, etc..): 10%

11. Leia e responda oralmente.

a. Segundo o infográfico, qual é o fator que mais valoriza um imóvel?
b. Para você, qual fator é mais importante? Por quê?
c. O que você gostaria de mudar na sua casa?
d. De que você mais gosta?
e. Qual é o seu cômodo preferido?
f. Quais critérios valorizam mais um imóvel no seu país?

12. Em grupo, desenhe a planta de uma casa ideal e apresente aos colegas. É importante falar quantos cômodos a casa/apartamento tem, quantos andares, a localização, a luminosidade, as áreas de lazer, se tem armários embutidos, etc. Em seguida, a partir do que você considera importante em uma casa, crie uma frase para definir o que é lar para você.

Lar é...

Lar é onde o wi-fi se conecta sozinho

FUTURO DO PRETÉRITO I	ALUGAR
Eu	alug**aria**
Ele/ Ela/ Você	alug**aria**
Nós	alug**aríamos**
Eles/ Elas/ Vocês	alug**ariam**

* *O padrão de conjugação neste tempo verbal é o mesmo para todos os verbos, exceto: dizer/ fazer e trazer.*

FUTURO DO PRETÉRITO DO INDICATIVO

O futuro do pretérito pode expressar desejos (1), sugestões (2) e pedidos de forma polida (3).

Exemplo: *Gostaria de alugar um imóvel na região central. (1)*
Nós deveríamos alugar um apartamento com garagem. (2)
Você poderia me dar um desconto no aluguel? (3)

O SONHO DA CASA PRÓPRIA

O programa **MINHA CASA MINHA VIDA** é uma iniciativa do Governo Federal que oferece condições atrativas para o financiamento de moradias nas áreas urbanas para famílias de baixa renda. Em parceria com estados, municípios, empresas e entidades sem fins lucrativos, o programa está mudando a vida de milhares de famílias brasileiras. Segundo dados do Instituto Brasileiro de Geografia e Estatística (IBGE) 2010, 73,5% dos brasileiros moram em residência própria, 18% alugadas e 7,8% cedidas.

Fonte: bit.ly/2kOTrEZ (Acesso em: 8 dez. 2017. Adaptado.)

▶ No Brasil, para alugar um imóvel, na maioria dos casos você precisa de um **fiador**. O fiador é uma pessoa ou um bem que pode ser dado como garantia de uma eventual falta de pagamento do aluguel ou outras obrigações do locatário em relação ao contrato do aluguel.

13. Leia a tirinha e responda.

a. O que o cliente vê no apartamento?

b. Que expressão indica o entusiasmo do cliente? E do corretor?

c. A maquete está perto ou longe dos personagens? E o sonho?

- **Esta** maquete **aqui**.
- **Essa** chave **aí** é da casa nova.
- Você gosta **deste** apartamento **aqui** ou **daquele lá**?

VARIÁVEIS		INVARIÁVEIS
MASCULINO	FEMININO	
este, estes	esta, estas	isto
esse, esses	essa, essas	isso
aquele, aqueles	aquela, aquelas	aquilo

- Em + este = neste/ nesta/ nestes/ nestas (aqui)
- Em + esse = nesse/ nessa/ nesses/ nessas (aí)
- Em + aquele = naquele/ naquela/ naqueles/ naquelas (lá)
- De + este = deste/ desta/ destes/ destas
- De + esse = desse/ dessa/ desses/ dessas
- De + aquele = daquele/ daquela/ daqueles/ daquelas

ADVÉRBIOS DE LUGAR

Aqui ➡ onde está o falante

Aí ➡ onde está a pessoa com quem se fala

Ali/ Lá ➡ distante do falante e da pessoa com quem se fala

ESTA CASA TAMBÉM É SUA

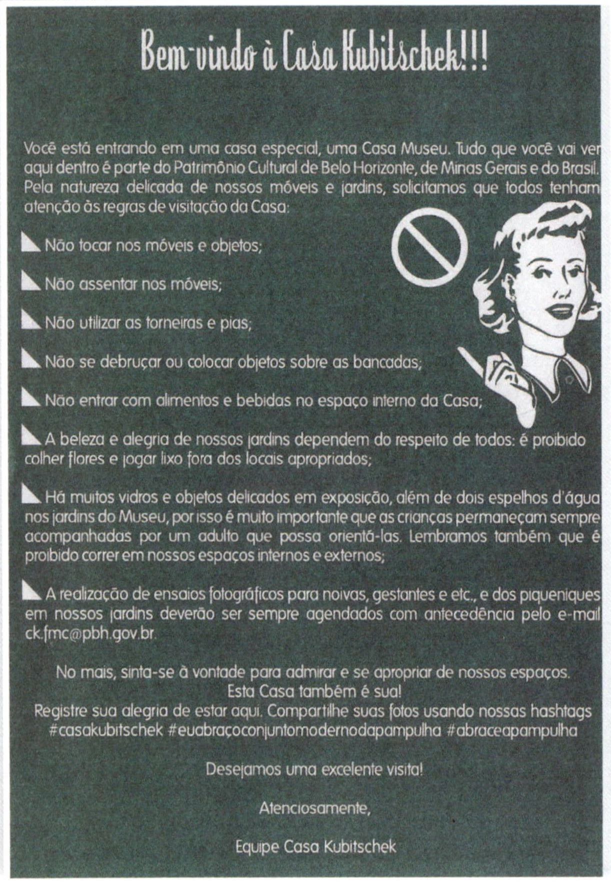

Bem-vindo à Casa Kubitschek!!!

Você está entrando em uma casa especial, uma Casa Museu. Tudo que você vai ver aqui dentro é parte do Patrimônio Cultural de Belo Horizonte, de Minas Gerais e do Brasil. Pela natureza delicada de nossos móveis e jardins, solicitamos que todos tenham atenção às regras de visitação da Casa:

▶ Não tocar nos móveis e objetos;

▶ Não assentar nos móveis;

▶ Não utilizar as torneiras e pias;

▶ Não se debruçar ou colocar objetos sobre as bancadas;

▶ Não entrar com alimentos e bebidas no espaço interno da Casa;

▶ A beleza e alegria de nossos jardins dependem do respeito de todos: é proibido colher flores e jogar lixo fora dos locais apropriados;

▶ Há muitos vidros e objetos delicados em exposição, além de dois espelhos d'água nos jardins do Museu, por isso é muito importante que as crianças permaneçam sempre acompanhadas por um adulto que possa orientá-las. Lembramos também que é proibido correr em nossos espaços internos e externos;

▶ A realização de ensaios fotográficos para noivas, gestantes e etc., e dos piqueniques em nossos jardins deverão ser sempre agendados com antecedência pelo e-mail ck.fmc@pbh.gov.br.

No mais, sinta-se à vontade para admirar e se apropriar de nossos espaços. Esta Casa também é sua!
Registre sua alegria de estar aqui. Compartilhe suas fotos usando nossas hashtags
#casakubitschek #euabraçoconjuntomodernodapampulha #abraceapampulha

Desejamos uma excelente visita!

Atenciosamente,

Equipe Casa Kubitschek

14. O material apresenta...
- ☐ as características da casa
- ☐ as regras de visitação
- ☐ um guia de visitação

a. Por que a casa é especial?
b. O que podemos ver na casa?
c. O que é permitido fazer na casa?
d. Associe cada placa abaixo a uma regra da casa:

PERMISSÃO X INTERDIÇÃO

Permitido ≠ Proibido

Para expressar interdição/ proibição, podemos usar os verbos no infinitivo ou no imperativo.

Exemplo:

= Não **jogar** lixo neste local. (infinitivo)
Não **jogue** lixo neste local. (imperativo)

≠ Proibido jogar lixo neste local.
Permitido jogar lixo neste local.

Permitido/ Proibido + verbo no infinitivo

▶ A Casa Kubitschek fica no complexo arquitetônico da Pampulha, concebido pelo arquiteto Oscar Niemeyer e tombado pela Unesco como Patrimônio Cultural da Humanidade. No governo do presidente Kubitschek, também foi construída Brasília, cujos prédios monumentais são do mesmo arquiteto.

Fonte: bit.ly/2Yjk07P (Acesso em: 26 set. 2018.)

A CASA KUBITSCHEK POR DENTRO

▶ A Casa Kubitschek, projetada pelo arquiteto Oscar Niemeyer, com projeto paisagístico de Burle Marx, foi construída em 1943. No interior da casa, vemos móveis das décadas de 1940, 1950 e 1960, auge da produção do design moderno brasileiro.

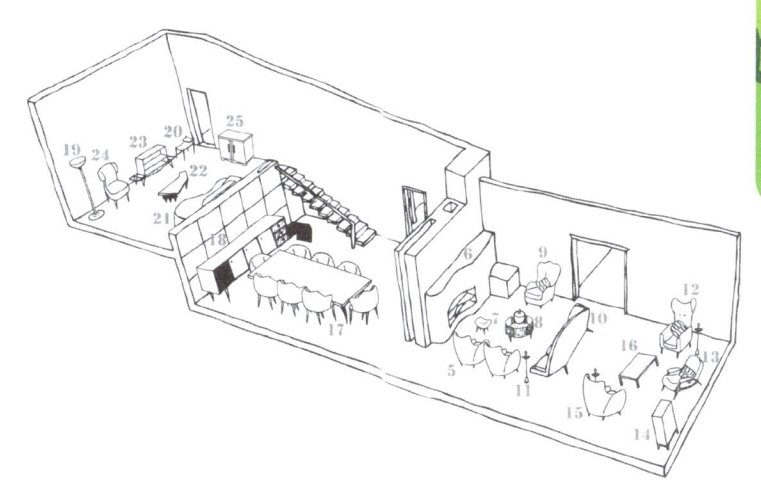

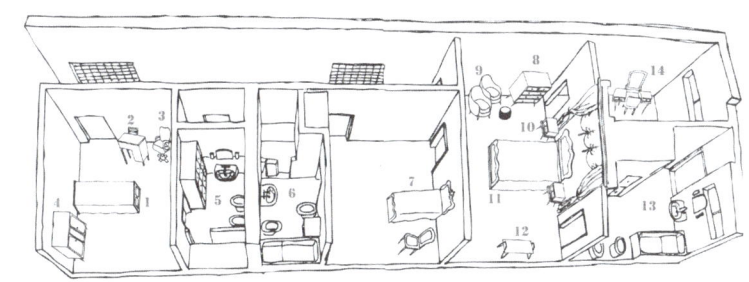

15. Observe a decoração original da casa. Quais cômodos estão representados? Em grupo, escolha um cômodo, busque o nome dos móveis e descreva sua decoração, isto é, a disposição dos móveis (utilize as expressões de localização da Unidade 2 e a numeração dos móveis na planta).

....
....
....
....

CASACOR — ARQUITETURA/PAISAGISMO/DECORAÇÃO

A **CASACOR** é a mais completa mostra de arquitetura, decoração e paisagismo das Américas. O evento reúne, anualmente, renomados arquitetos, decoradores e paisagistas. Em 2016 completou 30 anos em São Paulo, e está presente nas principais capitais brasileiras com 20 franquias nacionais e seis internacionais (Bolívia, Chile, Equador, Paraguai, Peru e Miami). Recebe anualmente cerca de 500 mil visitantes. A Casacor recupera e preserva o patrimônio histórico por onde passa e promove a sustentabilidade no ambiente, mostra tendências do mercado e aproxima profissionais, marcas e clientes. Para a Casacor morar é uma experiência do olhar e do sentir que integra beleza, estilo e qualidade de vida.

Fonte: bit.ly/2Yjk07P (Acesso em: 13 dez. 2017. Adaptado.) e bit.ly/2kPi2JO (Acesso em: 13 dez. 2017 Adaptado.)

PRÓS E CONTRAS DE MORAR SOZINHO

COMO TUDO NA VIDA, MORAR SÓ TEM SEUS PRÓS E CONTRAS.

▶ **VEJA O QUE ACHAM NOSSOS ENTREVISTADOS:**

Júlia. Administradora, 35, Recife.
O MELHOR: Você sempre encontra suas comidas na geladeira.
O PIOR: Quando você fica doente, você está sozinho.

Marcos Bonora
Representante comercial, 43, Recife.
O MELHOR: Paz, liberdade, satisfação.
O PIOR: Não tem!

Gilberto. Escritor, 57, Porto Alegre.
O MELHOR: Liberdade.
O PIOR: As comidas que estragam na geladeira.

William P. Câmara Jr.
Professor do método DeRose, 35, São Paulo.
O MELHOR: Você escolhe, você manda, fica tudo do seu jeito, liberdade, privacidade, autonomia.
O PIOR: Precisa fazer tudo, as coisas não se materializam, as frutas e comidas estragam, as plantas precisam de água.

▶ **E VOCÊ, LEITOR, O QUE ACHA?**

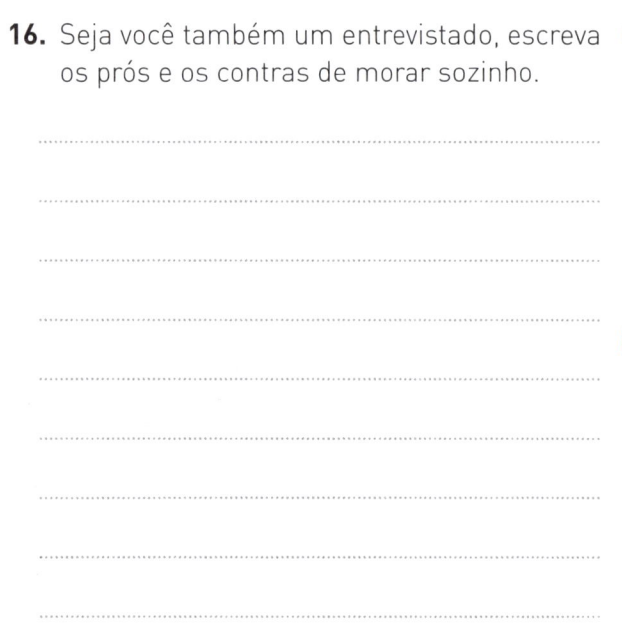

16. Seja você também um entrevistado, escreva os prós e os contras de morar sozinho.

PRÓ ≠ CONTRA
- **Pró:** Vantagem, conveniência.
- **Contra:** Desvantagem, inconveniência, o que é desfavorável.

A expressão "os prós e os contras" significa "as vantagens e as desvantagens".

ADJETIVO	SUPERIORIDADE	INFERIORIDADE
Pesado	o mais pesado	o menos pesado
Grande	o maior	---
Pequeno	o menor	---
Bom	o melhor	o menos bom*
Mau/ruim	o pior	o menos mau/ruim

* Pouco usado na oralidade.

17. Forme frases usando as palavras abaixo e um superlativo relativo de superioridade ou inferioridade.
Exemplo: museu a céu aberto/ Inhotim/ grande/ O/ América Latina/ da/ ser ➕
➡ *O Inhotim é o maior museu a céu aberto da América Latina.*

a. casa/ bairro/ a/ bonita/ esta/ ser/ do ➖ ➡
b. imóvel/ este/ região/ ser/ da/ pequeno/ o ➖ ➡
c. estar/ eles/ ruim/ casa/ quarto/ no/ da ➕ ➡
d. ele/ com/ morar/ bom/ o/ amigo ➕ ➡

E AGORA? ONDE ESTÃO AS CHAVES?

CINCO COISAS QUE NÃO PODEM FALTAR QUANDO VOCÊ MORA SOZINHO (A)

Caixa de remédios
Analgésicos e anti-térmicos podem ajudar na espera do atendimento médico.

Telefones úteis
Entregador de água, eletricista, chaveiro, marmitex e números de emergência são fundamentais na agenda do celular e na porta da geladeira.

Chave reserva
Deixar uma chave extra com um vizinho ou alguém da sua confiança pode ajudar bastante se algum dia você perder a sua chave. E acredite, acontece.

Dinheiro em casa
Ter dinheiro trocado em casa pode salvar você na hora de pegar um ônibus ou quando o taxista não tem troco.

Internet móvel
Para enviar mensagens instantâneas, checar o e-mail e fazer ligações em caso de emergência, a internet móvel pode ser uma opção barata e funcional.

Fonte: bit.ly/2MvuLwN (Acesso em: 13 dez. 2017.)

18. Leia o quadro ao lado e responda.
a. De que trata o texto?
b. De acordo com o texto, o que é preciso para morar sozinho?
c. Para você, o que é um caso de emergência?
d. O que mais você colocaria nesta lista?
e. No seu país, quando as pessoas vão morar sozinhas?

19. Escute o áudio e responda verdadeiro (**V**) ou falso (**F**).
( ) Morar com os pais é uma escolha e não uma necessidade.
( ) A geração canguru é composta por jovens entre 25 e 44 anos.
( ) A maior parte dos jovens não tem dinheiro para pagar aluguel.
( ) Atualmente os jovens se casam mais tarde.
( ) Um em cada quatro jovens mora com os pais.

▶ Dica é uma informação ou indicação boa.

20. Você pode morar sozinho (a) por escolha ou por necessidade, como estudar e trabalhar em outra cidade ou país, mas a verdade é que muitas coisas são necessárias para isso. Faça uma lista com cinco dicas diferentes das listadas acima sobre o que é preciso para morar sozinho. Use as expressões de necessidade.

Para morar sozinho (a)...

EXPRESSÕES DE NECESSIDADE

Eu tenho que limpar a casa hoje. = **Eu preciso limpar a casa hoje.**
Pronome + ter que + verbo no infinitivo   Pronome + precisar + verbo no infinitivo
(verbo ter no presente do indicativo)   (verbo precisar no presente do indicativo)

Impessoal: **É preciso** limpar e organizar a casa para viver em um ambiente agradável.
É necessário fazer um planejamento financeiro.
Expressão impessoal + verbo no infinitivo

SAMBA! • UNIDADE 4   Cento e cinco   **105**

CUIDADOS COM A CASA

21. Observe as imagens e associe cada uma aos problemas listados abaixo.

( ) A falta de energia ( ) A pintura ( ) A substituição
( ) O vazamento ( ) A instalação de lâmpada
    de água ( ) O entupimento ( ) A chave quebrada

- consertar • trocar • pintar
- arrumar • desentupir • reformar

DEFEITOS

- ...está com defeito. • ...está com vazamento.
- ...está quebrado. • Tem um vazamento em/ no/ na...
- ...está estragado. • O cano está entupido.

22. Como solicitar cada um desses serviços? Em dupla, escreva um diálogo para informar um problema da casa e chamar o profissional. Em seguida, você e seu colega vão apresentar esse diálogo para a turma.

23. Encontre o nome dos prestadores de serviço para cada um dos problemas listados acima.

❶ .... ❸ .... ❺ *Marido de aluguel**

❷ .... ❹ .... ❻ .... ❼ ....

* nome dado em muitas regiões para trabalhadores que se ocupam de prestar serviços de reparo domiciliar (realizado principalmente por homens).

▶ ABREVIAÇÕES DE A a Z

24. Vamos dividir a sala em grupos. Seu professor vai cronometrar para ver quem consegue associar mais rapidamente os nomes das abreviações a seus significados. O grupo que terminar mais rápido e acertar todas as combinações ganha o jogo.

a. dorms.   f. lavand.   k. and.   p. próx.   u. vda.
b. churrasq.   g. port. 24h   l. coz.   q. gar.   v. elev.
c. sl./ sls.   h. 2 amb.   m. apto   r. ste.   w. cond.
d. dce   i. banh.   n. arm. emb.   s. qts   x. BL./ TR.
e. ár. de laz. completa j. Cpa   o. vgs   t. áre. serv.   y. s/
                                                                        z. c/

( ) Quartos   ( ) Andar   ( ) Cozinha   ( ) Dois ambientes   ( ) Dependência
( ) Próximo   ( ) Dormitórios   ( ) Sem   ( ) Vagas   completa de
( ) Portaria 24 horas ( ) Condomínio   ( ) Bloco/ torre   ( ) Suíte   empregada
( ) Com   ( ) Apartamento   ( ) Sala/ salas   ( ) Área de lazer   ( ) Varanda
( ) Lavanderia   ( ) Área de serviço   ( ) Copa   completa   ( ) Elevador
( ) Garagem   ( ) Banheiro   ( ) Churrasqueira   ( ) Armários embutidos

NOS QUINTAIS DO BRASIL

Segundo o antropólogo brasileiro Roberto DaMatta, a casa do brasileiro é um espaço com identidade, diferente do anonimato da rua. Todas as casas podem ter os mesmos móveis e objetos, mas cada casa é única, é "onde se realiza uma convivialidade social profunda".

Uma característica das casas brasileiras que herdamos da arquitetura colonial é a existência dos quintais. O quintal é um pequeno terreno na parte de trás da casa usado para plantar árvores, brincar, relaxar, tomar sol, criar animais, etc. É o espaço onde recebemos os amigos para um churrasco no fim de semana.

Nos prédios residenciais, o espaço que corresponde ao quintal pode ser encontrado em apartamentos térreos com área privativa ou em apartamentos de cobertura.

OBJETOS DE DECORAÇÃO QUE TÊM A CARA DA CULTURA BRASILEIRA

25. Existem utensílios e objetos de decoração que estão presentes em muitos lares no Brasil, fazem parte da tradição e representam a diversidade da cultura e do modo de viver do brasileiro. Quais objetos caracterizam a cultura do seu país?

▸ Os brasileiros não bebem água de torneira; o tradicional é beber água limpa e fresca em filtros de barro.

▸ O copo americano, conhecido em Belo Horizonte como "copo lagoinha", serve para tudo: água, café, cerveja e, o pequeno, para cachaça. Também é usado como medida em receitas.

▸ As panelas artesanais de barro ou pedra podem ser usadas no dia a dia ou na preparação de pratos especiais como a moqueca.

▸ O bule e as xícaras esmaltadas coloridos são bonitos e menos frágeis do que a porcelana.

▸ A chita é um tecido popular com cores e estampas fortes usado em roupas e na decoração.

▸ De origem indígena, a rede é uma alternativa confortável e mais fresca do que a cama.

▸ Bonecos de barro: existem em muitas regiões do Brasil em estilos variados.

OS AZULEJOS PORTUGUESES

▶ O azulejo tem origem árabe, possivelmente berbere (do Norte da África) e foi introduzido na Europa pela Península Ibérica. O nome "azulejo" deriva do termo árabe "azuleicha" – que significa "pedra polida". A palavra não tem qualquer relação com azul, embora essa cor seja predominante na azulejaria portuguesa.

Chamados "caixilhos", os primeiros azulejos fabricados em Portugal datam do século XIV, quando apresentavam uma única cor. Em Portugal, o azulejo é rei, aparecendo nas casas, ruas, praças, monumentos, igrejas, palácios, em toda parte. Em nenhuma outra parte do mundo, a azulejaria alcançou uma qualidade tão excepcional e uma variedade tão grande de uso como em Portugal. Com padrões geométricos ou imagens históricas, os azulejos portugueses decoram, na maioria das ruas das cidades e lugarejos lusitanos, desde as casas mais humildes a palacetes.

Em Lisboa, podemos visitar o Museu Nacional do Azulejo, símbolo da cultura e da arquitetura portuguesa, que documenta a história do uso do azulejo em Portugal nos últimos cinco séculos.

Fonte: bit.ly/2yDIb1j (Acesso em: 2 out. 2017. Adaptado.)

▶ Escute as palavras e marque os sons **[t]** e **[d]**.

	1	2	3	4	5	6	7	8	9	10
[t] **t**ente										
[d] **d**ente										

▶ CASA DE AREIA

2005 . DRAMA . 1H 55M

Após a morte do marido em um acidente, uma mulher grávida e sua mãe lutam para sobreviver no rigoroso deserto do Nordeste brasileiro com a ajuda de um morador local.

DATA DE LANÇAMENTO: 13 de maio de 2005 (Brasil)
DIREÇÃO: Andrucha Waddington
MÚSICA COMPOSTA POR: João Barone, Carlo Bartolini
INDICAÇÕES: Satellite Award de Melhor Fotografia, Satellite Award de Melhor Roteiro Original
PRODUÇÃO: Andrucha Waddington, Pedro Buarque de Hollanda, Leonardo Monteiro de Barros, Pedro Guimarães

Fonte: bit.ly/2SZ9xZr
(Acesso em: 26 set. 2018.)

A CASA É SUA

TIPOS DE MORADIA
- a casa
- o apartamento
- a quitinete
- o barracão
- o condomínio
- a casa geminada
- a mansão
- a república
- o apart-hotel
- a cobertura

OS CÔMODOS DA CASA
- a sala de estar/ TV
- a sala de jantar ou copa
- a cozinha
- o quarto
- a suíte
- o banheiro
- o escritório
- a lavanderia
- o sótão
- o porão
- a escada/ o elevador
- o corredor
- a garagem
- a despensa
- o hall/ a entrada
- o jardim
- o quintal
- a varanda

OS MÓVEIS
- a cadeira
- a mesa
- o sofá
- a televisão
- a cama
- o armário
- a escrivaninha
- o abajur
- o fogão
- a geladeira
- a poltrona
- a mesa de cabeceira
- o computador
- a estante

CONTAS DE UM IMÓVEL NO BRASIL
- Conta de luz/ energia
- Conta de água
- IPTU = Imposto Predial e Territorial Urbano
- Condomínio = são as despesas de manutenção da área comum dos moradores. A água que você consome pode estar incluída no condomínio

REPARAÇÕES
- consertar
- arrumar
- trocar
- desentupir
- pintar
- reformar

USO DOS DEMONSTRATIVOS
- **Esta** maquete **aqui**.
- **Essa** chave **aí** é da casa nova.
- Você gosta **deste** apartamento **aqui** ou **daquele lá**.

PRÓ ≠ CONTRA
- Pró: vantagem, conveniência.
- Contra: desvantagem, inconveniência, o que é desfavorável
  A expressão "os prós e os contras" significa "as vantagens e as desvantagens".

COMO CARACTERIZAR UM AMBIENTE?
- grande ≠ pequeno
- claro ≠ escuro
- moderno ≠ antigo
- ensolarado ≠ sombrio
- barulhento ≠ tranquilo/ silencioso
- novo ≠ velho
- espaçoso ≠ apertado
- bonito ≠ feio
- caro ≠ barato
- bem localizado ≠ mal localizado
- arejado ≠ abafado
- bom ≠ ruim
- confortável ≠ desconfortável

SE INFORMAR SOBRE UM IMÓVEL
- O apartamento tem quantos quartos?
- Tem suíte?
- Tem quantos metros quadrados (m²)?
- Qual o preço do aluguel? E do condomínio?
- Os quartos têm armário embutido?
- Tem quantas vagas na garagem?
- O apartamento fica em qual andar?
- Tem elevador? Tem porteiro?
- Tem quantas salas? O apartamento é claro?
- É silencioso ou barulhento? É arejado?
- É permitido ter cachorro no prédio?
- Tem área de lazer?

EXERCÍCIOS UNIDADE 4 ▶ VAMOS PRATICAR

1 Complete com os pronomes demonstrativos adequados.

Exemplo: __Aqueles__ livros lá no alto da estante pertenceram a meu avô.

a. _____ casas daqui são modernas e mais caras do que _____ lá, que são as mais antigas do bairro.

b. _____ novos apartamentos aí do seu bairro são os mais valorizados do mercado.

c. Quero mudar da minha casa. _____ casa está muito pequena para a minha família. (está dentro da casa)

d. _____ decoração da casa nova é mais bonita do que _____ da casa antiga.

e. _____ reforma que estamos fazendo aqui vai valorizar muito nosso imóvel.

2 Complete as frases com os termos *aí*, *lá* ou *aqui*.

Exemplo: Este livro __aqui__ é seu.

a. Esse caderno _____ é meu.

b. Aquele carro _____ está aberto.

c. Eu prefiro estes filmes que tenho _____ aos filmes que Ângela tem _____ na casa dela.

d. Vou vender esses discos que estão _____ na estante.

e. Marisa, estes vestidos _____ estão sujos?

3 Complete com pronomes demonstrativos *este (a)(s)*, *esse (a)(s)*, *aquele (a)(s)* ou pelas expressões de localização *aqui*, *aí* e *lá*.

Exemplo: Aquele livro __lá__ é seu?

a. _____ caderno aqui é dela.

b. _____ moça lá estuda arquitetura.

c. _____ documentos aí são seus?

d. Esta bolsa _____ é da Eduarda.

e. – Alô! É da casa da Lu? Ela está _____?
 – Não. Ela não está _____. Ela saiu.
 – Por favor, quando ela chegar _____, você diz que o Carlos ligou.

f. _____ restaurante lá abre aos domingos?

g. Onde você comprou _____ vestido que está usando?

h. _____ sapatos lá são do João.

i. Não como _____ frutas aí não, prefiro _____ aqui.

4 Associe as expressões de forma adequada.

a. Casa ( ) de serviço
b. Apartamento ( ) com suíte
c. Área ( ) colonial
d. Quarto ( ) para o mar
e. Vista ( ) alugado

5 Associe o nome dos objetos aos elementos correspondentes na imagem.

1. ~~A janela~~
2. O pôster
3. O armário
4. A cama
5. O criado mudo
6. O tapete
7. A cômoda
8. A cortina
9. A televisão
10. O quadro

6 Forme frases com as palavras dos quadros abaixo. Use sempre um verbo para cada frase. (Várias respostas são possíveis.)

• O apartamento	• da praia	• grande
• A casa	• um fogão	• quente
• A quitinete	• ~~vago~~	• abafado
• ~~O lote~~	• sofá	• ~~caro~~
• Os andares	• altos	• barato
• A casa	• mobiliada	• arejado
• Na cozinha	• com vista para o mar	• antigo
• A sala	• térrea	• confortável

Exemplo: **O lote vago é caro.**

a.
b.
c.
d.
e.
f.
g.

7 Escreva o nome das partes da casa.

1. **O sótão**
2.
3.
4.
5.
6.
7.
8.
9.
10.

8 Complete as frases com as palavras do quadro abaixo.

▶ cozinha ▶ alugar ▶ janelas ▶ ~~andar~~ ▶ garagem ▶ jardim ▶ piscina
▶ ~~cobertura~~ ▶ churrasqueira ▶ sala de jantar ▶ sofá ▶ mesa ▶ elevador ▶ televisão

a. Nosso apartamento fica no 7º **andar**, ainda bem que temos _____.
b. A casa é ensolarada porque na sala tem quatro _____.
c. Na sala tem uma _____, um _____ e uma _____.
d. No quintal da casa tem uma _____ e uma _____.
e. Vou procurar nos classificados uma casa para _____.
f. Nós comemos na _____ porque não temos _____.
g. Nesta _____ cabem quatro carros.
h. O _____ fica na frente da casa.
i. No último andar do prédio tem uma _____.

SAMBA! • UNIDADE 4

9 Complete com as expressões *ter* ou *ter que/ de*.

Exemplo: Ana __tem que__ fazer compras no supermercado todo mês.

a. Maria e Thiago estão doentes, _____ ir ao médico.

b. José e Luna _____ duas vagas de garagem.

c. Ronaldo _____ treinar muito para jogar bem futebol.

d. Marta _____ uma casa na praia.

e. Ana _____ uma suíte e três quartos em seu apartamento.

10 Organize as frases abaixo usando a forma do superlativo adequada.

Exemplo: Estão/ eles/ **bom**/ casa./ quarto/ em/ da ➕ ➡ *Eles estão no melhor quarto da casa.*

a. na/ bonita/ casa/ moramos/ bairro./ Nós/ do ➕ ➡ _____

b. Maria/ vive/ no/ pequeno/ apartamento/ do/ prédio ➕ ➡ _____

c. a/ cidade/ grande/ do/ a/ é/ Cidade do México/ mundo ➕ ➡ _____

d. sanduíche/ mundo./ comi/ Ontem/ o/ ruim/ do ➕ ➡ _____

e. mês/ da minha vida/ o livro/ Este/ li/ interessante ➖ ➡ _____

11 Encontre as palavras contrárias.

1. Claro   ( ) Desconfortável
2. Barulhento   ( ) Abafado
3. Ensolarado   ( ) Ruim
4. Novo   ( ) Feio
5. Bonito   (1) Escuro
6. Arejado   ( ) Barato
7. Confortável   ( ) Velho
8. Caro   ( ) Antigo
9. Espaçoso   ( ) Silencioso
10. Moderno   ( ) Mal
11. Bom   ( ) Nublado
12. Bem   ( ) Apertado

12 Descubra qual cômodo é.

a. O lugar da casa onde fazemos refeições e sempre encontramos comida: _____

b. O lugar onde podemos passar todas as noites dormindo: _____

c. A parte da casa onde podemos lavar as roupas: _____

d. O lugar da casa onde podemos estacionar o carro: _____

e. O lugar da casa onde podemos ter flores e plantar árvores: _____

13 Escreva um pequeno texto descrevendo o cômodo favorito da sua casa. Quais são os móveis? Onde estão localizados? É grande? É pequeno?

_____
_____
_____
_____
_____
_____
_____
_____
_____

14 Marque a palavra intrusa:

Exemplo: casa – apartamento - ~~mobília~~ - estúdio

a. cadeira – mesa – sofá – banco

b. janela – porta – portão – entrada

c. sótão – estacionamento – quarto – porão

d. guarda-roupas – micro-ondas – geladeira – fogão

15 Reescreva as frases substituindo a forma do verbo para o futuro do pretérito e indique o sentido da frase: (1) desejo, (2) polidez, (3) sugestão.

Exemplo: Eu quero um apartamento no centro. ➡ *Eu queria de um apartamento no centro. (1)*

a. A cliente gosta de uma casa grande. ➡
b. Nós gostamos de beber água gelada, por favor. ➡
c. Vocês podem dar um desconto no aluguel? ➡
d. Vocês devem comprar um carro maior para a família. ➡
e. Eu posso emprestar minha garagem se necessário. ➡
f. Você pode pagar em dinheiro? ➡

16 Faça frases indicando as regras expressas nas placas abaixo.

1. PERIGO NÃO ENTRAR
2. (proibido nadar)
3. PROIBIDO (jogar lixo)
4. (proibido comer e beber)
5. (proibido jogar lixo na água)
6. (proibido celular)

1.
2.
3.
4.
5.
6.

17 Identifique o problema e indique o que as pessoas precisam fazer para resolver o problema.

• Problema:
• O que fazer?

• Problema:
• O que fazer?

• Problema:
• O que fazer?

18 Imagine que você é uma pessoa importante para Josué. Leia o e-mail dele e responda, dando dicas de como viver melhor sozinho.

✉ E-MAIL
De: iCont NFe [icont@icont.com.br]
Para: josue.silva@vinco.com.br
Assunto: NÃO ESTÁ FÁCIL

Oi,

Desde que estou morando sozinho tudo está difícil. Eu não tenho tempo de cozinhar, minha casa está uma bagunça e fico muito sozinho. Essa semana fiquei doente. Eu não tenho medicamentos em casa! Foi horrível! Sinto saudade dos cuidados da família.
O trabalho novo é interessante. Quero tentar me adaptar mais rápido.
Sinto saudade de você e de meus amigos também.

Bjs.

Josué

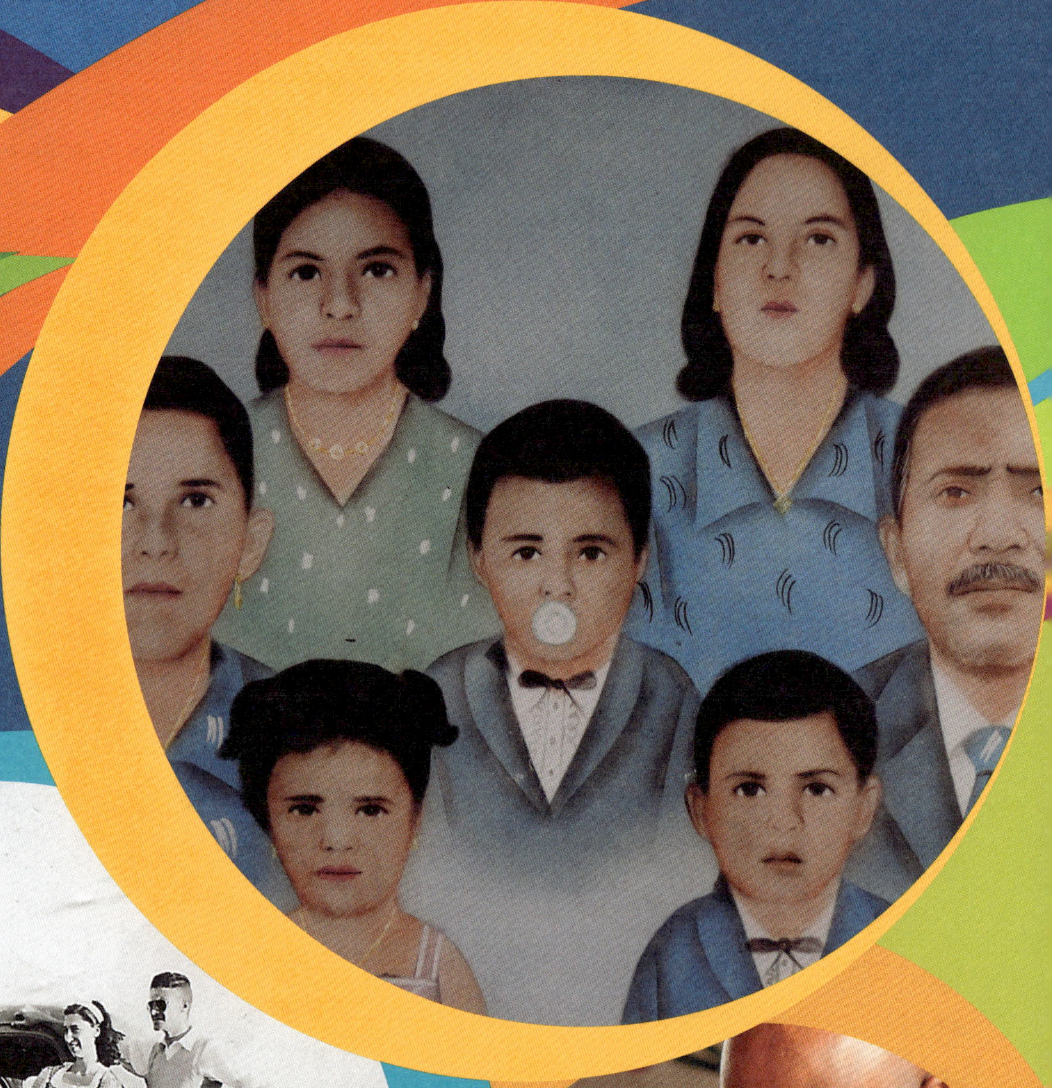

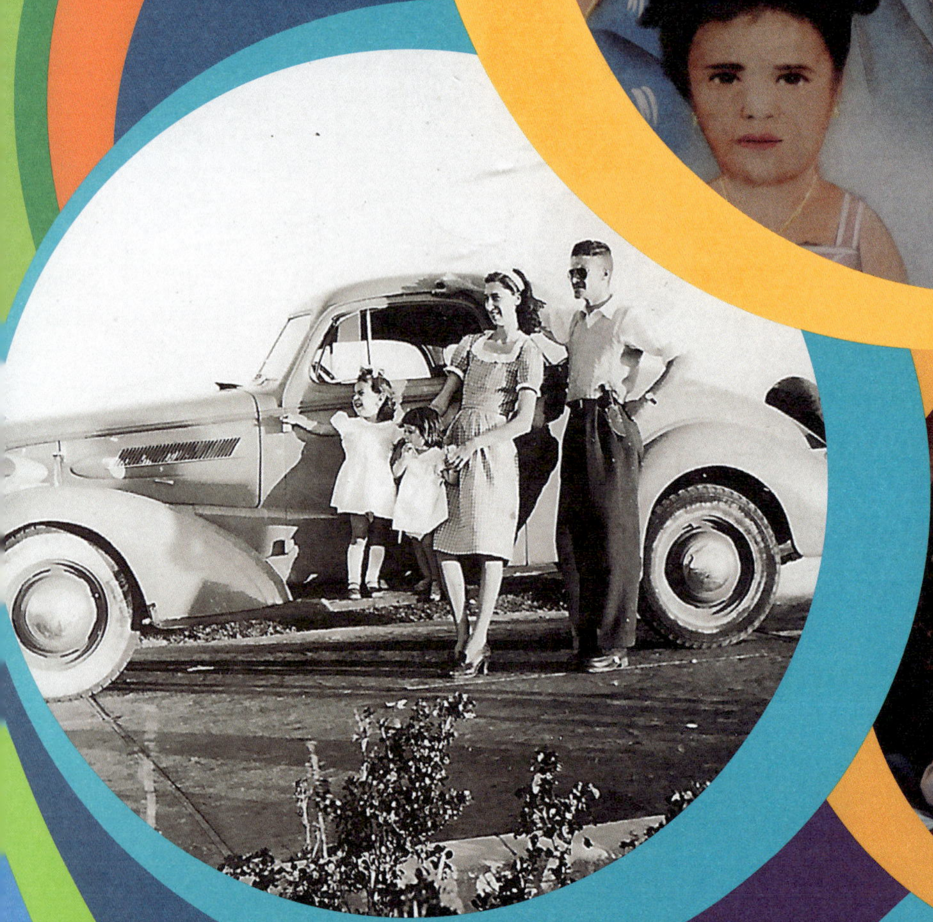

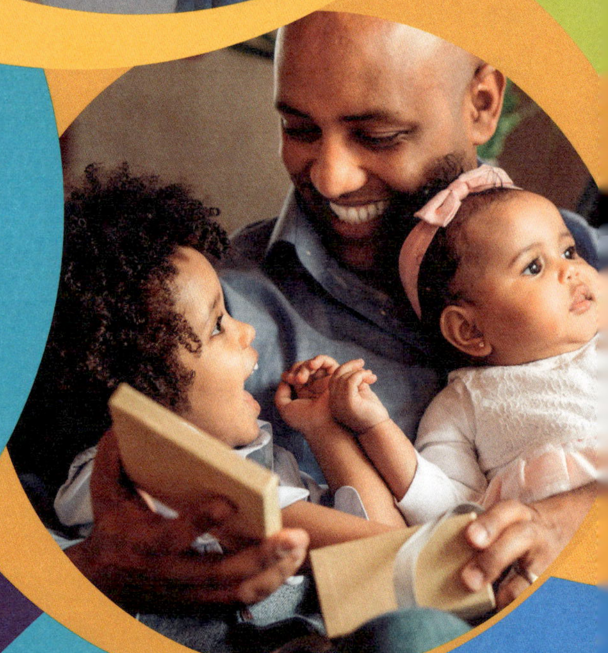

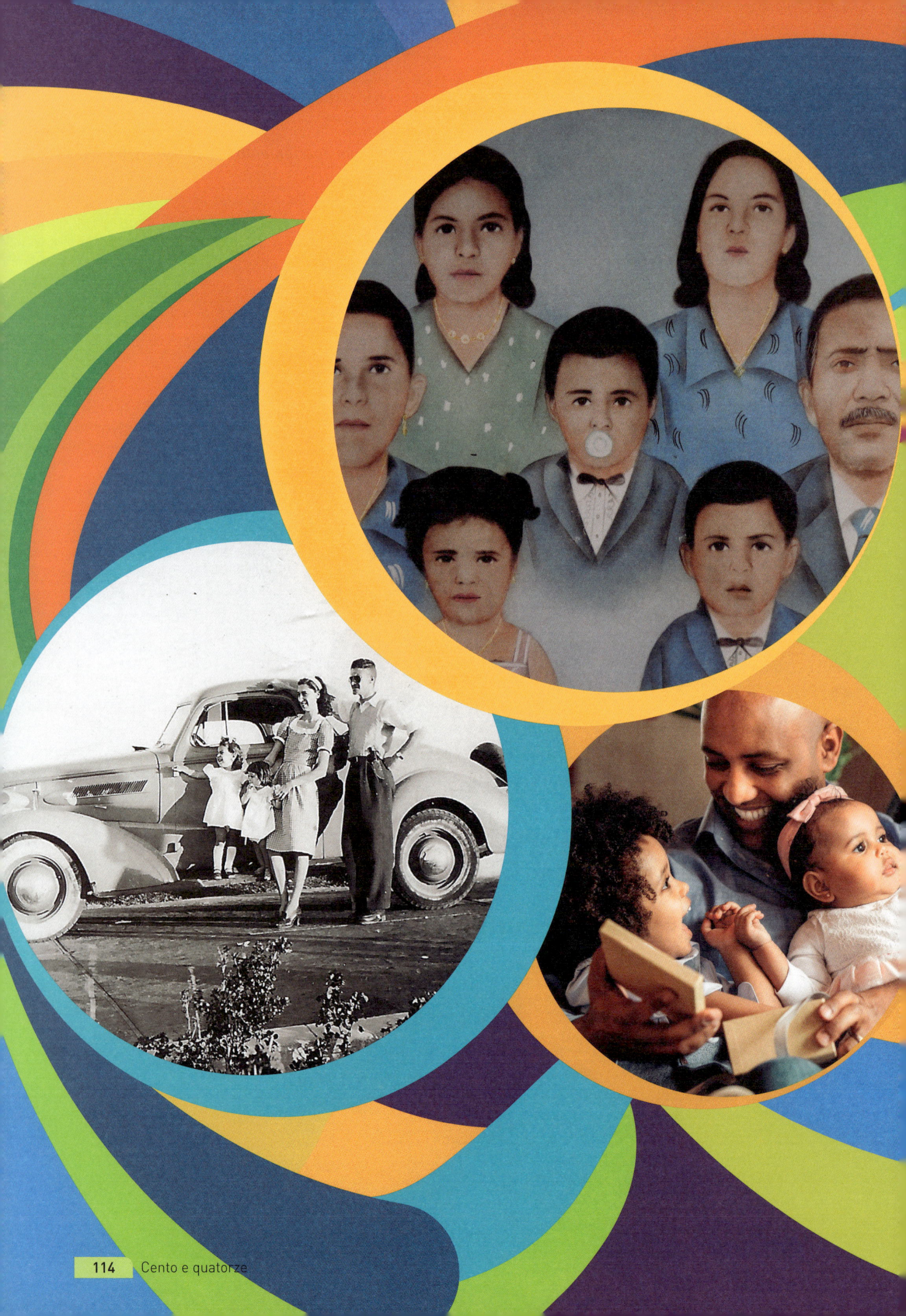

UNIDADE 5

🔊 BOAS VINDAS

A GRANDE FAMÍLIA

NESTA UNIDADE VOCÊ VAI APRENDER:
- as relações de parentesco
- como expressar posse
- o pretérito perfeito
- o plural das palavras
- os verbos em -cer
- o verbo VIR
- verbos SABER x CONHECER
- as centenas e os milhares

PARA:
- falar de sua origem
- descrever sua família
- falar de eventos passados

DE ONDE A GENTE VEM

1. Observe a imagem.
a. Qual origem você atribuiria a cada uma das pessoas da foto acima?
b. Para você, o que elas têm em comum?
c. Que tipo de relação você imagina que essas pessoas têm entre si? Por quê?
d. Você sabe quais etnias participaram da formação do povo brasileiro? Cite algumas.
e. As pessoas do seu país de origem têm uma característica física marcante? Qual?

2. Escute o áudio e responda oralmente às questões.

a. De que trata o áudio?
b. Qual a origem da fotógrafa?
c. Podemos ver quantas fotos no livro?
d. O que ela fotografa?
e. Onde é a exposição?
f. Em quantos anos a Fifi Tong fez as fotos da exposição?
g. Cite um dos objetivos do trabalho dela.

- africana
- asiática
- europeia
- latino-americana
- norte-americana
- oceânica

UM NOVO CONCEITO DE FAMÍLIA

Em resposta ao Estatuto da Família, que restringe o conceito de família a família nuclear, perguntamos aos brasileiros o que significa família para eles. Recebemos milhares de sugestões. E, baseados nelas, criamos a nova definição que vai aparecer no Dicionário Houaiss. Uma definição mais inclusiva. Mais contemporânea. Livre de preconceito.

Família: núcleo social de pessoas unidas por laços afetivos, que geralmente compartilham o mesmo espaço e mantêm entre si uma relação solidária.

Fonte: bit.ly/2kjcDKG (Acesso em: 12 abr. 2016.)

É COM QUEM ESCOLHEMOS ESTAR SEMPRE LIGADOS NO AMOR. UMA FAMÍLIA NÃO SE DEFINE POR LAÇOS DE SANGUE OU GÊNERO
aline abreu

O QUE É FAMÍLIA?

O QUE É FAMÍLIA?

É MINHA RAZÃO DE EXISTIR E DE TENTAR SER UMA PESSOA MELHOR A CADA DIA, POIS AO LADO DE QUEM SE AMA, TUDO TEM SENTIDO E TEM VALOR. AMOR!!!
priscila dias

---

3. Responda oralmente.
   a. Como são compostas as famílias nas imagens acima?
   b. O que os conceitos de família acima têm em comum?
   c. Por que o dicionário cria uma nova definição do verbete família?

4. Contribua também para a construção do conceito de família. Crie você também uma definição para o verbete "família".

Família...

▶ O nome dos monarcas da família imperial brasileira eram tão grandes quanto o seu poder. Dom Pedro I chamava-se Pedro de Alcântara Francisco Antônio João Carlos Xavier de Paula Miguel Rafael Joaquim José Gonzaga Pascoal Cipriano Serafim de Bragança e Bourbon.

DE ONDE VÊM OS Sobrenomes

5 Utilizando suas ferramentas digitais, descubra quais são os três sobrenomes de família mais comuns no Brasil. Em seguida, descubra a origem dos nomes e seu significado.

1º Sobrenome:
- Origem:
- Significado:

2º Sobrenome:
- Origem:
- Significado:

3º Sobrenome:
- Origem:
- Significado:

FAMÍLIA: ONDE NOSSA HISTÓRIA COMEÇA

A FAMÍLIA

- o pai
- o padrasto
- o filho
- o enteado
- o irmão
- o avô
- o neto
- o tio
- o sobrinho
- o primo
- o sogro
- o genro
- o cunhado

- a mãe
- a madrasta
- a filha
- a enteada
- a irmã
- a avó
- a neta
- a tia
- a sobrinha
- a prima
- a sogra
- a nora
- a cunhada

Fonte: bit.ly/2OCgxN9 (Acesso em: 16 jul. 2017.)

6. De quem é a família representada na imagem?

7. Responda verdadeiro (**V**) ou falso (**F**) de acordo com o texto:

a. ( ) Pedro e Antônio têm 5 irmãos.
b. ( ) O pai de Pedro e Antônio tem 4 filhos.
c. ( ) A mãe de Pedro e Antônio tem 4 filhos.
d. ( ) Pedro e Antônio têm dois tios.
e. ( ) Os avós maternos são casados.
f. ( ) O avô materno tem 4 filhos.

A FORMAÇÃO DO PLURAL DAS PALAVRAS
TERMINAÇÃO ➡ FORMA NO PLURAL
Vogal (a, e, i, o, u) + s ➡ as, es, is, os, us
z + es ➡ zes
r + es ➡ res
m ➡ ns
l ➡ is (para terminação em al, el, il, ol, ul)

A FORMAÇÃO DO PLURAL DAS PALAVRAS
TERMINAÇÃO ➡ FORMA NO PLURAL
il* ➡ eis
s** ➡ os pires
ão ➡ ões (mais comum)
ão ➡ ães
ão ➡ ãos

*Quando a palavra terminada em "il" é acentuada.
**Quando a palavra termina em "s", o determinante ou o verbo marcam o plural.

DE GERAÇÃO EM GERAÇÃO

JOAQUIM VIEIRA — DONA JOANA BARROS

LUCAS SILVA — MELINDA BARROS | PEDRO BARROS VIEIRA — MARCELA MENEZES

JULIA | JOAQUIM NETO | MATEUS | MARCOS

8. Complete a frase com as relações de parentesco existentes entre as pessoas a partir do texto lido.

a. *Mateus é sobrinho de Lucas e neto de Dona Joana.*
b. Dona Joana é _____ do senhor Joaquim Vieira.
c. Júlia é _____ de Joaquim Neto e _____ de Mateus e Marcos.
d. Os filhos de Pedro e os filhos de Melinda são _____, porque Pedro é _____ de Melinda.
e. Pedro é _____ de Júlia e Joaquim Neto.
f. Mateus e Marcos são _____ de Melinda.
g. Dona Joana e senhor Joaquim Vieira são _____ e _____ de Mateus, Marcos, Júlia e Joaquim Neto.
h. O Lucas Silva é _____ de Melinda e _____ de Pedro.
i. Dona Joana é _____ de Lucas e Marcela.
j. Marcela é _____ de Joaquim Vieira e Dona Joana.
k. Lucas é _____ de Joaquim Vieira e Dona Joana.

🔊

9. Escute o diálogo e indique na imagem quem são as pessoas do almoço em família.

Marie - Célio – Carlos – Monique – Ângela – ~~Sara~~ – Roberto – Pedro – Vera – João – Joana

Agora escute novamente o diálogo e responda às perguntas.

a. Que dia acontece esse almoço?
b. Qual tradição de família Sara menciona para Vitória?
c. Quem são as pessoas que não pertencem à família?
d. Qual a relação dessas pessoas com a família?
e. Quem são as pessoas que moram com Sara?

VOCÊ É A CARA DE QUEM?

- dono = proprietário
- cara = rosto/ face

▶ **CONVERSE COM OS COLEGAS. COMO VOCÊ COMPREENDE A EXPRESSÃO "A CARA DO DONO"?**

Quando uma pessoa se parece muito com outra pessoa, dizemos que ela é a cara da outra. Ele é a cara da mãe. = Ele se parece com a mãe.

10. Responda oralmente.

a. Você se parece com uma pessoa da sua família? Em que vocês se parecem?
b. Você acha que um animal de estimação pode se parecer com seu dono? Em que aspectos?
c. Para você, um animal de estimação é parte da família? Por quê?

11. Escute o áudio e complete com as informações adequadas.

a. Atualmente nos lares do Brasil... ☐ há mais crianças ☐ há mais cães ☐ há a mesma quantidade de crianças e cães

b. Os países que seguem essa tendência são .... e ....

c. A cada 100 famílias, ... criam, por exemplo, cachorros e só .... têm crianças até .... anos de idade.

d. Por que essa tendência é mais comum em países mais ricos?

e. Por que as mulheres, em países menos desenvolvidos, em geral, "têm menos responsabilidade de um trabalho formal"?

12. Complete a tabela abaixo com alguns verbos terminados em -cer.

PRONOMES	PARECER (presente)	CONHECER (presente)	CRESCER (presente)	AGRADECER (presente)	OFERECER (presente)	MERECER (presente)
Eu	pare**ço**	conheço				
Ele/ Ela/ Você	parec**e**				oferece	
Nós	parec**emos**		crescemos			
Eles/ Elas/ Vocês	parec**em**					merecem

OS MEUS, OS SEUS, OS NOSSOS MOMENTOS EM FAMÍLIA

13. Observe o documento abaixo e responda oralmente.
a. Como é composta a família?
b. O que eles estão fazendo?
c. Como você relaciona o título "Tempos Modernos" à imagem?
d. Como você explica o humor na charge?
e. De quem são os momentos em família?

VOCÊ CONHECE O MUSEU DA IMIGRAÇÃO?

O Museu da Imigração, aberto em 2014, antes Memorial do Imigrante, foi construído em 1887 na antiga Hospedaria de Imigrantes do Brás, que recebeu 2,5 milhões de imigrantes até o fechamento, em 1978. Tem mais de 250 mil documentos digitalizados como cartas, jornais, mapas, fotografias e o registro de todos os imigrantes que passaram pela hospedaria. O museu permite ao visitante refletir sobre as condições de viagem, a vida e as dificuldades enfrentadas por aqueles que vieram de longe tentar a vida em terras brasileiras.

Fonte: bit.ly/2MqFMzm (Acesso em: 21 jul. 2019.)

Observe as frases abaixo.
➡ **Minha** mãe tem dois filhos. Eu e Luís somos filhos **dela**.
➡ **Meu** pai tem um irmão. O irmão **dele** se chama Paulo.
➡ **Meus** tios têm um filho. O filho **deles** se chama Bento.

14. Responda às questões oralmente.
a. O termo "minha" se refere a qual palavra? E os termos "meu" e "meus"?
b. Os termos "dela", "dele" e "deles" se referem a quais palavras?
c. Quais palavras são colocados antes do substantivo? E depois?

EXPRESSÃO DE POSSE

	SINGULAR	PLURAL	SINGULAR	PLURAL
Eu	meu pai	meus irmãos	minha mãe	minhas irmãs
Tu*	teu pai	teus irmãos	tua mãe	tuas irmãs
Você	seu avô	seus avôs	sua avó	suas avós
Nós	nosso tio	nossos tios	nossa tia	nossas tias

	INVARIÁVEL
Ele**	dele
Ela**	dela
Eles**	deles
Elas**	delas
Vocês**	de vocês

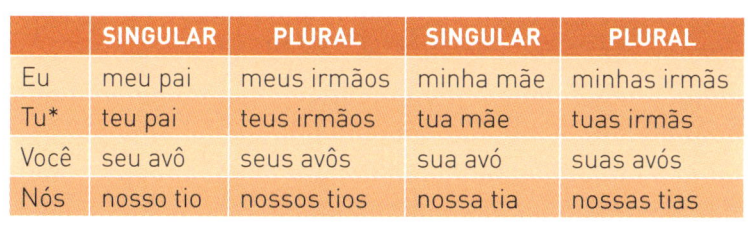

*Falado apenas em algumas regiões do Brasil.

**O uso de seu (s) sua (s) com os pronomes ele (s)/ ela (s)/ vocês pode gerar ambiguidade.

A FAMÍLIA BRASILEIRA HOJE

Novas famílias

UNIÕES E SEPARAÇÕES

A proporção de brasileiros divorciados aumentou de **1,7%** (2000) para **3,1%** (2010), enquanto o índice de casados caiu de **37%** (2000) para **34,8%** (2010).

O Rio de Janeiro é o estado com maior porcentual de pessoas que já viveram em união conjugal e não vivem mais: **17,5%** > O índice é maior do que a média do país. **14,6%** passaram por uma separação.

Entre as pessoas que estão em união conjugal consensual **6,1%** são divorciadas.

A união consensual foi a que mais cresceu: 2000 – **28,6%**; 2010 – **34,8%**, ao mesmo tempo em que caiu o índice de casamentos civis e religiosos: 2000 – **49,4%**; 2010 – **42,9%**.

FAMÍLIAS

54,9% das famílias no Brasil são formadas por casais com filhos → **16,3%** desses grupos os filhos são só de um dos parceiros ou de ambos em relacionamentos anteriores, um indicativo de aumento das uniões reconstituídas.

Mulheres são responsáveis por **37,3%** das famílias, mas em **62,7%** dos lares o rendimento delas ajuda no sustento da casa.

Elas têm cada vez menos filhos **1,9** por mulher.

E engravidam mais tarde: aos **26,8 anos de idade**.

Fonte: IBGE. Disponível em: goo.gl/U1T52q (Acesso em: 9 dez. 2018).

EXPRESSÕES DE LEITURA DO GRÁFICO

- % = por cento
- a porcentagem/ o percentual
- a média de...
- a razão entre ... e ...
- o aumento/ o crescimento
- a diminuição/ a redução

---

15. Leia o infográfico e responda.

a. O número de separações cresceu ou diminuiu no Brasil? ....

b. Qual é o estado com o maior percentual de pessoas separadas? ....

c. O que o infográfico mostra sobre o número de casamentos civis e religiosos? ....

d. Qual tipo de união mais cresceu? ....

e. Qual é o percentual de famílias que têm filhos? ....

f. O que você pode dizer sobre as uniões e separações no seu país? ....

ENCONTROS E DESENCONTROS DA ADOÇÃO NO BRASIL

16. Escute o áudio e marque verdadeiro (**V**) ou falso (**F**) para as afirmações abaixo.

( ) A questão racial é a principal dificuldade para a adoção no Brasil.
( ) 1 em cada 4 candidatos quer adotar crianças com 4 anos ou mais.
( ) 32% dos candidatos a adotar só aceita crianças brancas.
( ) 14,1% das crianças para a adoção têm menos de 4 anos.
( ) Mais de 1% dos candidatos querem adotar um adolescente.
( ) Poucos candidatos querem adotar mais de uma criança ao mesmo tempo.
( ) 76% das crianças possuem irmãos.

Números da adoção no Brasil

- 5.500 Crianças em condições de serem adotadas;
- 44 mil Crianças e adolescentes atualmente vivendo em abrigos;
- 30 mil candidatos do Cadastro Nacional;
- Nos últimos 5 anos Foram adotadas 1.987 crianças

Fonte Conselho Nacional de Justiça – CNJ
Fonte: goo.gl/hmB4Rd (Acesso em: 8 dez. 2018).

NÚMEROS CARDINAIS — CENTENAS

- 100 ➡ cem/ cento
- 200 ➡ duzentos/ duzentas
- 300 ➡ trezentos/ trezentas
- 400 ➡ quatrocentos/ quatrocentas
- 500 ➡ quinhentos/ quinhentas
- 600 ➡ seiscentos/ seiscentas
- 700 ➡ setecentos/ setecentas
- 800 ➡ oitocentos/ oitocentas
- 900 ➡ novecentos/ novecentas
- 1.000 ➡ mil
- 10.000 ➡ dez mil

➡ A conjunção **e** é usada após as dezenas e centenas.
➡ A forma **cento** é usada quando existe outro número além da centena, como em **cento e um**.
➡ Centenas entre 200 e 999 são usadas no feminino quando acompanham um substantivo feminino.
➡ Unidades de milhar: 1.000 = Mil x ~~Um~~ mil
  2.000 meninas = **duas** mil meninas
  2.000 meninos = **dois** mil meninos

Exemplos:
- Vinte **e** um/ cento **e** um/ mil cento **e** vinte **e** um.
- Trez**os** menin**os** / trez**as** menin**as**.

Atenção para datas:
- Eu nasci em **mil** novecentos e noventa e dois.

17. Reescreva as frases abaixo com os números por extenso.

a. O Brasil tem cerca de 5.500 crianças para adoção. ....

b. Foram adotadas 1.987 crianças nos últimos 5 anos. ....

c. Mais de 22.301 famílias querem adotar crianças no Brasil. ....

MÃE É TUDO IGUAL, SÓ MUDA DE ENDEREÇO...

▶ Adaptação de uma peça de teatro, o filme *Minha mãe é uma peça*, tem como personagem principal dona Hermínia, uma mulher de meia-idade, aposentada e sozinha.

Os filhos de dona Hermínia já são adultos, e ela passa o tempo conversando com a vizinha fofoqueira, a tia idosa e a amiga confidente.

A comédia apresenta os gostos e ataques femininos de forma caricatural.

Fonte: MINHA mãe é uma peça. Direção: André Pellenz. Rio de Janeiro: Globo Filmes; Telecine Productions; Migdal Filmes, 2012. 1 DVD (95 min). (Texto adaptado.)

18. Leia o documento acima e responda.

a. O filme acima é...
☐ um drama ☐ um documentário ☐ uma comédia

b. Como é dona Hermínia?

c. Como são descritas as outras personagens que convivem com ela?

d. Você acha que mãe "é tudo igual"?

e. Você conhece as características das mães descritas na publicidade abaixo?

f. Com qual das mães abaixo sua mãe se parece?

MINHA MÃE É...
- fofoqueira
- perua
- baladeira
- antenada
- tagarela
- coruja
- meiga
- uma peça

DIA DAS MÃES

▶ O Dia das Mães, no Brasil e em muitos países, é celebrado no segundo domingo do mês de maio. Nesse dia, geralmente os filhos presenteiam as mães para homenageá-las.

19. Imagine que você não tem muito dinheiro para comprar um presente legal e viu o anúncio do Caleidoscópio Bijoux. Escreva um post para compartilhar em sua rede social e concorrer ao vale compras anunciado.

MINHA MÃE É...

COZINHEIRA · CORUJA · ESPORTISTA · ANTENADA · PERUA
TAGARELA · MEIGA · TRABALHADORA · BALADEIRA · DIVERTIDA

Compartilhe dizendo qual o estilo da sua mãe e concorra a um *vale compras de R$120,00 para presenteá-la

*compras de peças prontas como: brincos, colares, pulseiras, anéis, maxi colares, bolsas, etc.

VOCÊ SABE COMO SE COMPORTAR AO CONHECER A FAMÍLIA DO (A) NAMORADO (A)?

▶ Vocês se conheceram e começaram a "ficar". As coisas evoluíram para um namoro e agora a família do rapaz/ da moça quer saber quem é você.

O nervosismo nesta situação é natural, afinal, queremos causar uma boa impressão e conquistar a simpatia das pessoas que são importantes para o (a) nosso (a) parceiro (a). Para isso, algumas regrinhas de bom comportamento precisam ser respeitadas. Veja abaixo algumas dicas sobre como se comportar.

1. Ser simpático (a)
2. Escolher a roupa certa
3. Evitar os amassos
4. Evitar polêmicas
5. Controlar a bebida
6. Ser você mesmo (a)

➡ Um dos sentidos da palavra **FICAR** é estar em uma relação amorosa de curta duração sem compromisso formal.
➡ A diferença entre **FICAR** e **NAMORAR** é o compromisso.

20. Responda.
a. Para você, o que é causar uma boa impressão?
b. O que é mais importante para causar uma boa impressão para a família da pessoa com quem você se relaciona?
c. Que outras dicas você pode dar para uma pessoa nessa situação?

VOCÊ SABE QUAL A DIFERENÇA ENTRE SABER E CONHECER?

Vamos ver alguns exemplos.
- Ele **sabe** se comportar em qualquer situação.
- Eu não **sei** onde moram os pais do meu namorado.
- Ele ainda não **conhece** a família da namorada.

➡ Usamos o verbo SABER para falar informações ou sobre uma habilidade.
➡ Já o verbo CONHECER, falamos sobre lugares, pessoas, objetos ou situações.

21. Nas frases abaixo, complete com os verbos saber ou conhecer.
a. Estou estudando os verbos, agora já _____ como diferenciar saber e conhecer.
b. Júlia _____ o Canadá e o México.
c. Minha mãe _____ preparar o melhor bolo de milho da cidade.
d. Vocês _____ o trabalho do artista Arnaldo Antunes?
e. Nós _____ os melhores restaurantes da cidade.
f. Nós _____ onde fica o melhor restaurante da cidade.

PRONOMES	PRESENTE
Eu	sei
Você	sabe
Ele/ Ela	sabe
Nós	sabemos
Vocês	sabem
Eles/ Elas	sabem

UM SÉCULO DE HISTÓRIA

100 ANOS DA FAMÍLIA JONUSANG NO BRASIL

Por Kino Jonusang – Janeiro de 2008

EM 1908, UM NAVIO JAPONÊS CHEGOU COM O PRIMEIRO DESCENDENTE DA FAMÍLIA JONUSANG EM SÃO PAULO. HOJE ELES TÊM UMA DAS PRINCIPAIS FAZENDAS DE PECUÁRIA DO BRASIL NO ESTADO DO PARANÁ.

Em 1908 meu trisavô Daizi Jonusang, com 17 anos, chegou ao Brasil de navio. Ele estava a bordo do *Kasato Maru*, o primeiro navio japonês a chegar no país. Muitos japoneses chegaram aqui para trabalhar com o apoio do governo do Japão e do Brasil porque, naquela época, a economia japonesa passava por grande dificuldade.

Quando vovô Daizi chegou em São Paulo, ele conheceu minha trisavó Hiromi Yamamoto e se casou com ela. Depois de morar em São Paulo por três anos e trabalhar nas fazendas de café, eles tiveram oito filhos. Kazuo, o filho mais velho, foi meu bisavô. Ele não teve muitas oportunidades na cidade e se mudou para Curitiba, minha cidade atual.

Foi na capital do Paraná que nossa família começou o negócio de pecuária e nosso trabalho existe até hoje. Meu bisavô gerou meu avô Akira, que gerou meu pai Adachi. Meu pai teve três filhos: eu, o primogênito, Naoki, o filho do meio, e Saori, a filha caçula.

Hoje, eu sou o único que ainda vive em Curitiba. Meus pais já morreram, meu irmão foi para o Japão trabalhar como engenheiro e minha irmã mora com o marido canadense em Toronto. Sinto muita saudade deles, mas todos vêm para o Brasil celebrar as festas de fim de ano.
Eu tenho três filhos e moro com minha esposa na Fazenda Jonusang, nome que homenageia o nosso primeiro antepassado japonês em terras brasileiras.

O senhor Daizi Jonusang, a senhora Hiromi Jonusang e seus 8 filhos (1948)

Kino Jonusang, sua esposa Lilian e seus três filhos Lucas, Lara e Luna

22. Com base no texto, responda às questões a seguir.
a. Quando o primeiro descendente da família Jonusang chegou ao Brasil?
b. Como chegaram os primeiros descendentes japoneses no Brasil?
c. Por que o bisavô de Kino se mudou de São Paulo?
d. Qual atividade a família Jonusang desenvolveu em Curitiba?
e. Toda a família de Kino ainda vive em Curitiba? O que aconteceu?
f. Assim como Kino, escreva um pequeno texto descrevendo a história de sua família.

VOCABULÁRIO:

a bordo = dentro de algum meio de transporte
navio = tipo de embarcação
teve = ter (v. pretérito perfeito)
pecuária = criação de gado

23. Escute o depoimento de família e marque verdadeiro (**V**) ou falso (**F**).

( ) O sobrenome de Andrea é alemão.
( ) A irmã de Andrea mora nos Estados Unidos.
( ) O avô de Andrea nasceu em São Paulo em 1920.
( ) O marido de Andrea é descendente de italianos.
( ) A avó de Andrea é filha de portugueses.
( ) A cunhada de Andrea é casada com um americano.
( ) O marido da filha de Andrea é australiano.
( ) A irmã de Andrea mora na Inglaterra.

O pai do meu pai é o meu **avô**. O pai do meu avô é o meu **bisavô**. O pai do meu bisavô é o meu **trisavô** e o pai do meu trisavô é o meu **tataravô**. Na forma feminina, substituímos a terminação **-avô** por **-avó**.
Avós indica o plural de avó + avô = **meus avós**.

O PRETÉRITO PERFEITO

▶ Sempre que queremos descrever uma situação ocorrida no passado, temos a necessidade de recorrer aos tempos pretéritos (passados). O pretérito perfeito marca as ações ou eventos pontuais ocorridos no passado.

Veja as seguintes frases:

a. Meu avô **nasceu** em São Paulo em 1920.
b. Ele **se casou** e **teve** duas filhas.
c. No mês passado **recebi** em minha casa o marido da minha filha, um australiano.

PRONOMES	MORAR	COMER	PARTIR
Eu	morei	comi	parti
Você/ Ele/ Ela	morou	comeu	partiu
Nós	moramos	comemos	partimos
Vocês/ Eles/ Elas	moraram	comeram	partiram

PRONOMES	VIR	ESTAR	TER	SAIR	IR/SER	QUERER
Eu	vim	estive	tive	saí	fui	quis
Você/ Ele/ Ela	veio	esteve	teve	saiu	foi	quis
Nós	viemos	estivemos	tivemos	saímos	fomos	quisemos
Vocês/ Eles/ Elas	vieram	estiveram	tiveram	saíram	foram	quiseram

➡ O verbo SER e o verbo IR têm a mesma forma de conjugação no pretérito perfeito. É preciso saber diferenciá-los pelo contexto. Exemplo:

a. Meu pai foi um grande médico. Ele foi convidado para ser diretor de um importante hospital, por isso nós fomos morar em São Paulo.
b. Eu fui ao cinema com Mariano. Você não o conhece. Ele foi meu melhor amigo de infância.
c. Fui diretora de uma grande empresa que foi muito forte no Brasil durante muitos anos. Depois, ela foi substituída por uma empresa americana. Fui para o Rio de Janeiro e decidi abrir um negócio próprio.

JOSÉ EDUARDO AGUALUSA

▶ De família brasileira e portuguesa, nascido em 1960, na cidade de Huambo, Angola, José Eduardo Agualusa adquiriu, de suas referências culturais, um amplo senso de pertencimento, o qual o leva a definir-se como afro-luso-brasileiro. Dividindo-se entre os três continentes, o angolano, que é jornalista e estudou agronomia e silvicultura em Lisboa, imprime em sua obra o destaque à relação cultural entre os países de língua portuguesa, através da fusão das influências de cada um deles.

Evidente desde o seu primeiro trabalho como escritor, ainda no final dos anos 1980, o interesse em pontuar essa integração levou Agualusa, considerado um dos mais importantes escritores africanos dos últimos tempos, a escrever obras como: *Nação crioula* (1998); *Um estranho em Goa* (2000); *Manual prático de levitação* (2005); *O ano em que Zumbi tomou o Rio* (2002) e *O vendedor de passados* (2004), livro pelo qual o escritor ganhou recentemente o Independent Foreign Fiction Prize 2007. (...)

Fonte: bit.ly/2KddYNh (Acesso em: 12 jun. 2016. Adaptado)

▶ Escute as palavras e marque os sons [z], [s] e [s/ z].

	1	2	3	4	5	6	7	8	9	10
[z] **z**ebra										
[s] **s**al										
[s/z] **c**erzir										

▶ 2 FILHOS DE FRANCISCO

2005 . DRAMA/ FILME BIOGRÁFICO . 2H 12M

Um lavrador do interior do Brasil tem um sonho: fazer com que seus dois filhos sejam famosos cantores de música sertaneja.

DATA DE LANÇAMENTO: 19 de agosto de 2005 (Brasil)
DIREÇÃO: Breno Silveira
MÚSICA COMPOSTA POR: Caetano Veloso
PRODUÇÃO: Luciano Camargo, Breno Silveira, Emanoel Camargo
ROTEIRO: Carolina Kotscho, Patrícia Andrade

Fonte: bit.ly/2OzCjRG (Acesso em: 26 set. 2018.)

A GRANDE FAMÍLIA

A FAMÍLIA
- o pai
- o padrasto
- o filho
- o enteado
- o irmão
- o avô
- o neto
- o tio
- o sobrinho
- o primo
- o sogro
- o genro
- o cunhado
- a mãe
- a madrasta
- a filha
- a enteada
- a irmã
- a avó
- a neta
- a tia
- a sobrinha
- a prima
- a sogra
- a nora
- a cunhada

EXPRESSÕES DE FAMÍLIA
- os gêmeos
- o bebê/ os bebês
- filho adotivo
- filho biológico
- pais adotivos
- pais biológicos
- filho único
- enteado

PLURAL DOS PARENTESCOS
- o avô e a avó ➡ os avós
- o pai e a mãe ➡ os pais
- o filho e a filha ➡ os filhos
- o enteado e a enteada ➡ os enteados
- o irmão e a irmã ➡ os irmãos
- o tio e a tia ➡ os tios
- o sobrinho e a sobrinha ➡ os sobrinhos
- o primo e a prima ➡ os primos
- o cunhado e a cunhada ➡ os cunhados
- o sogro e a sogra ➡ os sogros
- o genro e a nora ➡ os genros e as noras

GÍRIAS PARA CARACTERIZAR PESSOAS
- fofoqueira
- perua
- baladeira
- antenada
- tagarela
- coruja
- meiga
- uma peça

TIPOS DE FAMÍLIA
- família nuclear/ tradicional
- família homoparental
- família reconstituída/ mosaico
- família monoparental
- família informal

EXPRESSAR SEMELHANÇA
Quando uma pessoa se parece com outra pessoa, dizemos que ela é a cara da outra.

Ele é a cara da mãe.
=
Ele se parece com a mãe.

MAIS PARENTESCOS
O pai do meu pai é o meu **avô**. O pai do meu avô é o meu **bisavô**. O pai do meu bisavô é o meu **trisavô** e o pai do meu trisavô é o meu **tataravô**. Na forma feminina substituímos a terminação **-avô** por **-avó**.

SOBRE A FAMÍLIA
- Quem é seu pai?
- Qual a origem da sua família?
- Qual é a sua descendência?
- De onde você vem?
- Quantos irmãos você tem?

FALAR DE SUA ORIGEM
- De onde você vem?
- De onde vem sua família?
- Eu venho de _____
- Minha família vem de _____

EXERCÍCIOS UNIDADE 5

1 Passe as frases abaixo para o feminino e plural.

Exemplo: Meu primo quer viajar com o tio dele. ➡ **Minhas primas querem viajar com as tias delas.**

a. Ele é bonito, inteligente e gentil. ➡
b. O dentista é muito competente e simpático. ➡
c. Eu sou primo dele. ➡
d. O estudante está preocupado com a prova. ➡
e. O menino é muito tímido. ➡
f. O cantor do cartaz vai tocar no festival nacional. ➡

2 Passe as frases abaixo para o plural.

Exemplo: A casa amarela ➡ **As casas amarelas.**

b. A loja infantil ➡
c. O hotel nacional ➡
d. O homem gentil ➡
e. A bola azul ➡
f. O cartaz amassado ➡
g. O mercado central ➡
h. Pão alemão é ótimo ➡
i. Esta árvore tem raiz profunda ➡

3 Complete as frases com o pronome possessivo adequado.

Exemplo: Júlia e Pedro têm dois filhos. **Seus** *filhos são adoráveis.*

a. Bia tem muitos discos. .... disco favorito é dos Beatles.
b. Eu gosto muito de ler. .... livros favoritos são sobre a história da Segunda Guerra Mundial.
c. Brenda e Ana gostam de obras de arte. .... casas têm muitos quadros modernos.
d. Alice e eu trabalhamos juntas há 30 anos. .... parceria é muito harmoniosa.
e. .... irmã e eu somos bastante parecidas. .... parentes sempre trocam .... nomes.
f. .... família é de origem alemã.

4 Complete as frases com os pronomes possessivos.

Exemplo: Os **seus** *amigos são estudantes estrangeiros. (você)*

a. O .... hotel fica no centro da cidade. (nós)
b. A filha .... estuda nos Estados Unidos. (eles)
c. O namorado .... é muito simpático. (ela)
d. Os .... cadernos estão na mochila. (eu)
e. O carro .... é preto. (ele)
f. O .... aniversário é dia 25 de abril. (eu)
g. Qual é o .... sobrenome? (você)
h. As amigas .... são legais. (elas)

5 Complete os espaços com os verbos conjugados no presente.

▶ vir ▶ conhecer (2x) ▶ gostar (2x)
▶ trabalhar ▶ querer ▶ sentir
▶ ir ▶ viver

Eu sempre **1** *venho* para o Rio no verão. Meu marido **2** .... em uma empresa portuguesa. Nós **3** .... a muitos eventos da comunidade portuguesa no Rio e **4** .... muitas famílias com histórias de imigração semelhantes à nossa. Meus filhos **5** .... de viver no Brasil, mas também **6** .... muito de Portugal. Nós **7** .... saudades das minhas irmãs que **8** .... na Europa. Meus parentes portugueses ainda não **9** .... o Brasil, mas todos **10** .... conhecer.

6 Complete com o verbo **ir** ou **vir** no presente do indicativo.

Exemplo: Eu *vim* da Alemanha e *vou* morar no Brasil.

a. Juliano _____ da escola às 13 h e _____ para a natação às 16 h.

b. Eu _____ para a faculdade todas as sextas-feiras. *(a pessoa está na faculdade)*

c. Eu _____ para a faculdade todas as sextas-feiras. *(a pessoa não está na faculdade)*

d. Eu _____ para o trabalho de ônibus e _____ para casa de metrô. *(a pessoa está no trabalho)*

7 Responda às perguntas usando um pronome possessivo.

a. De quem são as roupas? (eu) ➡ *São minhas.*

b. De quem é a bolsa sobre a mesa? (ela) ➡ _____

c. De quem são os livros de português? (eles) ➡ _____

d. O dicionário é seu? (ela) ➡ *Não,*

e. Ele é primo dela? (eu) ➡ *Não,*

f. O carro é seu ou é dela? (nós) ➡

g. Esse chá é da Ana? (você) ➡ *Não,*

h. Os doces são da sua mãe? (você) ➡ *Não,*

i. O telefone é da Patrícia? (ela) ➡ *Sim,*

j. Eles são seus pais? (elas) ➡ *Não,*

8 Complete com um pronome possessivo.

Exemplo: Vou ler meu jornal. Você já leu o *seu* ? *(você)*

a. As roupas de João estão na mala _____ (ele) e as roupas de Maria estão na mala _____ (ela).

b. Marília sempre sai com _____ (eu) amigos.

c. O _____ (você) carro é melhor que o _____ (eu).

d. Ela sempre leva os filhos _____ (ela) na escola.

e. Eu sempre levo os _____ (você) cachorros para passear.

f. O diretor sempre recebe os clientes _____ (ele).

g. A _____ (eu) casa tem três quartos. E a _____ ? (você)

h. O celular é _____ (você) ou é _____ (ela)?

i. O filho da _____ (você) tia é _____ (você) primo.

j. O marido da _____ (eu) irmã é _____ (eu) cunhado.

9 Vamos falar um pouco mais de nós mesmos. Responda às questões abaixo (use os verbos sublinhados para responder).

Exemplo: Você gosta da comida brasileira?
➡ *Sim, eu gosto.*

a. Com que parente você mais se parece?
➡ _____

b. Em qual cidade você cresceu?
➡ _____

c. Quantos países você conhece?
➡ _____

d. Para que time de futebol você torce?
➡ _____

e. A cultura brasileira se parece com a cultura do seu país? ➡ _____

f. Você estabelece metas para o ano novo?
➡ _____

10 Complete os textos com os verbos no pretérito perfeito.

a. Os pais de Antônio Hoffmann 1 *chegaram* (chegar) ao Brasil em 1910. 2 _____ (ir) para o interior do estado de São Paulo e 3 _____ (abrir) uma fábrica de sapatos. Antônio 4 _____ (ir) para a cidade de Belo Horizonte aos 22 anos. Ele 5 _____ (estudar) medicina e 6 _____ (se casar) com Odette, filha de portugueses. O pai de Odette 7 _____ (ser) um importante comerciante e sempre 8 _____ (trabalhar) muito. Antônio e Odette 9 _____ (ser) muito felizes.

b. Ontem Maria Clara 1 _____ (acordar) às 7 h e 2 _____ (ir) ao médico. Depois da consulta, ela 3 _____ (correr) para o escritório e 4 _____ (trabalhar) até as 19 h. Ela não 5 _____ (almoçar) e 6 _____ (chegar) em casa muito cansada. 7 _____ (tomar) uma sopa no jantar, 8 _____ (tomar) banho e 9 _____ (deitar) cedo. No dia seguinte, ela 10 _____ (acordar) com febre e 11 _____ (ligar) para o médico para saber os resultados dos exames. Ela 12 _____ (descobrir) que 13 _____ (pegar) dengue. Então, 14 _____ (passar) o dia inteiro em casa e 15 _____ (descansar), 16 _____ (beber) muito líquido e só 17 _____ (voltar) a trabalhar dez dias depois.

11 Reescreva o texto a seguir usando os verbos no tempo passado.

▶ Maria acorda às 7 h. Ela toma banho, arruma os materiais da escola e toma café da manhã com os pais. Ela pega o ônibus da escola às 7h30 e conversa com os amigos durante o caminho. Quando ela chega na escola, cumprimenta os professores e senta na sua mesa para estudar. Quando o sinal bate, ela lancha com os colegas. Depois da aula, ela vai para casa, almoça, alimenta o cachorro e anda com ele na praça. Mais tarde, ela faz o para casa e janta com os pais. Depois do jantar, ela assiste ao jornal e dorme às 9 h.

▶ *Ontem, Maria*

_____
_____
_____
_____
_____
_____

12 Vamos conhecer alguns fatos importantes da história do Brasil. Ajude a completar as frases e escreva por extenso os números indicados nos parênteses.

Exemplo: Os portugueses chegaram no Brasil em **Mil e quinhentos** *(1500).*

a. A independência do Brasil ocorreu no ano _____ (1822).
b. A escravidão no Brasil terminou em _____ (1888).
c. A ditadura militar no Brasil terminou em _____ (1985).
d. O Real foi criado em _____ (1994).
e. No ano _____ (2000) o Brasil fez _____ (500) anos.
f. Em _____ (2011) o Brasil teve a primeira presidente mulher.

13 Vamos completar os espaços abaixo com os verbos *saber* ou *conhecer* no presente ou no pretérito perfeito.

Exemplo: Eu **sei** *o que aconteceu.*

a. Eu _____ que dia ele nasceu.
b. Eu _____ São Paulo em 1975.
c. Você _____ essa loja?
d. Nós _____ falar português.
e. Ele _____ tocar piano.
f. Você _____ essa marca de roupa?
g. Ela _____ esse artista pessoalmente ano passado.
h. Você _____ contar até 10.
i. Eu _____ o João.
j. Vocês não _____ o que aconteceu ontem?
k. Eu não _____ a resposta.
l. Nós _____ onde você mora.
m. Eles _____ Paris em 2015.
n. Eu _____ esse vinho. É de origem portuguesa.

14 Complete com a relação de parentesco adequada.

a. O pai do meu pai é o meu _____.
b. O irmão da minha prima é meu _____.
c. O marido da minha irmã é meu _____.
d. A mulher do meu filho é minha _____.
e. O irmão da minha mãe é meu _____.
f. A filha e o filho do meu irmão são meus _____.
g. Minha mãe e meu pai são meus _____.

15 Associe o modelo familiar nas imagens ao seu conceito adequado:

a. **NUCLEAR:** Constituída por um casal, ou seja, mulher e homem, com ou sem filhos.

b. **RECOMPOSTA:** Originada do casamento ou de união estável de um casal, no qual um ou ambos têm filhos de vínculos anteriores e mais os filhos do vínculo atual.

c. **HOMOAFETIVA:** União de duas pessoas do mesmo sexo.

d. **MONOPARENTAL:** Composta por apenas um dos genitores – pai ou mãe – e os filhos.

e. **ESTENDIDA:** Quando, além do casal e dos filhos, moram na mesma casa parentes consanguíneos, como avós, tios e primos.

f. **COMPOSTA:** Quando parte dos integrantes mantém vínculo consanguíneo, mas apenas com um dos integrantes do casal.

16 Agora você vai escrever um texto apresentando sua família. Quais são as pessoas que fazem parte dela? Qual é o conceito adequado para definir sua família? Caracterize as pessoas da sua família: elas são alegres? Tranquilas? Agitadas? Nervosas? Tímidas? Extrovertidas? Quem é o mais velho? E o mais novo? Conte todos os detalhes!

▶ ....
....
....
....
....
....
....
....

17 Associe a pergunta à resposta.

a. Estas chaves são suas?   (   ) Meus avós são poloneses.
b. É sua mãe?   (   ) Somos duas meninas.
c. Qual é a origem deles?   (   ) Não. Eu sou a caçula.
d. Você conheceu nossos avós paternos?   (   ) Não. É minha madrasta.
e. Você é a filha mais velha?   (   ) Sim. São minhas.
f. Seu irmão gêmeo é homem ou mulher?   (   ) Sim, eles eram alemães.

Cento e trinta e quatro

UNIDADE 6

🔊 **FEIJOADA COMPLETA**

BRASIL NA MESA

NESTA UNIDADE VOCÊ VAI APRENDER:
- os números ordinais
- as expressões de quantidade
- os tipos de embalagem
- nomes de alimentos
- partes de uma refeição

PARA:
- identificar alguns pratos brasileiros e suas origens
- fazer pedidos em um restaurante
- opinar sobre as comidas
- pagar as compras
- ler e produzir receitas
- ordenar elementos

SABORES DO BRASIL

1. Observe as imagens.

a. Que sabores o Brasil tem para você?

b. Quais alimentos você imagina que os brasileiros comem mais?

c. Como você relaciona a frase "cultura que a gente come" com a gastronomia brasileira?

2. Escute o áudio e responda às questões a seguir.

a. A culinária brasileira tem origens _____, _____ e _____.

b. Para compreender os hábitos alimentares dos brasileiros, é preciso conhecer a _____ _____ e a _____.

c. A mandioca e o mate são de origem _____.

d. O acará, o acaçá, o mungunzá e o xinxim de galinha são comidas inspiradas nas _____ _____.

e. Escreva o nome de três alimentos que foram introduzidos na culinária brasileira pelos portugueses _____, _____, _____.

f. Quais outras nacionalidades influenciaram a culinária brasileira a partir do século XX? _____, _____ e _____.

COMIDA DE SANTO

Com a vinda dos escravos africanos para o Brasil Colônia, vieram também sua fé e suas divindades, os orixás. Eles atribuem características aos seres humanos e regem forças da natureza. No Brasil, cultuam-se, no candomblé – religião de matriz africana –, 16 orixás. Para cada orixá associa-se uma cor, um dia da semana, características psicológicas e, claro, pratos de sua preferência. Muitas comidas oferecidas aos orixás vieram parar na mesa dos brasileiros. Vatapá, caruru, farofa, acarajé e mungunzá, nomes comuns em nosso cardápio, têm origem nas religiões africanas. Veja abaixo os pratos relacionados a alguns orixás e descubra com qual orixá você se identifica.

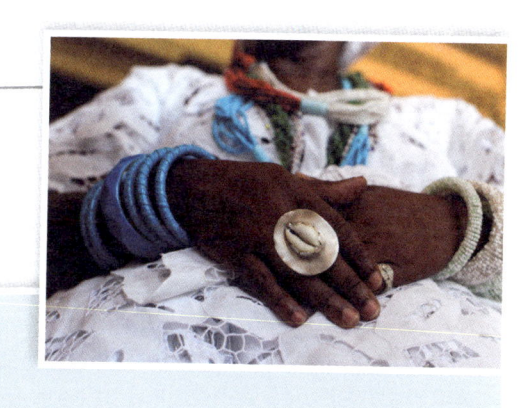

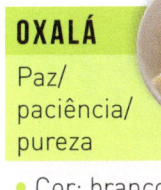

OXUM
Amor/ beleza
- Cor: amarelo
- Comida: quindim

XANGÔ
Justiça/ riqueza
- Cor: vermelho/ branco
- Comida: caruru

OGUM
Progresso/ força
- Cor: azul escuro
- Comida: feijão preto

IEMANJÁ
Maternidade/ educação
- Cor: branco, azul e prata
- Comida: manjar branco

OXALÁ
Paz/ paciência/ pureza
- Cor: branco
- Comida: canjica

IANSÃ
Sinceridade/ dinamismo
- Cor: vermelho/ rosa
- Comida: acará/ acarajé

EXU
Comunicação/ prosperidade
- Cor: preto/ vermelho
- Comida: farofa

OXÓSSI
Fartura/ inteligência
- Cor: turquesa
- Comida: frutas

OMULU
Saúde/ pessimismo
- Cor: preto/ branco/ vermelho
- Comida: pipoca

3. Responda.
a. Com qual orixá você se identifica mais? Por quê?
b. O que o "seu" orixá come? Quais são os ingredientes da comida dele?
c. No seu país, as pessoas oferecem comidas a divindades, santos ou antepassados?
d. Que comidas você associa à religião ou às comemorações religiosas?
e. Quando essas comidas são oferecidas?

▶ A palavra "orixá" é de origem yorubá (òrìṣà) e quer dizer "dono da cabeça".

A CULINÁRIA NAS REGIÕES DO BRASIL

REGIÃO NORTE

Influências: tem forte influência indígena misturada à influência europeia, principalmente portuguesa. As suas raízes amazônicas fazem a culinária do Norte diferente da culinária de outras regiões do Brasil.

Principais ingredientes: mandioca, cupuaçu, açaí, pirarucu, urucum (açafrão brasileiro), jambu, guaraná, tucunaré, castanha do Pará.

Pratos típicos: pato no tucupi, caruru, tacacá, maniçoba.

REGIÃO NORDESTE

Influências: a culinária nordestina tem uma grande influência africana pela presença dos escravos no ciclo da cana. No litoral, tem maior consumo de peixes e frutos do mar e no sertão (interior nordestino), tem maior consumo de carne de sol e raízes.

Principais ingredientes: azeite de dendê, mandioca, leite de coco, gengibre, milho, graviola, camarão, caranguejo.

Pratos típicos: acarajé, vatapá, caranguejada, buchada, paçoca, tapioca, sarapatel, cuscuz, cocada.

REGIÃO SUDESTE

Influências: até o século XIX, existe a influência portuguesa, africana e indígena, com alimentos simples como o arroz e o feijão, vegetais e raízes. No estado do Espírito Santo o consumo de peixes e frutos do mar é maior. Após a chegada de imigrantes japoneses, libaneses, italianos, sírios e espanhóis, a diversidade gastronômica da região aumentou, principalmente no estado de São Paulo.

Principais ingredientes: arroz, feijão, ovo, carnes, massas, palmito, mandioca, banana, batatas, polvilho.

Pratos típicos: tutu de feijão, virado à paulista, moqueca capixaba, feijoada, picadinho paulista, pão de queijo.

REGIÃO CENTRO-OESTE

Influências: existe, na região, um grande consumo de carnes bovina, caprina e suína, com influência da imigração portuguesa, africana, italiana e síria. A presença indígena aumentou o consumo de raízes. Com a grande diversidade da fauna do Pantanal, há também o consumo de carnes exóticas e peixes da região. No estado do Mato Grosso do Sul, existe forte influência da culinária latino-americana, principalmente nos ensopados de peixe.

Principais ingredientes: pequi, mandioca, carne seca, erva-mate, milho.

Pratos típicos: arroz com pequi, picadinho com quiabo, sopa paraguaia, empadão goiano, caldo de piranha, vaca atolada.

REGIÃO SUL

Influências: a mistura étnica da Região Sul tem grande influência europeia, principalmente da cozinha italiana e alemã. O prato principal é o churrasco gaúcho. Também se consome muita polenta, frango e massas. O estado do Paraná tem forte influência indígena, da qual vem o consumo do chimarrão.

Principais ingredientes: carne bovina, farinha de milho, erva-mate.

Pratos típicos: barreado, churrasco, galeto, sopa de capeletti, arroz carreteiro, sopa catarinense.

AGORA É SUA VEZ

4. Imagine que você vai apresentar a culinária do seu país em uma feira de gastronomia. Inspirado no mapa acima, crie um fôlder descrevendo as comidas nas diferentes regiões do seu país, suas influências, especialidades, principais ingredientes e pratos típicos. Use a imaginação.

▶ COMIDA BRASILEIRA

5. Você conhece alguns destes alimentos? Responda: gosto/ não gosto/ nunca provei. A partir das imagens e dos dados do mapa da página anterior, descubra a região onde cada alimento é mais consumido e qual é seu principal ingrediente. Quem acertar todas as informações ganha o jogo!

FEIJOADA
- Opinião:
- Região:
- Ingrediente:

ACARAJÉ
- Opinião:
- Região:
- Ingrediente:

AÇAÍ
- Opinião:
- Região:
- Ingrediente:

PÃO DE QUEIJO
- Opinião:
- Região:
- Ingrediente:

CHURRASCO
- Opinião:
- Região:
- Ingrediente:

ARROZ DE PEQUI
- Opinião:
- Região:
- Ingrediente:

MOQUECA
- Opinião:
- Região:
- Ingrediente:

CHIMARRÃO
- Opinião:
- Região:
- Ingrediente:

▶ A mandioca recebe diferentes nomes em diferentes regiões do Brasil. A **mandioca** chama-se **aipim** no Rio de Janeiro e **macaxeira** na região Nordeste. Em outras regiões recebe ainda o nome de **maniva**, **castelinha** ou simplesmente **mandioca**.

A LENDA DA MANDIOCA

Segundo uma lenda tupi, nasceu em uma tribo uma linda índia, muito branca, chamada Mani. Um dia ela ficou doente e morreu. Todos na tribo ficaram muito tristes. No lugar onde enterraram a menina, nasceu uma planta diferente. Com a raiz da planta, os índios fizeram farinha e uma bebida chamada cauim. A planta recebeu o nome de mandioca: **Mani + oca (casa) = casa de Mani**.

A mandioca é a base da alimentação indígena e já está incorporada na alimentação dos brasileiros de Norte a Sul do país. É rica em fibras, vitaminas e carboidratos, utilizada no preparo de bolos, pães, biscoitos, farofa, tapioca, pudins ou simplesmente acrescentada ao arroz com feijão.

É a terceira maior fonte de carboidrato nos trópicos depois do arroz e do milho. Segundo a Organização das Nações Unidas para a Alimentação e Agricultura (FAO), a mandioca é produzida em mais de 80 países, sendo os maiores produtores a Nigéria, a Tailândia, o Brasil, a Indonésia e a República Democrática do Congo.

CONHEÇA OS TRÊS MAIORES CHEFES DE COZINHA DO BRASIL

Fonte: bit.ly/2YPLka3 (Acesso em: 14 ago. 2016. Adaptado.)

1º ALEX ATALA

Nascido em 1968, Atala é o melhor chef de cozinha do Brasil e da América Latina. É proprietário do restaurante D.O.M., o 6º melhor restaurante do mundo, segundo a revista *Restaurant* (2013). Localizado em São Paulo, o restaurante está no 11º ano entre os top 50 do ranking dos melhores restaurantes do mundo. O chefe Atala é uma das 100 personalidades mais influentes do planeta de acordo com a revista *Time*.

2º HELENA RIZZO

A gaúcha Helena Rizzo nasceu em 1978, está na lista das melhores chefs do Brasil e do mundo, em 2014 foi eleita como a melhor chef do mundo por uma revista inglesa, e seu restaurante, o Maní Manioca, foi eleito o 46º melhor do mundo pela revista *Restaurant* em 2013. É uma chef de cozinha ousada e criativa, considerada a melhor chef mulher da América Latina.

3º ROBERTA SUDBRACK

É uma das melhores chefs do Brasil na atualidade. Recebeu 12 prêmios como chef de 2004 a 2012, incluindo o prêmio Top Chefs of the World, na França. Foi a primeira mulher a comandar a cozinha de um presidente da República no Brasil. O restaurante Roberta Sudbrack foi eleito o 71º melhor do mundo pela revista *Restaurant* em 2013.

6. Responda de acordo com as informações do texto.

a. Que posição os restaurantes Maní Manioca, Roberta Sudbrack e D.O.M ocuparam no ranking dos melhores restaurantes do mundo da revista *Restaurant*? _____

b. Há quanto tempo o restaurante D.O.M. está no ranking dos Top 50? _____

c. Qual dos chefes tem maior influência internacional? _____

d. Por que Roberta Sudbrack ganhou destaque ao cozinhar para um presidente da República? _____

7. O que é mais importante para você em um restaurante? Numere em ordem de importância.

☐ O ambiente  ☐ A comida  ☐ A localização  ☐ O preço  ☐ A crítica

7.1. Com base nas opções anteriores, o que é mais importante para você quando...

1º convida uma pessoa especial para jantar. _____

2º você não tem um carro para ir ao restaurante. _____

3º você tem pouco dinheiro e precisa impressionar alguém. _____

▶ OS DEZ ALIMENTOS MAIS CONSUMIDOS PELOS BRASILEIROS

8. Você vai ouvir agora um programa de rádio sobre o que os brasileiros mais comem. Escute as informações e escreva os alimentos na classificação correta:

- 1º ....
- 2º ....
- 3º ....
- 4º ....
- 5º ....
- 6º Carne bovina
- 7º Pão
- 8º Sopa
- 9º Aves
- 10º Macarrão

9. E no seu país? Quais os dez alimentos que você pensa serem os mais consumidos? Compartilhe com os colegas e comparem os resultados.

- 1º ....
- 2º ....
- 3º ....
- 4º ....
- 5º ....
- 6º ....
- 7º ....
- 8º ....
- 9º ....
- 10º ....

▶ A Netflix, em 2015, lançou uma série de documentários sobre a trajetória dos grandes chefes de cozinha do mundo. Alex Atala foi o destaque brasileiro e tem um episódio exclusivo na 2ª temporada da série. Vale a pena conferir!

NÚMEROS ORDINAIS

Os números ordinais indicam a ordem de um elemento em uma sequência. Eles flexionam o gênero (feminino e masculino) e número (singular/ plural) com os substantivos.

Exemplos:

➡ **A primeira mulher** a comandar a cozinha de um presidente da República.

➡ **O sexto** melhor restaurante do mundo.

NÚMEROS CARDINAIS	NÚMEROS ORDINAIS
Um/ uma	Primeiro (a)
Dois/ duas	Segundo (a)
Três	Terceiro (a)
Quatro	Quarto (a)
Cinco	Quinto (a)
Seis	Sexto (a)
Sete	Sétimo (a)
Oito	Oitavo (a)
Nove	Nono (a)
Dez	Décimo (a)
Onze	Décimo (a) primeiro (a)
Doze	Décimo (a) segundo (a)
Treze	Décimo (a) terceiro (a)
Quatorze	Décimo (a) quarto (a)
Quinze	Décimo (a) quinto (a)
Vinte	Vigésimo (a)
Trinta	Trigésimo (a)
Quarenta	Quadragésimo (a)
Cinquenta	Quinquagésimo (a)
Sessenta	Sexagésimo (a)
Setenta	Septuagésimo (a)
Oitenta	Octogésimo (a)
Noventa	Nonagésimo (a)
Cem	Centésimo (a)

VERBOS IRREGULARES EM -IR

	SERVIR	SENTIR	MENTIR	VESTIR
Eu	sirvo	sinto		
Você/ Ele/ Ela	serve	sente		
Nós	servimos	sentimos		
Você/ Eles/ Elas	servem	sentem		

	RIR	DIRIGIR	MEDIR	CONSEGUIR
Eu	rio	dirijo	meço	consigo
Você/ Ele/ Ela	ri	dirige	mede	consegue
Nós	rimos	dirigimos	medimos	conseguimos
Você/ Eles/ Elas	riem	dirigem	medem	conseguem

UM CAFÉ, POR FAVOR!

10. Analise a imagem ao lado.

a. Em que lugar este quadro poderia estar?
b. Qual é o alimento anunciado?
c. Quanto ele custa?
d. Por que o preço diminuiu?
e. O que aumentou?
f. Que alimentos você acha que podemos consumir neste estabelecimento?
g. Quais outros nomes esse tipo de estabelecimento pode receber no Brasil?

- Um café ——— R$ 1,20
- Um café, por favor ——— R$ 1,00
- Bom dia! Um café, por favor ——— R$ 0,65

---

11. Escute o diálogo e marque no cardápio o pedido do cliente. Em seguida, responda às questões A e B.

a. Qual é a forma de pagamento?

☐ Dinheiro   ☐ Cartão de débito/crédito
☐ Cheque   ☐ PIX

b. Quanto custou o jantar? Calcule o preço total a partir dos preços do cardápio.

Carne: _____ +
Acompanhamento: _____ +
Bebidas: _____ +
Serviço (10%): _____ =
TOTAL: _____

CARDÁPIO

CARNES
- Filé Mignon ao molho madeira .... R$ 75,00
- Filé à parmegiana .... R$ 60,00
- Picanha na manteiga .... R$ 98,00
- Maminha ao alho .... R$ 60,00
- Contrafilé ao molho de mostarda .... R$ 65,00

ACOMPANHAMENTOS
- Arroz com ervas .... R$ 15,00
- Arroz com brócolis .... R$ 15,00
- Batata assada .... R$ 12,00
- Fritas .... R$ 17,00
- Purê de batata .... R$ 13,00

SALADAS
- Simples .... R$ 6,50
- Americana com molho de iogurte .... R$ 9,50
- Legumes na manteiga .... R$ 12,00

BEBIDAS
- Água mineral (natural/ gasosa) .... R$ 3,50
- Cerveja .... R$ 8,50
- Taça de vinho (consulte tipos disponíveis) .... R$ 20,00
- Refrigerante .... R$ 6,00
- Suco natural (laranja, limão, melancia, manga, maracujá) .... R$ 8,00
- Café .... cortesia
- Chá de abacaxi .... cortesia

SOBREMESAS
- Doce de leite com coco .... R$ 12,00
- Sorvete (creme, chocolate e morango) .... R$ 10,50
- Mousse de maracujá .... R$ 12,00

AGORA VOU TER QUE RECLAMAR!

OPINAR SOBRE A COMIDA
- Está ótimo./ Está delicioso (a)!
- Que delícia!
- Falta sal./ Está sem sabor.
- Está um pouco = Está muito salgado/ doce/ quente/ frio/ apimentado.
- Eu não gostei muito.
- O tempero é muito forte.

12. Associe as imagens às frases abaixo.

a. Já faz 40 minutos que eu fiz o pedido e até agora nada!
b. Garçom! Não foi este prato que pedi!/ Este não é meu pedido!
c. Garçom, esta conta está errada! Eu não consumi isso tudo.

13. Associe as perguntas às respostas. Depois, sublinhe as perguntas que um garçom faria aos clientes.

a. O que você recomenda? ( ) Mesa para quatro pessoas, por favor.
b. Serve quantas pessoas? ( ) Mal passada./ Ao ponto./ Bem passada.
c. Vocês aceitam cartão? ( ) O prato serve duas pessoas.
d. Já escolheram? ( ) Sim. Queremos dois cafés expressos.
e. O que desejam beber? ( ) Um suco de laranja e uma cerveja, por favor.
f. Qual será a sobremesa? ( ) O filé à parmegiana é muito bom.
g. Desejam um café? ( ) Crédito, por favor.
h. Mesa para quantos? ( ) Infelizmente não aceitamos cartão.
i. Gostariam de levar para viagem? ( ) Vamos querer uma porção de filé com fritas e uma cerveja.
j. Débito ou crédito? ( ) Não, vamos comer aqui no restaurante.
k. Qual o ponto da carne? ( ) Vamos querer um sorvete e uma torta de chocolate.

TIPOS DE PRATO NO BRASIL

- **Prato feito (PF):** arroz, feijão, carne e salada. O prato já vem servido. Você não pode escolher os itens. O preço é fixo.
- **Prato executivo:** o prato já vem servido, mas você pode escolher alguns itens do menu. O preço é fixo.
- **Self-service:** você se serve à vontade entre todos os itens do buffet. A comida é paga pelo peso.
- **À la carte:** você escolhe um prato do cardápio. Os preços são variados.
- **Rodízio:** o preço é fixo, mas você pode comer à vontade enquanto está no restaurante.

SERVIÇOS DIFERENCIADOS

- **Couvert:** pode ser o valor para entrar em um estabelecimento ou um serviço de entrada antes do prato principal.
- **Couvert artístico:** taxa de serviço destinada à apresentação artística num estabelecimento.
- **Taxa de serviço:** acréscimo de 10% no valor da conta destinado ao serviço do garçom.
- **Gorjeta:** valor opcional que pode ser dado em gratificação por algum serviço.
- **Consumação mínima:** valor mínimo que deve ser gasto em um estabelecimento.

Fonte: bit.ly/1iEq62S (Acesso em: 3 out. 2017. Adaptado.)

AS REFEIÇÕES
- o café da manhã
- o almoço
- o lanche
- o jantar
- a ceia

Como montar a salada no pote perfeita

6ª Camada — GRÃOS E SEMENTES (LINHAÇA, GERGELIM, CHIA, AMÊNDOAS LAMINADAS)

5ª Camada — INGREDIENTES LEVES E CORTADOS EM PEDAÇOS PEQUENOS, COMO FRUTAS

4ª Camada — FOLHAS SEM UMIDADE (ALFACE, RÚCULA, AGRIÃO)

3ª Camada — LEGUMES QUE NÃO PODEM FICAR EM CONTATO COM O MOLHO E PROTEÍNAS (FRANGO, ATUM)

2ª Camada — LEGUMES E VERDURAS MAIS PESADOS QUE PODEM FICAR EM CONTATO COM O MOLHO (GRÃO-DE-BICO, PEPINO, FEIJÃO)

1ª Camada — MOLHOS E TEMPEROS

SALADA NO POTE

Em meio à correria do dia a dia, a salada no pote é uma solução para aumentar o consumo de vegetais e frutas. Você pode montar vários potes de salada para a semana, pois eles duram de cinco a sete dias. É importante usar potes de vidro (podem ser reciclados) e respeitar a ordem dos ingredientes. Aprenda como montar a sua salada!

SALADA DE GRÃO-DE-BICO

14. Agora, imagine que você vai preparar uma salada de grão-de-bico. Você já tem os ingredientes e as quantidades. Como você vai organizar os ingredientes no pote?

a. Quais são os ingredientes do molho da salada?

b. Para uma refeição completa, você deve acrescentar uma proteína e opções de folhas. Em qual camada você pode colocar o frango? E as folhas?

c. Qual quantidade de frango você gostaria de acrescentar?

Fonte: bit.ly/2OCQsO1 (Acesso em: 3 jan. 2018. Adaptado.)

15. Crie uma sugestão de salada no pote e apresente aos colegas da turma.

INGREDIENTES:
- 1 xícara (chá) de grão-de-bico cozido
- 1 xícara (chá) de tomate cereja cortado em fatias
- 1 xícara (chá) de salsinha picada
- 1/4 xícara (chá) de azeitonas pretas fatiadas
- 1 colher de sopa de azeite de oliva
- 1 colher de sopa de suco de limão
- Sal e pimenta-do-reino a gosto (opcional)

MODO DE PREPARO:

Em uma tigela, colocar todos os ingredientes sólidos. Adicionar o suco de limão e o azeite de oliva e temperar com sal e pimenta a gosto.
Misturar delicadamente e servir.

DICA!

Para uma refeição completa, acrescentar frango ou pedaços de queijo na terceira camada do pote.

16. Escute o áudio e aprenda a preparar um delicioso prato da culinária brasileira.

a. Qual é o nome da receita? _____

b. Ingredientes: 500 gramas de _____,
2 _____, 1 ½ xícara de _____,
2 colheres de _____ e 1 vidro de _____.

c. Numere os procedimentos na ordem que você escutar no áudio.

( ) Acrescentar o leite de coco
( ) Acrescentar a mandioca ralada
( ) Untar uma forma de 21 cm
( ) Colocar os ovos, o açúcar e a manteiga
( ) Despejar a massa na forma untada

d. O forno deve estar aquecido a _____ °C.
Assar no forno por _____ minutos.

e. Qual é o endereço do site? _____
Fonte: bit.ly/2ragqtZ (Acesso em: 5 mar. 2018.)

EXPRESSÕES DE QUANTIDADE

- Um pouco de/ muito de/ um pouco mais de/ um pouco menos de
- Um quilo de (kg)/ 250 gramas de/ um litro de/ 300 mililitros (ml) de
- Uma pedaço de/ uma fatia de/ uma porção de/ uma pitada de
- Uma colher de/ uma xícara de/ um copo de
- Mais/ menos/ bastante/ o suficiente para
- Um maço de/ um pacote de/ uma lata de/ um sachê de/ uma caixa de/ um molho de/ uma garrafa de

TIPOS DE EMBALAGEM

(1) a caixa   (3) o sachê   (5) o vidro
(2) o pacote   (4) a lata   (6) a garrafa

17. Associe o nome da embalagem a cada imagem abaixo.

( )   ( )   ( )

( )   ( )   ( )

FRAÇÃO	EXPRESSÃO
½	Meia ou meio para a fração "**um meio**"
½ xícara de...	Meia xícara de ... (a xícara)
½ copo de...	Meio copo de... (o copo)
1 ½ xícara de...	Uma xícara e meia de...
1 ½ copo de...	Um copo e meio de...
2/3 de...	Dois terços de... (cardinal/ordinal)
¼ de...	Um quarto de... (cardinal/ordinal)
7/8 de ...	
3/5 de...	
8/10 de...	

No Brasil, utilizamos como unidades de medida para receitas quilogramas e litros.

Exemplo:

1 Kg de batatas = **um** quil**o** de batata
2 kg de batatas = **dois** quil**os** de batata
1 g = **um** gram**a** (masculino)
300 g = trezent**os** grama**s** (masculino plural)
1 L = **um** litr**o** (masculino)
2 L = **dois** litro**s** (masculino plural)
1 ml = **um** mililitr**o** (masculino)
400 ml = quatrocent**os** mililitro**s** (masc. plural)

SALADA NO POTE, BOLO NA CANECA

BOLO DE CENOURA NA CANECA

1 OVO BEM BATIDO
1 C/SOPA MARGARINA
4 C/SOPA DE FARINHA
3 C/SOPA DE CENOURA RALADA
4 C/SOPA DE AÇÚCAR
3 C/SOPA DE LEITE
1 C/CAFÉ DE FERMENTO QUÍMICO

DERRETA A MARGARINA E MISTURE BEM TODOS OS INGREDIENTES.
DEIXE NO MICROONDAS POR PELO MENOS 3 MIN. OU ATÉ FICAR ASSADO.

SE PREFERIR, CUBRA COM CHOCOLATE DERRETIDO.
SIRVA!

18. Na receita de bolo de cenoura ao lado, faltam os verbos de ação. Marque, nas imagens abaixo, quais ações são necessárias para o preparo do bolo de caneca.

☐ Fritar   ☐ Cortar   ☐ Picar

☐ Ralar   ☐ Refogar   ☐ Cozinhar

☐ Assar   ☐ Acrescentar   ☐ Misturar

☐ Descascar   ☐ Untar   ☐ Bater

▶ **BOLO DE CENOURA NA CANECA — PASSO A PASSO**

19. Agora reescreva a receita passo a passo utilizando os verbos selecionados na atividade anterior. É importante escrever cada etapa na ordem correta.
Exemplo: cobrir a massa com chocolate derretido

1
2
3
4
5
6
7
8
9
10

PALAVRAS E EXPRESSÕES

- acrescentar/ colocar
- picar/ cortar/ fatiar
- refogar/ dourar
- misturar/ mexer
- descascar
- bater
- fritar
- assar
- enrolar
- rechear

COMIDA DE BOTECO E FUTEBOL

O lugar tradicional para assistir aos jogos de futebol no mundo inteiro são os bares. Há bares em quase todo o Brasil. Popularmente chamados de barzinho, botequim, butiquim ou boteco, existem em todos os bairros e em quase todas as esquinas. Esse é o ambiente democrático, descontraído e divertido para confraternizar com os amigos as vitórias e as derrotas do time do coração. As comidas de boteco, tira-gostos, petiscos e porções, ou seja, pratos coletivos, acompanhados de cerveja gelada, garantem a satisfação do encontro.

Na cultura de botecos do Brasil, não é raro conhecer o garçom pelo nome e ser reconhecido por ele. Muitos garçons sabem até o que vamos pedir e nos servem antecipadamente. É comum trazerem outra cerveja quando a sua já está acabando. E lembre-se, quando pedir uma dose de bebida, não esqueça de dizer: "Capricha aí!". Quando for pedir a última cerveja antes de ir embora, também não esqueça de dizer ao garçom: "A saideira, por favor".

O evento Comida de Buteco, criado em Belo Horizonte (cidade mundial dos bares) em 2000, é o maior concurso de comida de raiz do Brasil. Presente em 20 cidades, elege os melhores botecos de cada cidade segundo os quesitos: petiscos, higiene, atendimento e temperatura da bebida. O mais importante é que o público participa da votação juntamente com um júri.

Fonte: bit.ly/1iEq62S (Acesso em: 3 out. 2017. Adaptado.)

20. Utilize suas ferramentas digitais para descobrir as informações abaixo.

a. Qual é a capital mundial dos bares?
b. Dê o nome de cinco frutas nativas do Brasil.
c. Qual é o tipo de pão mais consumido pelos brasileiros?
d. Quais são os pratos estrangeiros mais consumidos no Brasil?
e. Qual é a cidade brasileira em que mais se consome pizza?
f. O brasileiro consome mais cerveja ou cachaça?
g. O que é "café colonial"? Onde ele é mais tradicional?
h. Quantos sushis são produzidos por dia em São Paulo?
i. Qual é o estado brasileiro em que mais se consome pizza? Por quê?

PASTEL DE NATA

▶ Os **pastéis de nata** ou pastéis de Belém são uma das mais populares especialidades da doçaria portuguesa. Embora se possam saborear pastéis de nata em muitos cafés e pastelarias, a receita original é um segredo exclusivo da Fábrica dos Pastéis de Belém, em Lisboa. Aí, tradicionalmente, os **pastéis de Belém** são servidos ainda quentes, polvilhados de canela e açúcar em pó.

O Pastel de Belém foi eleito em 2011 uma das 7 Maravilhas da gastronomia portuguesa.

Atualmente, na maioria dos cafés de Portugal, é possível comprar pastéis de nata, de fabrico próprio, mas apenas os originais podem ser denominados Pastéis de Belém.

Como um doce português, o pastel de nata é também encontrado no Brasil. Os pastéis de nata são muito populares na China, onde chegaram através de Macau, no tempo da presença portuguesa.

Fonte: bit.ly/2YmoDhp (Acesso em: 28 ago. 2016. Adaptado)

▶ Escute as palavras e marque se você escuta [b] baço ou [p] passo.

	1	2	3	4	5	6	7	8	9	10
[b] **b**aço										
[p] **p**asso										

▶ **QUEIJO CANASTRA**

2014. DOCUMENTÁRIO. 30M

O queijo canastra é uma herança da culinária portuguesa. Na Serra da Canastra, o homem do campo ainda preserva a receita original. As tradições seculares mantiveram-se guardadas lá, como em um velho baú repleto de lembranças. Sem saber quantas gerações vivenciarão esses costumes herdados, imprimiu-se um retrato no filme documentário.

DIREÇÃO: Wagner Indaiá
PRODUÇÃO: Miquéias Diniz
ROTEIRO: Wagner Indaiá
IMAGENS: João Lima
PRODUTORA: Savanna Filmes

Fonte: bit.ly/2OMRLdx. Acesso em: 29 jul. 2019. Adaptado.)

BRASIL NA MESA

TIPOS DE ALIMENTO
- frutas
- legumes
- verduras
- massas
- carnes
- grãos

PARTES DE UMA REFEIÇÃO
- aperitivo
- entrada
- prato principal
- sobremesa
- café

UTENSÍLIOS À MESA
- o guardanapo
- a faca
- o copo
- o prato
- o jogo americano/ o *sousplat*
- a xícara
- o garfo
- a colher
- a taça
- a jarra
- o bule

VERBOS DA CULINÁRIA
- acrescentar/ colocar
- picar/ cortar/fatiar
- refogar/ dourar
- misturar/ mexer
- descascar
- fritar
- assar
- cozinhar
- rechear

FORMAS DE PAGAMENTO
- dinheiro
- cheque
- cartão de crédito
- cartão de débito

ACEITAR X RECUSAR
– Você aceita um pouco mais?
– Sim, por favor.
– Não obrigado (a)!
– Você quer mais?
– Mais um pouco, por favor.
– Não. Estou satisfeito. Obrigado (a).

TIPOS DE PRATO
- prato feito (PF)
- prato executivo
- self-service
- à la carte
- rodízio

PIX
- Posso pagar com PIX?
- Vou fazer um PIX para você.
- Faz um PIX.
- Qual é a chave ou QR code?
- A chave é o número do telefone/ CPF/CNPJ/e-mail/outra.
- Você recebeu?
- Recebi seu PIX.

*PIX é o pagamento instantâneo brasileiro usando-se o smartphone.

GARÇOM
- O que vocês vão querer?
- Já escolheram?
- Eu recomendo...
- O que desejam beber?
- E como sobremesa?
- Desejam um café?
- Mesa para quantos?
- Algo mais?
- A porção serve até .... pessoas.
- Como desejam pagar?
- Desejam ver o cardápio?
- Débito ou crédito?
- Qual o ponto da carne?

CLIENTE
- Eu vou querer...
- Eu gostaria de...
- Eu queria...
- O que você recomenda?
- Serve quantas pessoas?
- Para beber, eu quero...
- Um café, por favor.
- A conta, por favor.
- Vocês aceitam cartão?
- Sem açúcar/ sem pimenta.
- Bem passado/ mal passado/ ao ponto.
- Pode embalar para viagem?

OPINAR SOBRE A COMIDA
- Está ótimo. Muito obrigado (a).
- Que delícia!
- Falta sal.
- Está um pouco salgado/ doce/ quente/ apimentado.
- Eu não gostei muito.
- O tempero é muito forte.

EXERCÍCIOS UNIDADE 6

1 Descreva o que você tem hábito de comer nas seguintes refeições.

a. Café da manhã: ....
b. Almoço: ....
c. Jantar: ....

2 Escreva os números ordinais por extenso.

a. 8º ➡ ....
b. 4º ➡ ....
c. 23º ➡ ....
d. 11º ➡ ....
e. 32º ➡ ....
f. 7º ➡ ....
g. 6º ➡ ....
h. 45º ➡ ....
i. 9º ➡ ....

3 Escreva por extenso os numerais abaixo.

a. Dom Pedro I: ....
b. Século XX: ....
c. Volume XIII: ....
d. XIII Volume: ....
e. Pio XII: ....
f. Bento XVI: ....
g. 24º andar: ....
h. 46º melhor restaurante do mundo: ....

4 Complete com os verbos no presente do indicativo.

*Exemplo: Quem **bebe** (beber) cerveja não pode dirigir.*

a. O garçom .... (servir) os convidados na festa.
b. Eu .... (preferir) um ambiente bonito e caro a um local mais barato e feio.
c. Nós .... (vestir) roupas elegantes para ir ao restaurante.
d. Os europeus .... (sentir) calor no Brasil.
e. Na minha casa, nós .... (servir) o almoço ao meio-dia.
f. Eu sempre .... (dirigir) porque não .... (consumir) bebida alcóolica.

5 Organize as palavras e escreva as frases abaixo com os verbos no pretérito perfeito.

Exemplo: eu/ comida/ na casa./ da/ sentir/ perfumada/ o cheiro
Eu senti o cheiro da comida perfumada na casa.

a. sair/ você/ à noite/ ontem/ ?/
....

b. pagar/ o restaurante/ fugir/ homem/ para/ não
....

c. do cliente/ sobre/ a bebida/ a roupa/ cair
....

d. do restaurante/ nós/ indiano/ ouvir / boas críticas
....

e. todos/ o/ os clientes/ bem/ garçom/ servir
....

f. seu amigo?/ dividir/ com/ do táxi/ a conta/ você
....

g. eu/ pela internet/ do atendimento/ a qualidade/ pela/ medir
....

h. o réveillon/ reservar/ para/ o restaurante/ ela
....

6 Reescreva o texto usando os verbos no pretérito perfeito.

▶ Eu acordo às 6 h da manhã, tomo café da manhã às 6h15 e tomo banho às 7 h. Saio para o trabalho às 8 h e trabalho até as 17 h. Ao meio-dia eu almoço com os colegas do escritório em um restaurante perto do trabalho. O garçom serve nosso prato favorito, um PF. À tarde eu respondo meus e-mails e ligo para alguns clientes. Chego em casa às 20h15 e janto com minha esposa. Como um sanduíche e bebo uma cerveja para relaxar. Eu assisto à TV até as 22 h para saber de todas as notícias do dia. Antes de dormir, eu escuto uma boa música.

▶ Ontem... _____

7 Complete a lista de supermercado com a expressão correta.

- ▶ uma garrafa de
- ▶ 250 gramas de
- ▶ um pacote de
- ▶ três caixas de
- ▶ duas latas de
- ▶ um sachê de
- ▶ um pote de
- ▶ 2 litros de

▶ _____ geleia.
▶ _____ leite.
▶ _____ bombom.
▶ _____ vinho.
▶ _____ atum.
▶ _____ queijo ralado.
▶ _____ biscoito.
▶ _____ molho de tomate.

8 Complete os espaços com os verbos conjugados no presente.

Eu **1** *venho* (vir) de Portugal, da cidade de Lisboa, mas **2** _____ (estar) no Brasil há 30 anos. Meu marido **3** _____ (trabalhar) em uma empresa portuguesa. Nós **4** _____ (ir) a muitos eventos da comunidade portuguesa no Rio. Meus filhos **5** _____ (preferir) viver no Brasil, mas **6** _____ (preferir) a comida portuguesa à brasileira. Eu **7** _____ (sentir) saudades das minhas irmãs que **8** _____ (viver) na Europa. Muitos portugueses ainda **9** _____ (querer) começar uma vida nova no Brasil. Eles **10** _____ (gostar) das novelas brasileiras, **11** _____ (rir) muito dos personagens e **12** _____ (se interessar) pela cultura brasileira, mas são poucos que **13** _____ (conseguir) um bom emprego no Brasil.

9 Qual o nome da refeição? Complete o texto com as expressões do quadro abaixo.

- ▶ à la carte
- ▶ rodízio
- ▶ prato executivo
- ▶ self-service
- ▶ PF

a. Quando comemos uma refeição que é servida pelos funcionários do restaurante com a opção de apenas uma carne, a chamamos de _____ ou _____ .

b. Quando vamos a um restaurante e pagamos pela quantidade de comida que servimos, dizemos que comemos em um restaurante _____ .

c. Quando pagamos um valor fixo para comer à vontade (sem restrições) algum tipo de alimentos, o chamamos de _____ .

d. Quando o restaurante não tem buffet exposto e você precisa solicitar os alimentos do menu, fazemos pedidos _____ .

10 A partir da imagem abaixo, escreva um diálogo usando as expressões estudadas na unidade.

Garçom: Boa noite, senhores! Bem-vindos ao restaurante Bom sabor!
Maria: Boa noite!
Carlos: Boa noite!

Garçom: _____

11 Descubra como preparar o mais famoso drinque brasileiro. Acrescente as expressões de quantidade à receita.

▶ **RECEITA:** *Caipirinha – individual*

- espremer
- muitos cubos
- 2 colheres
- servir
- 1 dose
- misturar
- bater
- um

INGREDIENTES:

➡ .... limão cortado em cubos
➡ .... açúcar
➡ .... gelo
➡ .... de cachaça

MODO DE PREPARO:

1º ➡ .... o limão com açúcar
2º ➡ .... o gelo e a cachaça
3º ➡ .... bem os ingredientes
4º ➡ .... em um copo.

12 Relacione com as expressões de quantidade adequadas.

a. Quanto de açúcar devo comprar?
b. Qual a quantidade de fermento para o bolo?
c. Quanto de leite preciso comprar?
d. Quantos ovos?
e. Que quantidade de chocolate vou colocar?
f. Quanto de essência de baunilha?

( ) 10 ml ou duas colheres de chá
( ) três
( ) um tablete
( ) uma colher de sopa
( ) 1 kg
( ) 3 caixas/ 3 litros

13 Marque a palavra intrusa.

a. pote/ sachê/ pacote/ armário/ lata
b. marmita/ à la carte/ executivo/ self-service/ PF
c. cortar/ fritar/ picar/ ralar/ limpar
d. pão/ feijão/ chá/ arroz/ carne
e. assar/ esquentar/ ferver/ cortar/ aquecer

14 Faça uma lista de compras com os ingredientes para preparar uma receita. Lembre-se de quantificar cada alimento. Ao lado, descreva como preparar a receita.

▶ **LISTA DE COMPRAS**

15 Qual é qual? Descubra o país de origem de alguns dos pratos abaixo.

1. Strogonoff 
2. Fondue 
3. Polenta 
4. Chucrute 
5. Batata frita 
6. Lasanha 
7. Baguete 
8. Brigadeiro 
9. Ceviche 
10. Tapas 
11. Quibe 
12. Calulu de peixe 
13. Tacos 
14. *Hot-dog* (cachorro quente) 
15. Pastel de Belém 
16. *Fish and Chips* (peixe e fritas)

a. ( ) Peru
b. ( ) Alemanha
c. ( ) Rússia
d. ( ) México
e. ( ) Itália
f. ( ) Suíça
g. ( ) Estados Unidos
h. ( ) Inglaterra
i. ( ) França
j. ( ) Brasil
k. ( ) Angola/ São Tomé e Príncipe
l. ( ) Espanha
m. ( ) Bélgica
n. ( ) Itália
o. ( ) Líbano/ Síria/ Iraque
p. ( ) Portugal

16 O que você diz...

a. Para falar que gostou da comida.
b. Para chamar o garçom no restaurante.
c. Para pedir a conta.
d. Para perguntar ao garçom sobre a quantidade de comida que é servida em um prato.
e. Quando não quer comer mais.
f. Quando deseja levar as sobras para casa.
g. Quando quer saber a descrição de um prato.

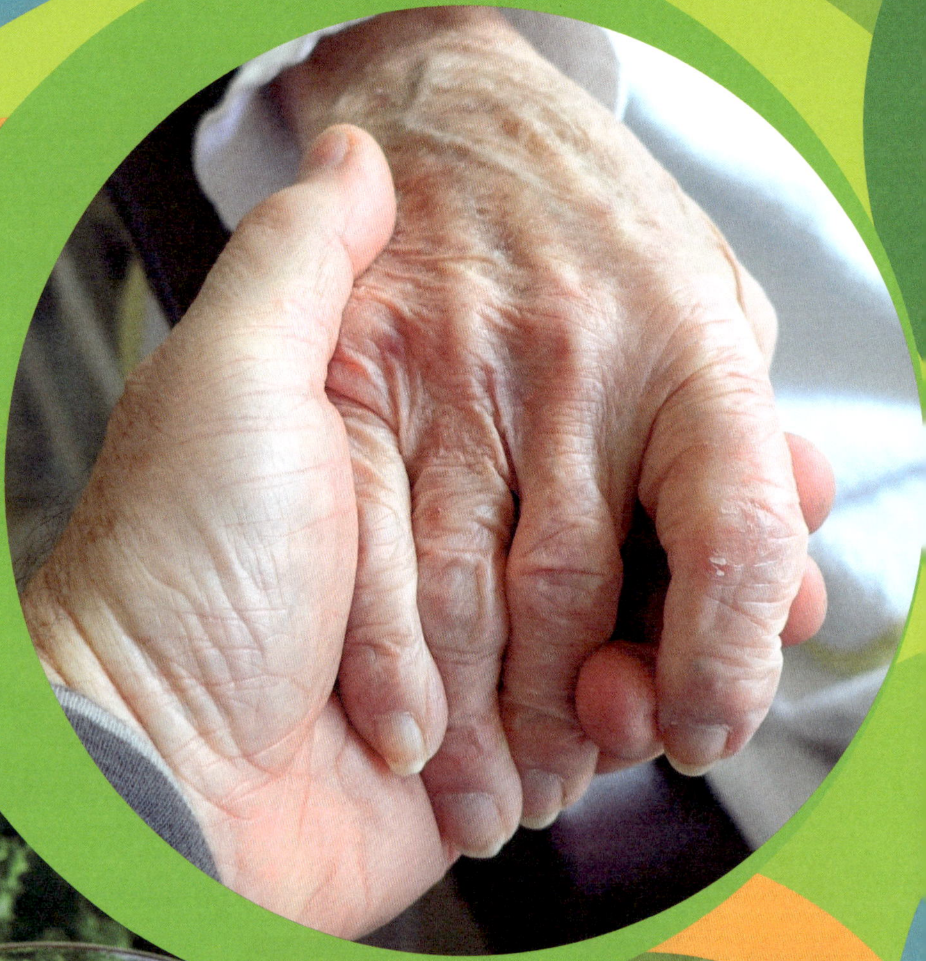

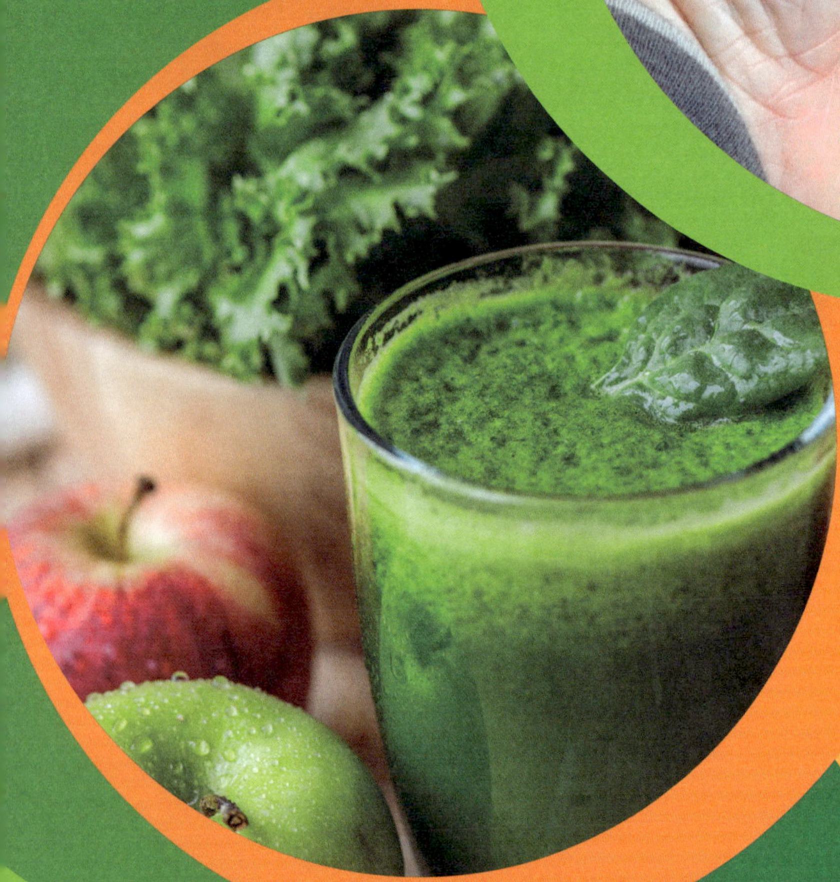

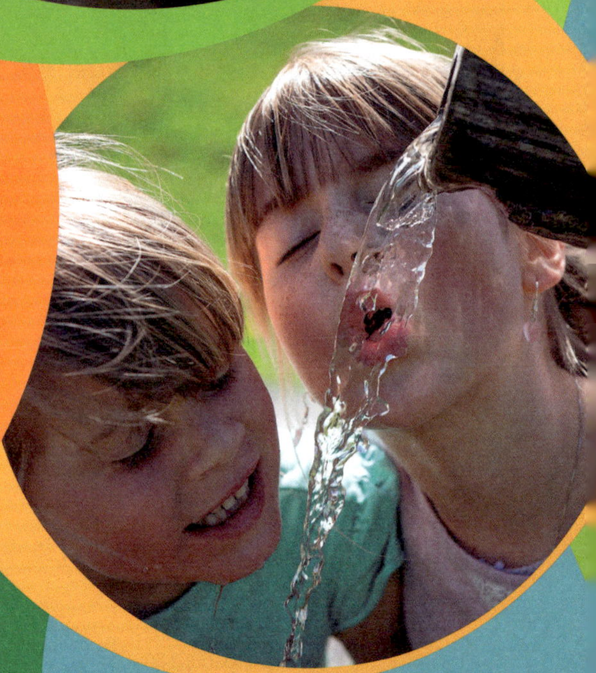

UNIDADE 7

🔊 ZÉ MENINGITE

SAÚDE EM DIA

NESTA UNIDADE VOCÊ VAI APRENDER:
- as partes do corpo
- a descrever tratamentos
- a expressar sensações físicas
- a fazer comparações

PARA:
- falar dos seus cuidados com a saúde
- saber explicar seu estado físico em uma consulta médica
- compreender orientações médicas e prescrições de medicamentos

BEM-ESTAR BEM

1. Associe o nome das atividades que aparecem na imagem com as ações abaixo.

( ) comer ( ) meditar ( ) relaxar
( ) dormir ( ) respirar ( ) alinhar-se
( ) movimentar ( ) massagear

1.1. Quais delas você pratica mais? ....

....

DIA MUNDIAL DA SAÚDE
07 de abril

DICAS PARA UMA VIDA SAUDÁVEL!

- Beber 1,5 litro de água por dia;
- Comer mais de uma fruta por dia, de preferência antes das refeições;
- Reduzir a quantidade de sal para temperar os alimentos, substituindo-o por ervas aromáticas;
- Ter as vacinas sempre em dia;
- Promover sempre as boas práticas de higiene;
- Fazer atividade física regularmente.

2. A imagem ao lado apresenta dicas para uma vida saudável. Marque os hábitos que você pratica e avalie a sua qualidade de vida.

▶ Quantos itens você marcou? ....

3. Complete as sentenças abaixo com suas palavras.

a. Qualidade de vida para mim é...

....
....

b. Eu tenho o bom hábito de...

....
....

c. Eu preciso melhorar...

....
....

PONTUAÇÃO	AVALIAÇÃO	COMENTÁRIO
6 práticas	Ótimo	Parabéns, você tem boas práticas, continue assim!
4 a 5 práticas	Bom	Você tem boas práticas, mas ainda pode melhorar!
3 práticas	Regular	Está fazendo o mínimo, cuidado para não deixar a rotina desestimular você.
1 a 2 práticas	Ruim	Suas práticas estão abaixo do mínimo desejável para manter hábitos saudáveis. É importante se esforçar para ter uma saúde equilibrada.
0 práticas	Péssimo	Você precisa mudar urgentemente seus hábitos. É importante procurar estratégias para melhorar seus cuidados com a saúde. Um bom começo é beber mais água, comer mais alimentos naturais e caminhar mais durante o dia.

O QUE VOCÊ QUER?

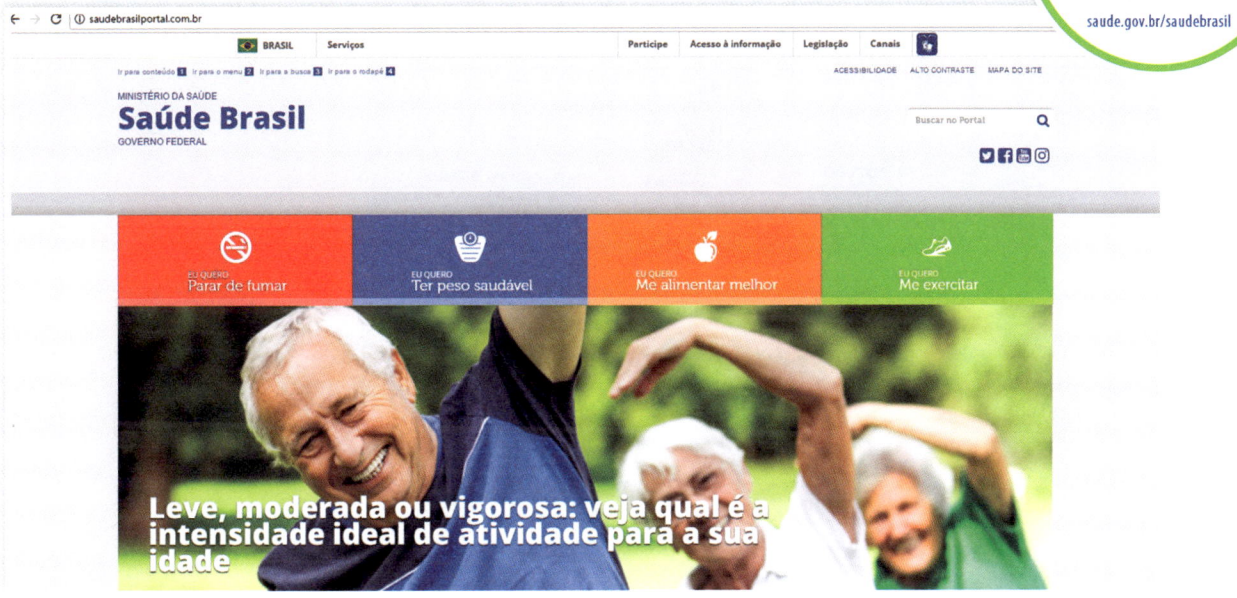

4. Observe o documento e responda.

a. Para você, o Saúde Brasil é...

☐ um blog sobre saúde   ☐ um site institucional   ☐ um site de uma clínica de saúde e estética

b. O que você imagina que ele oferece ao usuário?

☐ orientações sobre cuidados com a saúde   ☐ serviços médicos

☐ tratamentos especializados   ☐ ....

c. De acordo com o menu, quais problemas de saúde podem ser tratados?

❶ Sedentarismo: ....   ❸ Tabagismo: ....

❷ Obesidade: ....   ❹ Problemas nutricionais: ....

d. Qual das seções interessa mais a você? Por quê?

Fonte: bit.ly/44JT1CZ (Acesso em: 23 jul. 2025.)

5. Assista ao vídeo e responda.

a. Quantos anos tem Flávia Zonaro? ....
b. Qual é a profissão dela? ....   **c.** Quantos quilos Flávia perdeu? ....
d. Quantos quilos Flávia chegou a pesar? ....
e. O que o especialista falou para Flávia? ....
f. O que mudou na vida de Flávia após emagrecer? ....
g. Cite duas dicas que Flávia dá para quem quer emagrecer.
❶ ....
❷ ....
i. Em qual seção do Saúde Brasil podemos procurar o vídeo da Flávia Zonaro? ....

COMO ANDA SUA ALIMENTAÇÃO?

6. Compare a sugestão de alimentação da pirâmide alimentar com seus hábitos e responda.

a. Quais alimentos você consome mais?

b. Quais alimentos você consome menos?

c. Quais de seus hábitos correspondem à sugestão da pirâmide?

d. Qual é a composição típica de uma refeição do seu país?

e. Observe ao lado a composição de um prato brasileiro saudável. Em que ele se diferencia de um prato do seu país?

7. Escute o áudio e responda às questões.

a. Enumere a ordem dos temas que o programa *Saúde com Ciência* vai discutir.

☐ os maus hábitos na hora de comer   ☐ o problema da obesidade infantil

☐ as características da dieta brasileira   ☐ a composição de um cardápio saudável

b. Segundo o áudio, quantas pessoas estão acima do peso no Brasil?

c. Como deve ser um prato saudável?

d. Cite exemplos de alimentos *in natura*:

e. Qual o maior problema da alimentação dos brasileiros hoje?

f. Por que os alimentos ultraprocessados não são bons para a saúde?

SEDENTARISMO NO BRASIL

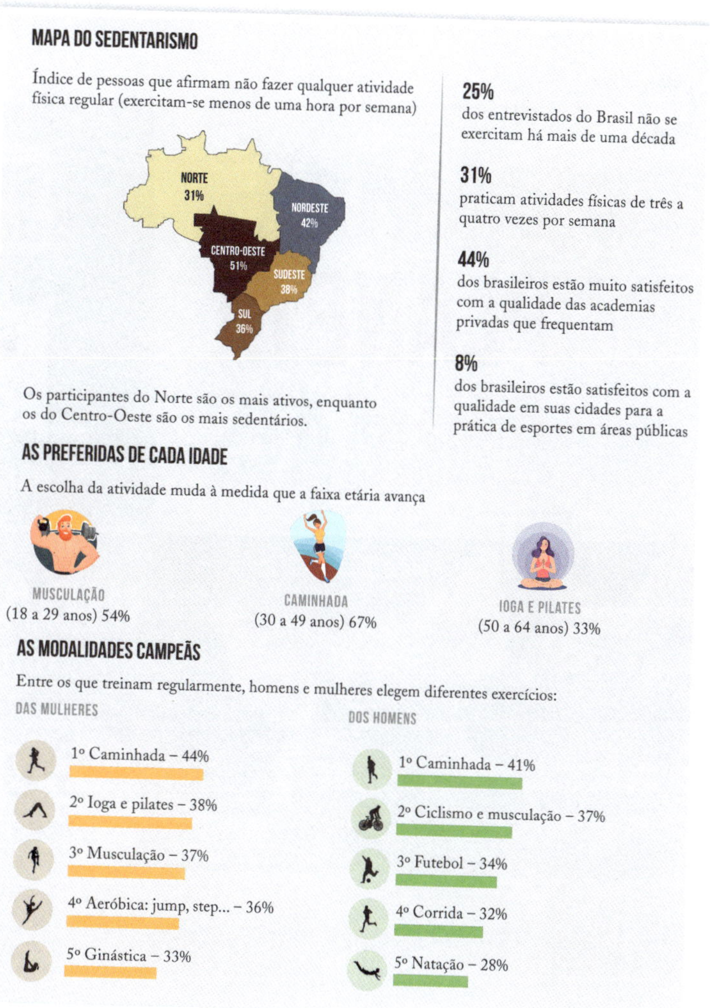

8. Leia o infográfico e responda.

a. Segundo o infográfico, o que é sedentarismo?

b. Qual região tem a população menos ativa?

c. Qual região tem a população menos sedentária?

8.1. A partir das informações compare.

a. A prática de musculação entre homens e mulheres.

b. A prática de caminhada entre homens e mulheres.

c. Quais expressões você usou para expressar comparação?

MAPA DO SEDENTARISMO

Índice de pessoas que afirmam não fazer qualquer atividade física regular (exercitam-se menos de uma hora por semana)

- NORTE 31%
- NORDESTE 42%
- CENTRO-OESTE 51%
- SUDESTE 38%
- SUL 36%

25% dos entrevistados do Brasil não se exercitam há mais de uma década

31% praticam atividades físicas de três a quatro vezes por semana

44% dos brasileiros estão muito satisfeitos com a qualidade das academias privadas que frequentam

8% dos brasileiros estão satisfeitos com a qualidade em suas cidades para a prática de esportes em áreas públicas

Os participantes do Norte são os mais ativos, enquanto os do Centro-Oeste são os mais sedentários.

AS PREFERIDAS DE CADA IDADE
A escolha da atividade muda à medida que a faixa etária avança

- MUSCULAÇÃO (18 a 29 anos) 54%
- CAMINHADA (30 a 49 anos) 67%
- IOGA E PILATES (50 a 64 anos) 33%

AS MODALIDADES CAMPEÃS
Entre os que treinam regularmente, homens e mulheres elegem diferentes exercícios:

DAS MULHERES
- 1º Caminhada – 44%
- 2º Ioga e pilates – 38%
- 3º Musculação – 37%
- 4º Aeróbica: jump, step... – 36%
- 5º Ginástica – 33%

DOS HOMENS
- 1º Caminhada – 41%
- 2º Ciclismo e musculação – 37%
- 3º Futebol – 34%
- 4º Corrida – 32%
- 5º Natação – 28%

ATENÇÃO

COMPARATIVOS DE SUPERIORIDADE	
Bem/ bom	**melhor** (do) que
Mal/ mau/ ruim	**pior** (do) que
Pequeno	**menor** (do) que
Grande	**maior** (do) que

9. Agora, em dupla, você e seu colega vão compartilhar seus hábitos saudáveis, compará-los e apresentar para a turma as diferenças, semelhanças ou igualdades entre vocês.

IGUALDADE	SUPERIORIDADE	INFERIORIDADE
Açúcar é **tão** doce **quanto** mel. (**tão** + adjetivo + **quanto**) (para associar à intensidade)	Dormir bem é **mais** importante **(do) que** meditar. (mais + **adjetivo** + que/ do que)	Meditar é **menos** importante **(do) que** se exercitar. (menos + **adjetivo** + que/ do que)
a. Ele gasta **tanta** energia **quanto** consome. b. Ele exercita **tanto** as pernas **quanto** os braços. c. Nós comemos **tantas** frutas **quanto** legumes. d. Lucas come **tantos** biscoitos **quanto** Renato. (verbo + tanta/ as – tanto/os + substantivo + quanto)	Eu como **mais** pão **(do) que** frutas. (mais + **substantivo** + que/ do que)	Os brasileiros bebem **menos** chá **(do) que** os ingleses. (menos + **substantivo** + que/ do que)
Açúcar adoça **tanto quanto** mel. (verbo + **tanto quanto**) (Para associar similaridade/ funcionalidade)	Nós falamos **mais do que** escrevemos. (**verbo** + mais que/ do que)	Eu me exercito **menos do que** durmo. (**verbo** + menos que/ do que)

POR VOCÊ, PELO PLANETA E PELOS ANIMAIS

SEGUNDA SEM CARNE
descubra novos sabores

Pelas pessoas. Pelos animais. Pelo planeta.

#TodosUnidosPelosAnimais

VIDAS, não comida.

SVB Sociedade Vegetariana Brasileira

DISQUE SAÚDE 136
Ouvidoria Geral do SUS
www.saude.gov.br

Fumar: Faz mal pra você, faz mal pro planeta.

Além dos danos à saúde de quem fuma, o cigarro afeta o meio ambiente e a sociedade com desmatamento, uso de agrotóxicos, agricultores doentes, incêndios e poluição do ar, das ruas e das águas.

O SUS ajuda você a ter uma vida mais saudável sem o cigarro. Mais informações ligue 136.

INCA · SUS · Ministério da Saúde · BRASIL

10. Leia os documentos e responda.
a. O que as campanhas têm em comum?
b. Quais hábitos as campanhas têm por objetivo reduzir ou eliminar?
c. Por que devemos evitar os hábitos em questão?
d. Por quem devemos evitar tais hábitos?
e. Por que comer carne e fumar faz mal para o planeta?

Observe as frases:
▶ Fumar faz mal **para** você e **para** o planeta.
▶ Todos unidos **pelos** animais.
▶ Segunda **sem** carne.

Por + a = pela
Por + o = pelo
Por + as = pelas
Por + os = pelas

A preposição **para** não faz contração com artigos formalmente.
*a preposição **para** sofre contração com os artigos na língua oral = pro/ pros/ pra/ pras

11. Associe as frases que apresentam o mesmo sentido.
a. Maíra fez o trabalho com o João.   ( ) Maíra fez o trabalho em favor de João.
b. Maíra fez o trabalho sem o João.   ( ) João tem um trabalho. Maíra fez o trabalho dele.
c. Maíra fez o trabalho por João.   ( ) Maíra tomou o remédio durante três dias.
d. Maíra fez o trabalho para o João.   ( ) Maíra fez o trabalho no lugar de João ou que João pediu a Maíra.
e. Maíra fez o trabalho do João.   ( ) Maíra e João fizeram o trabalho juntos.
f. Maíra tomou o remédio por três dias.   ( ) Maíra e João não fizeram o trabalho juntos.

12. Complete a sentença abaixo com as palavras ➡ [sem (2x); com; para o; para; para a]
▶ Ter práticas saudáveis traz muitos benefícios _____ saúde. Alimentar _____ mais frutas e verduras, ficar um dia _____ comer carne e _____ fumar faz bem _____ si e _____ planeta.

HISTÓRIAS DE QUEM VIROU VEGETARIANO

13. Leia o texto e responda.

▶ O modelo Paulo Zulu conseguiu chegar aos 40 com a aparência 20 anos mais jovem. Além da dieta, baseada em verduras, legumes e peixe – que, tecnicamente, se chama pescovegetariana – Zulu optou por um estilo de vida fora dos grandes centros urbanos. Mora há quase vinte anos numa casa de praia em Florianópolis, que transforma em pousada durante o verão. Os vegetais saem de sua horta e de uma roça que mantém nos fundos de sua casa. "No ano passado, colhemos 400 quilos de abóbora e tivemos que estocar e vender para os vizinhos e visitantes", afirma, orgulhoso. Desde os 18 anos, Zulu tenta abolir a carne de sua dieta, mas admite que sente falta do sabor de um churrasco. Hoje, contenta-se com os peixes que pesca em seu próprio barco – um barco de pesca industrial, com capacidade para 25 toneladas. "Meu pai morreu cedo, antes dos 60, porque comia carne demais, comida pesada, feijoada. Sempre foi contra meu comportamento e dizia que minha dieta me deixa fraco. Acabou morrendo com o coração dilatado e câncer", diz. "Não precisamos comer muito, mas sim comer bem e ter mais tempo e qualidade de vida", completa.

Fonte: bit.ly/2YMA95j (Acesso em: 4 out. 2017. Adaptado.)

a. Em quais alimentos se baseia a dieta de Paulo Zulu?

b. Retire do texto dois fatores que contribuem para a qualidade de vida de Paulo Zulu.

c. O que você acha que foi mais importante para a mudança de estilo de vida dele?

d. Como você compreende a afirmação: "Não precisamos comer muito, mas sim comer bem e ter mais tempo e qualidade de vida".

SUBWAY, E OS VEGANOS?

Queremos uma opção de SANDUÍCHE VEGANO no menu!

Assine a petição para que o Subway torne-se a primeira grande rede de lanchonetes do Brasil com opção vegana no cardápio.
svb.org.br/subway

SVB Sociedade Vegetariana Brasileira

VEGETARIANOS TÊM 32% MENOS CHANCE DE DESENVOLVER PROBLEMAS CARDIOVASCULARES

Vegetarianismo faz bem ao coração em todos os sentidos
Estudo de 12 anos da Universidade de Oxford, Reino Unido, concluiu que vegetarianos têm 1/3 menos chances de desenvolver doenças do coração do que quem come carnes

14. Imagine que você recebeu esta petição para assinar. Você apoia? Se sim ou se não, escreva um comentário para o post do abaixo-assinado na web. Por quem você assina? Pelos animais? Pelo planeta? Por você? Pelos seus amigos veganos? Justifique.

DESCOBRINDO O CORPO HUMANO

A cabeça é formada pelo crânio e pela face.

No interior do crânio encontra-se o cérebro, e na face estão os olhos, o nariz e a boca.

O tronco é formado pelo pescoço, pelo tórax e pelo abdome.

No tórax encontram-se o coração e os pulmões.

Os membros superiores são formados pelos braços, pelos antebraços, pelos pulsos e pelas mãos.

No abdome estão o estômago, o fígado, os intestinos e outros órgãos.

Os membros inferiores são formados pelas coxas, pelos joelhos, pelas pernas, pelos pés.

▶ **SAÚDE É COISA SÉRIA!**

Dois fatores influenciam fortemente a nossa saúde: nossos hábitos e nossa herança genética. Para aprender como se expressar em uma consulta médica, vamos estudar as partes do corpo.

15. Conheça algumas expressões idiomáticas com as partes do corpo. Associe a expressão ao significado.

a. Abrir o coração
b. Dar uma mão
c. Estar com a cabeça nas nuvens
d. Pôr as mãos à obra
e. Algo sem pé nem cabeça
f. Estar com aperto no coração
g. Uma mão lava a outra

(   ) sem sentido
(   ) ter intuição de algo errado, angústia
(   ) estar distraído
(   ) as pessoas se ajudam mutuamente
(   ) ajudar
(   ) trabalhar
(   ) declarar-se sinceramente, desabafar

16. Entre as expressões idiomáticas no exercício anterior, há exemplos que se assemelham a expressões do seu país? Elas têm o mesmo sentido que as expressões brasileiras? Quais delas fazem sentido para você? E quais não fazem? Converse com os colegas.

O SISTEMA DE SAÚDE NO BRASIL

No Brasil, existem os sistemas de saúde pública e privada/ particular. O Sistema Único de Saúde (SUS) é um órgão do governo criado para atender todos os cidadãos brasileiros. No Brasil, "saúde é direito de todos e dever do Estado", no entanto, o sistema público de saúde ainda apresenta muitos problemas, que podem ser mais ou menos graves dependendo da região. Embora exista a *Carta dos direitos dos usuários da saúde*, ainda convivemos com problemas como falta de médicos, recursos e medicamentos. Por esse motivo, muitas pessoas com melhor condição financeira preferem pagar por assistência médica privada.

DOAR É DAR VIDA NOVA A MAIS PESSOAS

▶ No Brasil, o número de doadores de órgãos vem crescendo. No primeiro semestre de 2017, aumentou quase 12%. Passamos de mais de 14 doadores para cada 1 milhão de pessoas para mais de 16 por milhão de habitantes. A fim de lembrar a importância de avisar a família sobre o desejo de doar órgãos, em 27 de setembro é comemorado o Dia Nacional da Doação de Órgãos. Durante todo o mês ocorre o Setembro Verde para reforçar a importância da doação. Fonte: bit.ly/46ZGAV5 (Acesso em: 23 jul. 2025. Adaptado.)

17. Assista ao vídeo e responda verdadeiro (**V**) ou falso (**F**). Depois, corrija as afirmações.

a. ( ) A paciente recebeu um transplante de pulmão.
b. ( ) A paciente recebeu o diagnóstico de fibrose pulmonar em 2011.
c. ( ) Após ser transplantada, a paciente ganhou uma medalha de ouro para o Brasil nos jogos mundiais para transplantados.
d. ( ) A paciente passou a fazer uso de oxigênio 24 horas em 2013.
e. ( ) O apoio da família foi fundamental para o sucesso do tratamento da paciente.

▶ O que é preciso para diminuir a fila de espera por uma doação de órgão?

1 ....
2 ....

18. Em trio, a partir das definições de "dar" e "doar", explique por que usamos o verbo "doar", e não "dar", para o contexto de transplante de órgãos. Crie duas frases de exemplo para cada verbo.

a. Dar:

b. Doar:

DAR
Oferecer; entregar alguma coisa a alguém sem pedir nada em troca: deu comida ao mendigo. Oferecer como presente ou retribuição a: deu ao filho um computador.

DOAR
Entregar-se; demonstrar dedicação a uma coisa ou pessoa: doou sua inteligência aos alunos; doou-se à família.
Fazer uma transferência legal de bens ou benefícios a: o padrasto doou aos enteados suas propriedades.

▶ O Sistema Único de Saúde (SUS) tem o maior programa público de transplante do mundo.

	DAR (Presente)	DAR (Pretérito perfeito)	DOAR (Presente)	DAR (Pretérito perfeito)
Eu	d**ou**	d**ei**	d**oo**	d**oei**
Você/ Ele/ Ela	d**á**	d**eu**	d**oa**	d**oou**
Nós	da**mos**	de**mos**	do**amos**	do**amos**
Você/ Eles/ Elas	d**ão**	de**ram**	do**am**	do**aram**

O QUE VOCÊ ESTÁ SENTINDO?

Com predominância de clima quente e úmido, o Brasil favorece a reprodução de mosquitos do gênero *Aedes*, que são importantes vetores de doenças. No Brasil, o **Aedes aegypti** é a espécie que merece maior atenção. Como exemplo de doenças provocadas por esse mosquito, podemos destacar a **dengue**, a **chikungunya** e a **zika**. Além de serem transmitidas pelo mesmo mosquito, a dengue, a chikungunya e a zika são doenças que apresentam alguns sintomas semelhantes, o que pode dificultar o diagnóstico. Entretanto, pequenas diferenças existem e podem ser usadas como critério para a diferenciação. As principais diferenças entre a dengue, a chikungunya e a zika estão na intensidade dos sintomas. Entre essas doenças, a dengue é a mais grave. Fonte: bit.ly/2MB09tJ (Acesso em: 15 fev. 2018. Adaptado.)

19. Escute o diálogo entre um paciente e um médico e marque na tabela abaixo os sintomas. Descubra se o paciente provavelmente tem dengue, chikungunya ou zika.

▶ **TABELA DE SINTOMAS – A DOENÇA É:** ....

SINTOMAS	ZIKA	CHIKUNGUNYA	DENGUE
Febre	☐ É baixa e pode estar presente.	☐ Alta e de início imediato. Quase sempre presente.	☐ Alta e de início imediato. Sempre presente.
Dores nas articulações	☐ Dores leves que podem estar presentes.	☐ Dores intensas e presentes em quase 90% dos casos.	☐ Dores moderadas e quase sempre presentes.
Manchas vermelhas na pele	☐ Quase sempre presentes e com manifestação nas primeiras 24 horas.	☐ Manifestam-se nas primeiras 48 horas. Podem estar presentes.	☐ Podem estar presentes.
Coceira	☐ Pode ser de leve a intensa e pode estar presente.	☐ Presente em 50 a 80% dos casos, intensidade leve.	☐ É leve e pode estar presente.
Vermelhidão nos olhos	☐ Pode estar presente.	☐ Pode estar presente.	☐ Não está presente.

Em caso de suspeita dessas doenças, nunca se automedique. Agende uma consulta médica.

ONDE ESTÁ A DOR?

20. A partir das imagens abaixo, vamos identificar os possíveis problemas que as pessoas estão enfrentando e de quais partes do corpo elas precisam tratar.

a. Você já experimentou uma sensação semelhante?
b. Qual solução você buscou?

Para expressar as sensações físicas, usamos:
Verbo ESTAR (presente do indicativo) **+**
COM **+** sintoma/ doença
Exemplos: Estou com febre.
Estou com dor no joelho.
Estou com dor de cabeça.
Estou com dengue.

Usamos a preposição EM para indicar o local da dor. Quando a preposição DE aparece, geralmente ela indica uma expressão fixa.
Exemplos: • dor de cabeça
• dor de garganta
• dor de ouvido

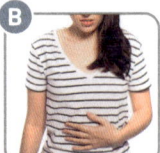

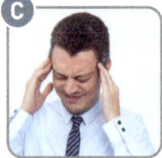

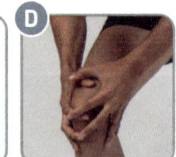

- Eu **tenho/ tive** febre e dores no corpo.
- Eu **estou/ estive** com febre e dores no corpo.
- Tive febre alta **>** 38° (graus)
- Tive febre baixa **=** 37°/ 38° (graus)

Para expressar a intensidade de uma dor, usamos as expressões: **leve < moderada < forte < intensa**

11 ATITUDES QUE FACILITAM A CONSULTA MÉDICA

▶ **AGENDAR CONSULTA COM ANTECEDÊNCIA E LEVAR HISTÓRICO FAMILIAR AJUDAM NO DIAGNÓSTICO**

por Carolina Serpejante

É muito comum pensar que uma visita de rotina ao médico ou mesmo uma consulta para checar alguns sintomas não é grande coisa, que basta chegar ao consultório e dizer o que está sentindo para o médico fazer o diagnóstico. No entanto, o paciente pode adotar uma série de atitudes que não só facilitam a consulta médica, como também ajudam o médico a chegar a um diagnóstico mais preciso. Veja as dicas dos especialistas e saiba o que levar na próxima consulta.

1. Marcar a consulta com antecedência.
2. Chegar ao consultório pelo menos 10 minutos antes do horário marcado para fazer o prontuário.
3. Levar os exames anteriores.
4. Fazer uma lista com os medicamentos que você toma.
5. Informar o histórico médico da sua família.
6. Levar os diagnósticos anteriores.
7. Usar roupas confortáveis.
8. Pacientes idosos e menores de idade precisam levar um acompanhante.
9. Dizer o que você está sentindo.
10. Não esconder informações.
11. Não sair do consultório com dúvidas, certificar que compreendeu o nome do medicamento e as dosagens.

Fonte: bit.ly/2lt2wNj (Acesso em: 4 out. 2017. Adaptado.)

21. Que conselho é importante para um estrangeiro que precisa de atendimento médico, mas ainda não fala bem português?

O QUE É PRECISO PARA ACABAR COM A DENGUE?

22. Leia os panfletos de campanhas contra o mosquito e descubra como se prevenir. Depois, em dupla, crie o texto de um panfleto contra o mosquito da dengue.

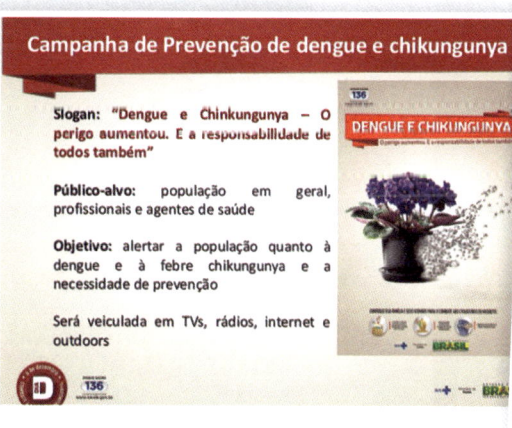

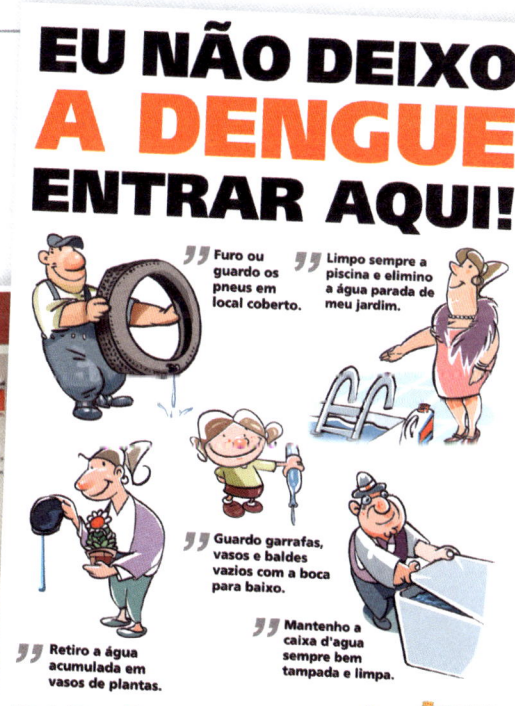

Campanha de Prevenção de dengue e chikungunya

Slogan: "Dengue e Chikungunya – O perigo aumentou. E a responsabilidade de todos também"

Público-alvo: população em geral, profissionais e agentes de saúde

Objetivo: alertar a população quanto à dengue e à febre chikungunya e a necessidade de prevenção

Será veiculada em TVs, rádios, internet e outdoors

EU NÃO DEIXO A DENGUE ENTRAR AQUI!

"Furo ou guardo os pneus em local coberto."
"Limpo sempre a piscina e elimino a água parada de meu jardim."
"Guardo garrafas, vasos e baldes vazios com a boca para baixo."
"Retiro a água acumulada em vasos de plantas."
"Mantenho a caixa d'água sempre bem tampada e limpa."

Informações: www.prefeitura.sp.gov.br/covisa ou no telefone 156.

▶ Algumas expressões para dar conselho e orientações:

- É preciso
- É bom
- É necessário
- É importante
- É fundamental
- É imprescindível
- Você deve
- Você precisa

} **+ verbo no INFINITIVO =**

Exemplos:
- É preciso se alimentar bem.
- É fundamental evitar acúmulo de lixo.
- Você deve usar repelentes.
- Você precisa fazer exercícios físicos.

GRIPE OU RESFRIADO?

Onde ocorre	no corpo todo	nariz/ garganta
Início	abrupto/ súbito	gradual
Febre	alta	ausente/ baixa
Principais sintomas	febre alta, calafrios, suor excessivo, dores musculares e nas articulações, tosse, cansaço, mal-estar geral, dor de cabeça, congestão nasal (nariz entupido)	congestão nasal, espirro, coriza, dor de garganta
Complicações	podem ser severas	leves/ moderadas
Estação em que ocorre	mais comum no inverno	ano todo

VOCÊ SABE A DIFERENÇA ENTRE GRIPE E RESFRIADO?

23. Leia o panfleto informativo do Senado Federal e responda.
  a. Em que período do ano essas doenças são mais comuns?
  b. Que sintomas são semelhantes?
  c. Que partes do corpo são mais sensíveis durante a doença?
  d. Qual delas é mais grave?
  e. Você sabe o que podemos fazer para tratar do problema?

Em caso de suspeita de doença, sempre consulte seu médico.

VERBOS USADOS NA DESCRIÇÃO DE SINTOMAS

- tossir
- espirrar
- vomitar
- engasgar
- emagrecer
- engordar
- cansar
- sentir
- ter
- suar/ transpirar

VERBOS USADOS EM DESCRIÇÕES DE TRATAMENTOS

- **tomar** um comprimido
- **passar** a pomada
- **pingar** o colírio
- **aplicar** uma injeção
- **inalar**
- **massagear**
- **bochechar**
- **repousar/ fazer** repouso

24. Imagine a situação de se sentir mal e buscar atendimento em um pronto-socorro, com suspeita de gripe. Na consulta médica, você precisa responder a algumas perguntas. Em dupla, você e seu colega vão tentar simular a situação da consulta médica para responder ao questionário ao lado.

Quando uma pessoa espirra, dizemos "SAÚDE".

▶ **1. IDENTIFICAÇÃO**
Nome: _____
Sexo: _____ Idade: _____ Raça: _____
RG hospitalar: _____ Leito: _____ Profissão: _____
Estado civil: _____ Nº de filhos: _____
Naturalidade: _____ Procedência: _____

▶ **2. INFORMAÇÕES SOBRE QUEIXAS, DOENÇAS E OUTROS TRATAMENTOS PREGRESSOS**
Queixas: _____

Doenças preexistentes: _____
Tratamentos anteriores: _____
Antecedentes familiares: _____

Fatores de risco: _____

Medicamentos utilizados em casa: _____

DICAS PARA TRATAR DA GRIPE OU DO RESFRIADO

25. Em dupla, leia o texto abaixo, marque os cuidados que você toma e compare suas respostas com as do seu colega.

> **QUAIS CUIDADOS VOCÊ TOMA?** Fonte: bit.ly/2GHj0ja (Acesso em: 15 fev. 2018. Adaptado.)
>
> ☐ Reforçar a alimentação com mais frutas e vegetais.
> ☐ Descansar e relaxar.
> ☐ Beber mais líquidos como sopas e chá de mel e limão.
> ☐ Lavar as mãos com frequência.
> ☐ Controlar a febre e as dores no corpo com analgésicos e antitérmicos (de preferência, à noite).
> ☐ Fazer gargarejos com água morna e sal.
> ☐ Usar lenços descartáveis ao assoar, tossir ou espirrar.
> ☐ Evitar mexer no nariz, boca e olhos sem lavar as mãos.
> ☐ Não se automedicar por mais de três dias.

26. Em grupo e com a ajuda das suas ferramentas digitais, descubra as propriedades medicinais das plantas abaixo. Descubra também quais ervas os brasileiros costumam usar contra a gripe e o resfriado.

① **BOLDO** ② **ALECRIM** ③ **CITRONELA** ④ **MANJERICÃO** ⑤ **GUARANÁ**

① ....
② ....
③ ....
④ ....
⑤ ....

A MEDICINA POPULAR EM MOÇAMBIQUE

▶ Assim como no Brasil, as plantas são parte fundamental da medicina moçambicana. Nas feiras livres, a venda de plantas medicinais é tradicional. Em Moçambique, há um curandeiro para cada 80 moçambicanos e um médico para cada 35 mil habitantes. Por esse motivo, o Ministério da Saúde de Moçambique trabalha em parceria com os curandeiros que, muitas vezes, também trabalham como agentes de saúde. Segundo a Organização Mundial de Saúde (OMS), 80% das pessoas nos países em desenvolvimento ainda dependem de plantas medicinais locais para tratamentos primários de saúde. A diversidade vegetal de Moçambique é usada por 90% da população, principalmente da zona rural. Além do uso medicinal, as plantas também são uma importante fonte de renda para coletores e vendedores.

Fonte: SENKORO et al. Estudo e Conservação de Plantas Medicinais em Moçambique. In: CONGRESSO INTERNACIONAL SABER TROPICAL EM MOÇAMBIQUE: HISTÓRIA, MEMÓRIA E CIÊNCIA – IICT, 2012, Lisboa. Anais... Lisboa, FCT, 2012. Disponível em: bit.ly/2MB2Ifl. Acesso em: 26 set. 2018.

27. Vamos relembrar as partes do corpo? Preencha os campos a seguir.

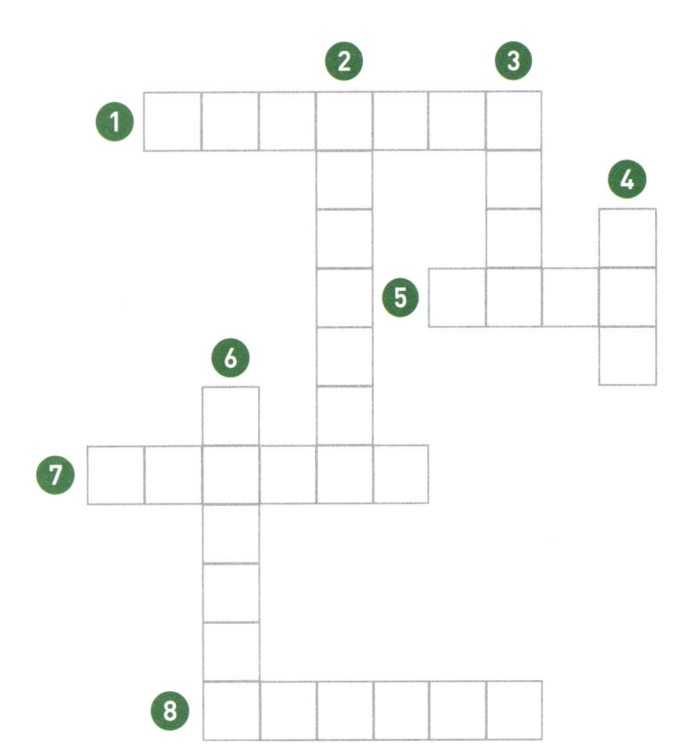

1. Parte do corpo que liga a cabeça ao tórax
2. Órgão que bombeia o sangue para todo o corpo
3. Órgão da visão
4. Parte do corpo que usamos para escrever
5. Parte do corpo que usamos para falar e comer
6. Parte do corpo formada por crânio e face
7. Membros superiores
8. Parte do corpo onde estão o estômago, o fígado e os intestinos

▶ Escute as palavras e marque se você escuta **[f]** **f**ada, **[v]** **v**ela ou **[f] [v]** **f**a**v**or.

	1	2	3	4	5	6	7	8	9	10
[f] fada										
[v] vela										
[f] [v] fa**v**or										

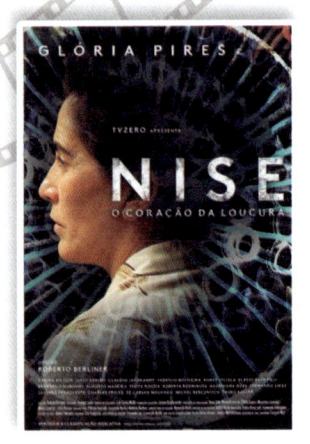

▶ **NISE: O CORAÇÃO DA LOUCURA**

2016 . DRAMA/ BIOGRAFIA . 1H 48M

Nos anos 1950, uma psiquiatra contrária aos tratamentos convencionais de esquizofrenia da época passa a ser isolada pelos outros médicos. Ela então assume o setor de terapia ocupacional, onde inicia uma nova forma de lidar com os pacientes, por meio do amor e da arte.

DATA DE LANÇAMENTO: 21 de abril de 2016 (Brasil)
DIREÇÃO: Roberto Berliner
ROTEIRO: Roberto Berliner, Maurício Lissovski, Flávia Castro, Chris Alcazar, Maria Camargo, Patrícia Andrade, Leonardo Rocha.
DISTRIBUIÇÃO: Imagem Filmes

Fonte: bit.ly/2ywcDKS (Acesso em: 22 jun. 2017. Adaptado.)

SAÚDE EM DIA

VERBOS USADOS EM PRESCRIÇÕES MÉDICAS
- tomar um comprimido
- passar a pomada
- pingar o colírio
- aplicar uma injeção
- inalar
- massagear
- bochechar
- repousar

PARTES DO CORPO
- cabeça (crânio e face)
- tronco (pescoço, tórax e abdome)
- tórax (coração e pulmões)
- abdome (estômago, fígado, intestino e outros órgãos)
- membros (pernas e braços)

MEDICAMENTOS
- anti-inflamatório
- antitérmico
- analgésico
- anti-histamínico
- xarope
- antibiótico

FORMAS DOS MEDICAMENTOS
- comprimido
- cápsula
- drágea
- pomada
- injeção
- creme
- gotas

EXPRESSAR SINTOMAS
- Eu **tenho/ tive** febre e dores no corpo.
- Eu **estou/ estive com** febre e dores no corpo.
- Tive febre alta > 38° (graus)
- Tive febre baixa = 37°/ 38° (graus)

EXPRESSÕES DE CONSELHO
- É preciso...
- É bom...
- É necessário...
- É importante...
- É imprescindível...
- Você deve...
- Você precisa...

EXPRESSAR SENSAÇÕES FÍSICAS

Para expressar as sensações físicas, usamos o verbo ESTAR + com + sintoma + a parte do corpo

Exemplo:
➡ Estou com febre/ dor de cabeça/ dor no corpo/ mal-estar generalizado/ enjoo/ diarreia/ coceira/ insônia/ vômitos/ inchaço/ depressão/ pressão alta/ fraqueza/ cansaço/ coriza/ tosse/ catarro/ falta de apetite

EXPRESSÕES COM O VERBO DAR
- dar certo = ter bom resultado
- dar problema = ter mau resultado
- dar trabalho = ser difícil
- dar uma volta = passear
- dar um pulo = fazer uma visita rápida em algum lugar
- dar razão = concordar
- não dar = não ser possível/ não ser suficiente
- dar em cima = paquerar
- dar um remédio = receitar

EXERCÍCIOS UNIDADE 7

1 Complete as frases abaixo com os verbos indicados no pretérito perfeito.

Exemplo: Eu __bebi__ muita água para evitar desidratação. (beber)

a. Eu _____ frio porque _____ febre. (sentir – ter)
b. A gente não _____ os medicamentos com desconto. (conseguir)
c. Vocês _____ atrasados na consulta. (chegar)
d. Meu médico e eu _____ sobre as opções de tratamento. (discutir)
e. Ontem nós _____ visitar um amigo no hospital. (ir)
f. Eu _____ o doutor Ricardo no consultório, mas _____ não incomodá-lo. (ver – preferir)
g. Nós _____ uma visita solidária ao hospital infantil da cidade. (fazer)
h. Eles _____ aqui ontem, mas não _____ praticar meditação com o grupo. (vir – querer)
i. Por que ele não _____ tomar o medicamento homeopático? (querer)
j. Vocês já _____ beber os chás medicinais? Meu irmão _____ que são muito bons. (tentar – dizer)

2 Escreva conselhos de saúde para as pessoas nas imagens.

*Exemplo: **É preciso se exercitar mais.***

a. _____
b. _____
c. _____
d. _____

3 Complete os campos a seguir com as palavras do quadro.

▶ pingar	▶ receita médica	▶ manchas vermelhas	▶ acumular
▶ antibióticos	▶ febre		▶ anti-histamínico
▶ xarope	▶ antitérmico	▶ comprimido	▶ ~~aspirina~~

Exemplo: Ângela tomou uma __aspirina__ para diminuir a dor de cabeça.

a. O médico receitou um _____ para abaixar a febre.
b. Nós tivemos alergia a poeira e tomamos _____.
c. Não posso comprar _____ sem _____.
d. Tomo um _____ a cada 12 horas.
e. O _____ é bom para a tosse.
f. A _____ e _____ podem ser sintomas de dengue.
g. O médico mandou _____ três gotas em cada olho.
h. Para combater o mosquito da dengue, não podemos deixar _____ água parada.

4 Faça frases usando as formas comparativas indicadas por superioridade ➕, inferioridade ➖ ou igualdade ⚌.

Exemplo: consultório do doutor João/ consultório da doutora Laura/ ser espaçoso/ ➕
➡ *O consultório do doutor João é mais espaçoso que o consultório da doutora Laura.*

a. Vera/ fazer exercícios físicos/ Sara ⚌ ➡
b. Bárbara/ tomar medicamentos/ Marcelo ➖ ➡
c. Priscila/ comer/ vegetais/ carne ➕ ➡
d. Suzana/ fazer meditação/ Lucca ⚌ ➡
e. Felipe/ ter alimentação saudável/ Ana ➖ ➡

5 Estruture frases usando comparativos de superioridade ➕, inferioridade ➖ ou igualdade ⚌.

Exemplo: João/ Flávia/ simpático ➕
➡ *João é mais simpático que Flávia.*

a. Pedro/ Ana/ alto ⚌ ➡
b. Denise/ Geraldo/ tímida ➖ ➡
c. a caipirinha/ a cerveja/ bom ⚌ ➡
d. o vinho/ a cidra/ bom ➕ ➡
e. o Brasil/ A Austrália/ quente ⚌ ➡
f. Viajar de ônibus/ ruim/ viajar de avião ➖ ➡
g. o Brasil/ O Japão/ grande ➕ ➡
h. a França/ A China/ pequeno ➖ ➡

6 Complete com tão/ tanto (s)/ tanta (s).

Exemplo: Fiz __tantos__ exercícios __quanto__ um atleta profissional.

a. Tenho _____ amigos no Facebook _____ Maria.
b. Ela tem _____ revistas _____ seu professor.
c. A comida está _____ quente _____ a panela.
d. O trânsito hoje está _____ ruim _____ o trânsito em dia de chuva!
e. No apartamento novo faz _____ barulho _____ no apartamento antigo.
f. Eles ganham _____ dinheiro _____ o Bill Gates.
g. Não precisa falar _____ alto _____ seu professor.
h. Clarice tem _____ roupas _____ a Rachel Zoe.
i. O filme é _____ legal _____ pareceu no trailer.

7 Complete as frases com a forma comparativa de superioridade.

Exemplo: Meu carro é muito pequeno. Preciso de um carro __maior__ (grande).

a. O filme que estou vendo não é bom. O livro é _____ (bom).
b. A minha casa fica longe do trabalho. A sua casa é _____ (perto).
c. Nas férias ele dorme e acorda tarde. Durante as aulas ele acorda _____ (cedo).
d. Eu não sou grande, meço 1,60 m. Meus irmãos são _____ (grandes).
e. Eu tenho 14 anos e meu irmão tem 18. Ele é _____ (velho).
f. A viagem de ônibus para o Rio demora seis horas. De avião é _____ (rápido).
g. Nós gostamos de cerveja, mas achamos que a caipirinha é _____ (saborosa).

8 Coloque as palavras na ordem adequada e forme frases no pretérito perfeito.

Exemplo: Jornal/ ontem/ ver/ Você? ➡ *Você viu jornal ontem? / Ontem você viu jornal?*

a. eles/ o que/ dizer/ ? ➡
b. nós/ fazer/ não/ na semana passada/ ginástica ➡
c. ela/ ir / por que/ não/ à festa/ ? ➡
d. saber/ você/ da novidade/ ? ➡
e. ele/ tomar/ por que/ não/ os remédios/ ? ➡
f. ao médico/ dizer/ você/ o que/ ? ➡
g. nadar/ não/ elas/ na piscina ➡

9 Escreva qual sintoma a mulher nas imagens está sentindo.

Ⓐ
Ⓑ
Ⓒ
Ⓓ
Ⓔ

10 Elimine o termo intruso.

Exemplo: ~~Braço~~ – pulmões – intestinos

a. fígado – comprimido – cápsula
b. coxa – joelho – mão
c. olhos – nariz – pescoço
d. coração – pulmão – face
e. massagear – bochechar – sentir

11 Associe as informações a seguir:

a. Maria está com alergia.
b. Júlia tem uma infecção nos olhos.
c. Amanda é diabética e usa insulina.
d. Clara está com febre.
e. Luís tosse muito.
f. Marta está com dores no corpo.
g. Fernando está muito queimado de sol.

(   ) Vai tomar um antitérmico.
(**g**) Vai passar uma pomada.
(   ) Vai tomar um analgésico.
(   ) Vai tomar xarope.
(   ) Vai pingar colírio.
(   ) Vai tomar um anti-histamínico.
(   ) Vai aplicar injeção.

12 Associe os verbos aos eventos.

a. Quebrei a perna
b. Peguei um resfriado
c. Tive diarreia
e. Tive alergia
f. Tive enjoo
g. Tive dor de cabeça
h. Tive febre
i. Tive insônia
j. Torci o pé
k. Cortei o dedo
l. Tive coceira

(   ) fiz um passeio de barco
(   ) comi algum alimento estragado
(   ) saí à noite sem casaco
(   ) estou preocupado com as contas a pagar
(   ) fiquei muitas horas em frente ao computador
(   ) dormi em um quarto muito empoeirado
(   ) quando andei de skate
(   ) estou com infecção na garganta
(   ) abri uma lata
(   ) fui picado por um mosquito
(   ) ao correr no parque

13 Dê o sentido adequado para o verbo "dar" nas frases abaixo.

1. Não ser possível	**4.** Paquerar	**7.** Ter mau resultado
2. Ser difícil	**5.** Receitar	**8.** Visitar/ ir
3. Concordar	**6.** Passear	**9.** Fazer um intervalo/ pausar temporariamente

a. Geralmente as crianças não dão muito trabalho quando estão doentes. a. ( )
b. José está doente, acho melhor dar um pulo com ele no hospital. b. ( )
c. O médico deve dar um medicamento para José melhorar. c. ( )
d. Eu vi o estudante novato dar em cima da Maria Júlia. d. (4)
e. Você gostaria de dar uma volta comigo no parque da cidade? e. ( )
f. Os tratamentos com automedicação dão problema, f. ( )
   porque não curam completamente as doenças. g. ( )
g. O comportamento dele é inaceitável. Para mim não dá mais para conviver assim. h. ( )
h. Joana deu um tempo no relacionamento com o namorado. i. ( )
i. Dou razão às campanhas antitabagismo com imagens fortes.
   Isso ajuda a eliminar esse vício.

14 Imagine que você foi ao médico porque está com gripe. Responda às perguntas abaixo.

a. O que você está sentindo?
b. Quando os sintomas começaram?
c. Como você está se alimentando?
d. Faz uso de algum medicamento/ remédio? Qual a dosagem?
e. Tem histórico de doenças na família?
f. Tem alergia a algum medicamento? Qual?
g. Está com as vacinas em dia?
h. Faz atividade física? Qual a frequência?
i. Qual é seu peso e sua altura?

15 Faça as comparações. *Exemplo: Eu/ ver TV/ fazer ginástica* ➕ *Eu vejo TV mais do que faço ginástica.*

a. Você/ carne vermelha/ carne branca/ comer ➖
b. Nós/ água/ suco/ beber ⚖
c. Rio de Janeiro/ Salvador/ bonito ⚖
d. Andar de bicicleta/ andar de carro/ econômico ➕
e. Elas/ ler/ ouvir música ➖

16 Complete o texto a seguir usando as informações do quadro abaixo:

| ▶ esporte | ▶ legumes e verduras | ▶ proteínas | ▶ frutas | ▶ vacinas | ▶ ~~vegetais~~ |
| ▶ grãos | ▶ enlatados | | ▶ alimentação | ▶ água | ▶ frituras |

As pessoas que têm uma vida saudável bebem 2 litros de **1.** _____ diariamente, comem **2.** _____ mais de uma vez por dia, preferencialmente antes das refeições, têm uma alimentação regular composta por **3.** _____ **4.** _____ e **5.** *vegetais* . Alguns alimentos como **6.** _____ e **7.** _____ devem ter consumo pouco frequente, enquanto o consumo de **8.** _____ deve ocorrer em abundância. Além disso, fazer **9.** _____ , ter as **10.** _____ em dia e boas práticas de **11.** _____ é fundamental para ter boa saúde.

174 Cento e setenta e quatro

UNIDADE 8

COM QUE ROUPA?

COM QUE ROUPA?

NESTA UNIDADE VOCÊ VAI APRENDER:
- os nomes das roupas
- tamanhos e medidas no Brasil
- verbos LEVAR e TRAZER
- a previsão do tempo
- o futuro do pretérito II

PARA:
- descrever e analisar roupas
- comprar roupas e acessórios
- pedir descontos
- compreender a previsão do tempo
- falar sobre hábitos de consumo
- expressar desejo ou possibilidade

CAIU COMO UMA LUVA

nova temporada
troca de estilos

VOCÊ SE INTERESSA POR MODA? SEGUE BLOGUEIROS DE MODA E ESTILO? COM QUAL ESTILO VOCÊ SE IDENTIFICA?

A vida é curta para vestir roupas sem graça

1. Observe as imagens e responda.

a. De que tratam os documentos acima?
b. Como você associa o título "Troca de estilos" às imagens?
c. Você gosta de assistir a esse tipo de programa? Por quê?
d. Você acha que poderia participar de uma proposta como essa?
e. O que você entende pela expressão "caiu como uma luva"?

2. Associe as imagens aos estilos a seguir.

☐ clássico   ☐ casual   ☐ hipster   ☐ despojado   ☐ hippie   ☐ esportivo

176   Cento e setenta e seis   SAMBA! • UNIDADE 8

3. Escute o áudio e marque a resposta certa.

a. A cliente quer comprar...
☐ uma saia ☐ uma calça ☐ um vestido

b. Ela quer experimentar a roupa na cor...
☐ preta ☐ branca ☐ vermelha ☐ cinza

c. Quais tamanhos a cliente experimenta?
☐ P ☐ M ☐ G ☐ GG

d. Qual tamanho a cliente leva?
☐ P ☐ M ☐ G ☐ GG

e. Como a cliente paga a roupa?
☐ à vista em dinheiro ☐ à vista no cartão ☐ parcelado no cartão

f. Qual a vantagem do pagamento à vista? _____

g. Qual a cor da roupa que a cliente compra?
☐ branca ☐ cinza ☐ preta ☐ vermelha

h. Por que a cliente não compra a primeira roupa que experimentou?
_____

TAMANHOS MAIS COMUNS NO BRASIL
- PP = extrapequeno
- P = pequeno
- M = médio
- G = grande
- GG = extragrande

- Qual o número do seu calçado?
- Quanto você calça?
- Qual é o seu número?
➡ Resposta: Eu calço...

4. Veja a tabela de medidas abaixo.
De acordo com a tabela, qual é o seu tamanho?
Meu tamanho/ meu manequim é _____.

MASCULINO			
TAMANHO	TÓRAX	CINTURA	QUADRIL
P 36/ 38	88-94 cm	76-82 cm	91-97 cm
M 40/ 42	95-101 cm	83-89 cm	98-104 cm
G 44/ 46	102-108 cm	90-96 cm	105-111 cm
GG 48/ 50	109-115 cm	97-103 cm	112-118 cm

FEMININO					
TAMANHOS (CM)*	PP	P	M	G	GG
	36	38	40	42	44
Contorno do braço	24-25	26-27	28-29	30-31	34-35
Busto	81-83	85-87	89-81	93-95	97-99
Cintura alta	67-68	69-70	71-72	73-74	75-76
Cintura baixa	72-74	76-78	80-82	84-86	88-89
Quadril	92-94	96-98	100-102	104-106	108-110

centímetros

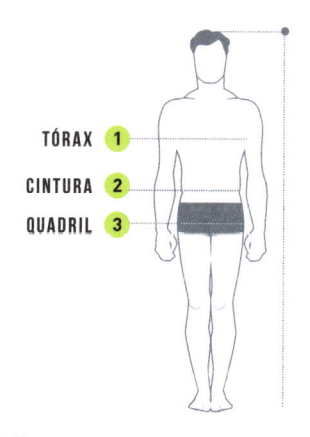

TÓRAX 1
CINTURA 2
QUADRIL 3

1 **CONTORNO DO BRAÇO (CM):** Medir a 15 cm abaixo do ombro
2 **BUSTO (CM):** Medir na altura do mamilo
3 **CINTURA ALTA (CM):** Parte mais fina do seu corpo
4 **CINTURA BAIXA (CM):** 5 cm abaixo da cintura alta
5 **QUADRIL (CM):** 20 cm abaixo da cintura alta

TABELA INTERNACIONAL DE CONVERSÃO DOS NÚMEROS DOS CALÇADOS

🇧🇷 ♀♂	🇪🇺 ♀♂	🇺🇸 ♂	🇺🇸 ♀
33	35	3,5	5
33,5	33,5	4	5,5
34	36	4,5	6
35	37	5	6,5
35,5	37,5	5,5	7
36	38	6	7,5
36,5	38,5	6,5	8
37	39	7	8,5
38	40	7,5	9
39	41	8	9,5
40	42	8,5	10
41	43	9	10,5
42	44	10,5	12
43	45	11,5	13
44	46,5	12,5	14
46	48,5	14	15,5

fashionistando

MODA BELEZA MODA DE RUA CASAMENTO TV TURISTA RADAR

SEMPRE PRETO
Se você adora a cor preta tanto quanto nós, veja as dicas de como fazer diversas produções. Tudo pra ficar linda com aquele pretinho básico da cabeça aos pés!

ACESSÓRIOS JÁ!
Saiba quais os melhores acessórios para seu estilo. Descubra os modelos de óculos que melhor se adaptam ao seu rosto.

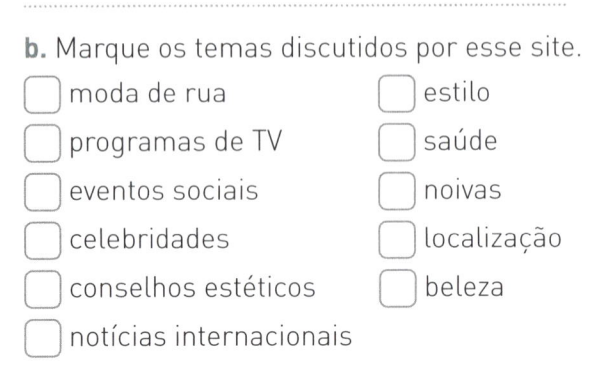

5. Observe a imagem e responda.

a. Quais são as seções de leitura desse site?

....

b. Marque os temas discutidos por esse site.
- ☐ moda de rua
- ☐ programas de TV
- ☐ eventos sociais
- ☐ celebridades
- ☐ conselhos estéticos
- ☐ notícias internacionais
- ☐ estilo
- ☐ saúde
- ☐ noivas
- ☐ localização
- ☐ beleza

c. Para você, qual é a diferença entre moda e estilo?

VESTUÁRIO

1. O short
2. O vestido 
3. A camiseta 
4. A blusa de frio 
5. A calça 
6. A saia 
7. A blusa 
8. A cueca 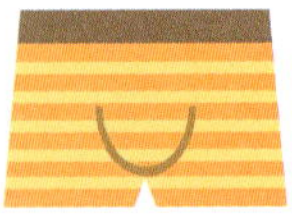
9. A calcinha 
10. O sutiã 
11. As meias 
12. Os sapatos
13. Os chinelos 
14. As sandálias 
15. As botas 
16. Os tênis 

▶ Todos os alunos agora vão se tornar os modelos na sala! Cada aluno deve descrever em um papel o que o colega ao lado está vestindo. O professor vai recolher todas as descrições e misturar. Em seguida, cada aluno deve retirar uma descrição e adivinhar quem é a pessoa descrita. Quem errar deve cantar um trecho de uma canção em português para a turma com boa pronúncia! Quem acertar pode ganhar um prêmio ou simplesmente evitar ser o cantor amador.

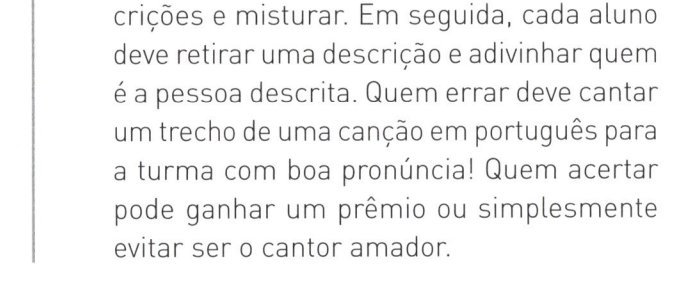

6. Jorge e Marina vão ter um encontro. Escute o diálogo e responda.

a. Quando Jorge e Marina vão jantar?

b. Onde Jorge vai levar Marina?

c. Como é o ambiente do restaurante?

d. A que horas Jorge vai buscar Marina?

e. Quando foi marcada a reserva?

f. Por que Jorge convida Marina para jantar?

COM QUE ROUPA EU VOU?

▶ ACIMA DE QUALQUER LOOK, TENHA UMA ATITUDE ELEGANTE!

7. A partir do contexto do diálogo que você escutou, escolha e descreva um dos looks abaixo para Jorge e Marina.

▶ A Marina vai vestir

▶ O Jorge vai vestir

8. Imagine que você é um dos personagens e vai contar para um amigo como foi o jantar. O que Jorge contou a Marina? Como ela reagiu? Como foi o jantar? Conte essa história em detalhes.

Observação: você pode acrescentar e criar mais informações, mas não pode mudar o que já está determinado pelo contexto do diálogo.

▶ Chegamos ao restaurante às 19h30, como combinado...

O BIQUÍNI MADE IN BRAZIL

Ao contrário do que muitas pessoas pensam, o biquíni foi criado na França em 1946. A peça do vestuário feminino que recebeu o nome do atol de Bikini no Pacífico, onde os americanos realizaram os testes atômicos no mesmo ano, ganhou as praias e as piscinas do mundo inteiro. O biquíni chegou ao Brasil na década de 1950 e popularizou-se na década de 1960 nas praias cariocas. De lá pra cá, o biquíni veio evoluindo e ganhando um jeitinho brasileiro. A jornalista de moda Lilian Pacce conta a história e curiosidades sobre a peça no livro *O biquíni made in Brazil*.

O biquíni brasileiro chama atenção no mundo inteiro pelo seu tamanho e variedades de modelos. O primeiro modelo de biquíni genuinamente brasileiro foi o de lacinho, criado na década de 1970. Nos anos 1980, surgiram os modelos asa-delta e fio dental (que ainda choca muitos estrangeiros). Hoje, o Brasil é referência em moda praia e exporta seu estilo para o mundo, com lindas saídas de praia, cangas, bolsas, acessórios e sandálias. O Brasil é o maior produtor e vendedor de biquíni do mundo, o que se explica pelos seus mais de 7 mil quilômetros de praia.

QUE TIPO DE CONSUMIDOR VOCÊ É?

OS NOVOS CONSUMIDORES · PESQUISA TRAÇA PERFIS DE COMPRADORES NO BRASIL

49%	26%	17%	8%
"SMART BUYER" (comprador inteligente)	**PÉ NO CHÃO**	**SOBREVIVENTE**	**OSTENTAÇÃO**
■ **Como se comporta** Pesquisa preços e promoções na internet e em aplicativos para celular. Acredita que economizar não é sorte, é habilidade.	■ **Como se comporta** Busca descontos e promoções. Corta supérfluos e dosa prazer para assegurar prioridades.	■ **Como se comporta** Vive no limite do orçamento, com pouca margem de manobra. Procura por marcas mais baratas e gerencia até gastos essenciais, como a conta de luz.	■ **Como se comporta** Não tem estratégia para economizar. Para manter o lazer, aceita até cortar alimentação em casa.
■ **Quem é** Homens e mulheres, de todas as faixas etárias, das classes C e B, e educação de nível médio.	■ **Quem é** Mulheres, entre 18 e 44 anos, das classes A, B e C. É o segmento com maior nível educacional.	■ **Quem é** Jovens de ambos os sexos, com baixo nível de escolaridade, das classes D e E, mas também da B. É o grupo com a maior quantidade de desempregados.	■ **Quem é** Homens das classes A e D, com nível fundamental, entre 25 e 44 anos.

Fonte: bit.ly/30wXOE0 (Acesso em: 9 maio de 2019.)

9. Após ler o documento acima, responda.

a. De acordo com o texto, qual é o tipo de consumidor menos comum no Brasil?

b. Qual a diferença entre o consumidor tipo "smart buyer" e o tipo "pé no chão"?

c. Com qual tipo de consumidor você se identifica? Por quê?

d. Para você, quais produtos são "supérfluos" e quais são "prioridade"? Cite exemplos.

> ▶ A expressão "pé no chão" designa as pessoas que são muito conscientes da sua situação de vida, realistas.

10. Assista à reportagem e responda verdadeiro (**V**) ou (**F**) falso.

a. ( ) Na Rouparia, as roupas são compartilhadas.
b. ( ) O cliente pode retirar de uma a seis peças por dia.
c. ( ) O cliente pode ficar com as roupas por sete dias.
d. ( ) A loja foi criada há um ano e meio em São Paulo.
e. ( ) A loja incentiva o consumo consciente.
f. ( ) A loja tem cerca de 350 peças.
g. ( ) Os clientes da loja compram menos roupas e têm mais roupas para usar.
h. ( ) Os clientes precisam devolver as peças lavadas.
i. ( ) Pagando 100 reais, o cliente pode retirar uma peça por dia e pagando 200 reais, pode retirar duas peças.

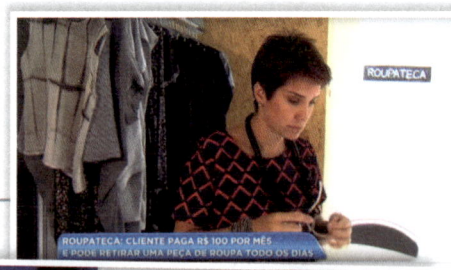

Fonte: bit.ly/2yGdTve (Acesso em: 12 fev. 2018.)

QUANDO COMPRAR TORNA-SE UMA OBSESSÃO

11. Leia o texto abaixo e faça o teste para descobrir o quão consumista você é. Depois, em grupo, discuta com os colegas se você acha que as propagandas influenciam os hábitos de comprador compulsivo.

> Comprar, comprar e comprar... Muita gente compra para obter status, por necessidade, ou até mesmo por modismo, mas há quem compre pelo simples prazer que esse ato proporciona. Essas pessoas são os chamados consumidores compulsivos e formam 3% da população brasileira. Para o consumidor compulsivo, o que lhe excita é o ato de comprar, e não o objeto comprado. Essa pessoa "tem vontade de adquirir, mas não de ter", afirma o psicólogo Daniel Fuentes, coordenador do Ambulatório do Jogo Patológico (Amjo) do Instituto de Psiquiatria do Hospital das Clínicas. *Por Laura Lopes.* Fonte: bit.ly/1vccYdk (Acesso em: 19 fev. 2018. Adaptado.)

▶ **FAÇA O TESTE: DESCUBRA SE VOCÊ SOFRE DE ONIOMANIA, O VÍCIO DE COMPRAR.**

1. Você se preocupa excessivamente com compras?
   ☐ Sim   ☐ Não

2. Frequentemente, perde o controle e compra mais do que deveria ou poderia?
   ☐ Sim   ☐ Não

3. Há um aumento progressivo no seu volume de compras e nas suas despesas?
   ☐ Sim   ☐ Não

4. Você já tentou e não conseguiu diminuir ou controlar suas compras?
   ☐ Sim   ☐ Não

5. Faz compras para tentar aliviar a angústia, a tristeza ou outros sentimentos negativos?
   ☐ Sim   ☐ Não

6. Você mente sobre o que comprou e a quantia que gastou?
   ☐ Sim   ☐ Não

7. Você tem ou teve prejuízos sociais, profissionais ou familiares por causa do hábito de comprar?
   ☐ Sim   ☐ Não

8. Suas compras causam ou causaram prejuízos financeiros?
   ☐ Sim   ☐ Não

9. Você já roubou, falsificou, emitiu cheques sem fundos ou cometeu outros atos ilegais para comprar ou pagar dívidas?
   ☐ Sim   ☐ Não

RESULTADO: Cinco ou mais respostas positivas podem indicar compulsão por compras

---

[**Comprador compulsivo** = compra por vício] ≠ [**Comprador impulsivo** = compra por impulso]

PALAVRAS EM FAMÍLIA

SUFIXO	SIGNIFICADO	EXEMPLO
-ismo	➡ designa doutrina, sistemas ou modo de pensar.	o capitalismo/ o budismo/ o positivismo
-ista	➡ designa a pessoa que segue uma doutrina ou modo de pensar.	o capitalista/ o budista/ o positivista
-ista	➡ também pode designar profissão. *Observação: as palavras com terminação em -ista têm a mesma forma para o masculino e o feminino.*	o (a) dentista/ o (a) taxista/ o (a) jornalista

VAMOS ENCONTRAR O DESTINO CERTO?

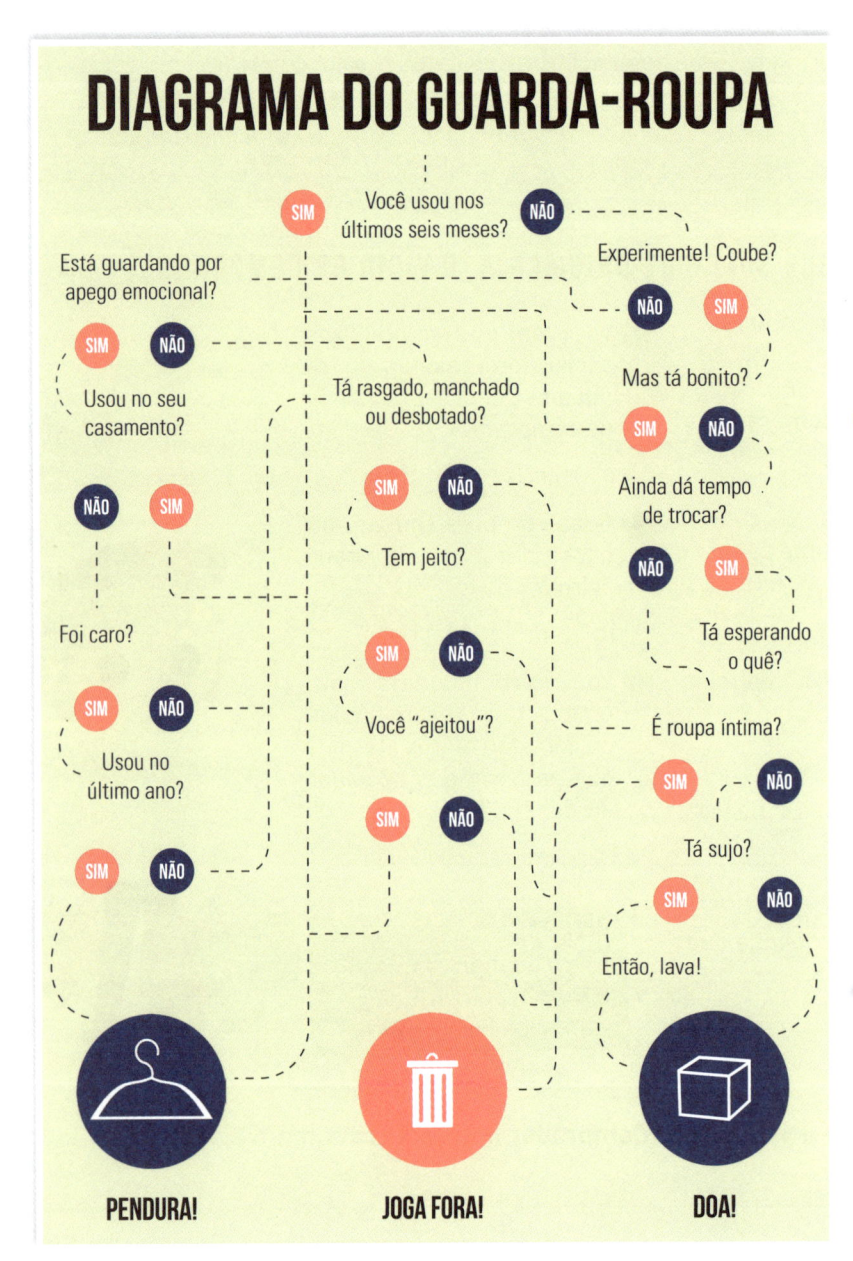

DIAGRAMA DO GUARDA-ROUPA

- Está guardando por apego emocional?
  - SIM / NÃO
- Usou no seu casamento?
  - NÃO / SIM
- Foi caro?
  - SIM / NÃO
- Usou no último ano?
  - SIM / NÃO
- Você usou nos últimos seis meses?
  - SIM / NÃO
- Tá rasgado, manchado ou desbotado?
  - SIM / NÃO
- Tem jeito?
  - SIM / NÃO
- Você "ajeitou"?
  - SIM / NÃO
- Experimente! Coube?
  - NÃO / SIM
- Mas tá bonito?
  - SIM / NÃO
- Ainda dá tempo de trocar?
  - NÃO / SIM
- Tá esperando o quê?
- É roupa íntima?
  - SIM / NÃO
- Tá sujo?
  - SIM / NÃO
- Então, lava!

PENDURA!   **JOGA FORA!**   **DOA!**

12. Pense em uma roupa que há muito tempo você não usa. Faça o percurso proposto pelo diagrama a seguir e descubra se você deve pendurar, jogar fora ou doar. Em seguida responda às perguntas abaixo.

a. Para você, o que é apego emocional?
b. O que é "ajeitar" uma roupa?
c. Quais são as condições para uma roupa ser jogada fora?
d. Em que condições uma roupa deve ser doada?
e. Em que condições uma roupa deve ser pendurada?

?
▶ No Brasil, é muito comum levar as roupas na costureira para consertar e fazer ajustes. Muitas pessoas também compram tecidos e pedem para a costureira fazer uma roupa sob medida.

?
▶ O presente do indicativo é frequentemente usado com valor de imperativo (oralmente).

EXPRESSÕES DE CONDIÇÃO

- **Se** a sua roupa está em bom estado e **se** não serve mais em você, doa!
- **Se** sua roupa custou caro e você usou no último ano, pendura!
- **Se** você tem muitas roupas no guarda-roupa que não são usadas, você pode usar o diagrama do guarda-roupa para saber o que fazer: **se** pendura, **se** joga fora ou **se** doa.

TROCARIA

13. Leia o documento ao lado e responda.

a. O que é desapegar?
b. Explique o que é a trocaria.
c. Quais as vantagens desse tipo de evento?
d. O que é um objeto em bom estado?
e. Você sabe o que é dinheiro trocado?
f. E o que é pechinchar?
g. O que é uma arara?
h. Existe uma prática semelhante à trocaria no seu país? Como funciona?

COMO FAZ?

SEPARAR SEUS DESAPEGOS E TRAZER NO DIA DO EVENTO

O que for trazer precisa estar limpo e em bom estado

ROUPAS, ACESSÓRIOS E CALÇADOS

TROCAR SUAS PEÇAS POR FICHAS
A gente faz a curadoria e te entrega fichas equivalentes*

(para que todos possam participar, a quantidade máxima é de 20 peças por pessoa)

PEGAR AS ROUPAS QUE GOSTAR NAS ARARAS
Se precisar, experimente!

FINALIZAR A TROCA
Depois de escolher, é só levar as roupas e fichas para o mesmo lugar onde as retirou

A intenção não é ter lucro, o importante é a troca. Renovar o guarda-roupa e as energias sem gastar muito.

Caso você *não tenha fichas suficientes*, é possível inteirar com dinheiro.

OBJETOS DE DECORAÇÃO, HANDMADE E VINIS

DISPONIBILIZAREMOS ETIQUETAS
Coloque seu nome, preço e se está disposto a trocar ou apenas vender.

(lembre-se que nesse espaço cada um é responsável pelas suas coisas)

NÃO VALE CONFECÇÃO.
Se você tem loja ou produção vai ficar pra próxima edição.

- Venha com dinheiro trocado e cheio de vontade de pechinchar!
- Se não quer trocar, compre fichas para entrar na brincadeira.
- Não quer brincar? Vem só pra festa!
- Lotação máxima sujeita a disponibilidade nas araras e no espaço.

No final do evento, o resto das roupas nas araras e o dinheiro arrecadado por meio das fichas vão ser doados para instituições de caridade.

▶ São Paulo Fashion Week (SPFW) é o maior evento de moda do Brasil e o mais importante da América Latina, além de ser a quinta maior Semana de Moda do mundo, depois das de Paris, Milão, Nova York e Londres.
O SPFW acontece de modo semianual, reunindo estilistas e grifes brasileiras, supermodelos, celebridades, grandes mídias, convidados e importantes compradores do universo fashion.

Fonte: bit.ly/2YrzYwS (Acesso em: 26 set. 2018.)

NO MEU ARMÁRIO OU NO SEU?

14. Escreva o texto de apresentação do cartaz do bazar de trocas que será afixado no mural da escola para divulgar o evento. Explique o que é uma trocaria, como funciona e onde fazer a inscrição para participar.

VAI DAR PRAIA HOJE?

ENSOLARADO	PREDOMÍNIO DE SOL
PARCIALMENTE NUBLADO	NUBLADO
PANCADA DE CHUVA	PANCADA DE CHUVA COM TROVOADA ISOLADA
CHUVOSO	CHUVA
CHUVA COM RAIOS	CHUVA DE GRANIZO

15. Observe a previsão do tempo no mapa e responda.

a. Qual cidade apresenta a temperatura máxima mais alta?
b. Como está o tempo nesta cidade?
c. Qual cidade apresenta a temperatura mínima mais alta?
d. Quais cidades apresentam as temperaturas mínimas mais baixas?
e. Como está o tempo nestas cidades? Existe previsão de chuva?
f. Quais cidades apresentam previsão de chuvas fortes? Em quais regiões elas ficam?
g. Em qual região existe maior probabilidade de dar um tempo bom para ir à praia? Por quê?
h. O que você sabe sobre o clima no Brasil?
i. Qual a diferença entre tempo e clima?

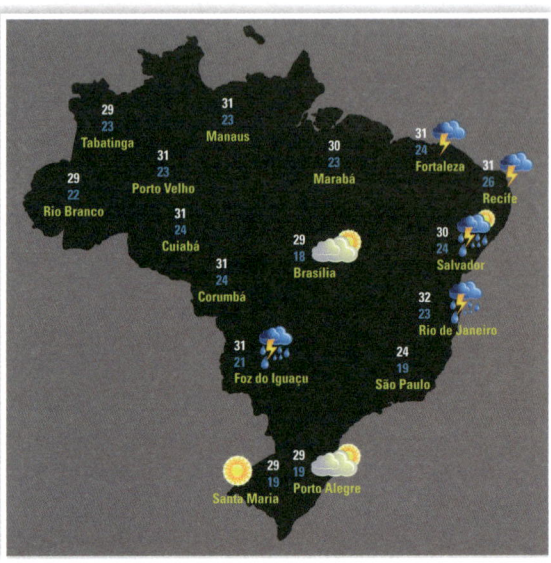

- pancadas de chuva
- céu parcialmente nublado
- focos de chuva
- tempo firme
- nuvens esparsas
- nuvem – sol – neve – temporal
- céu ➡ claro ≠ escuro
- dia ➡ quente ≠ frio/ úmido ≠ seco/ ensolarado ≠ nublado/ abafado ≠ fresco

16. Escute a previsão do tempo nas capitais brasileiras e descubra o nome das cidades, as temperaturas mínimas e máximas e a descrição do tempo.

		MIN.	MÁX.
SÃO PAULO	☼	17	32
	☼		35
	⛅	23	
	⛅		
SALVADOR	⛅		31

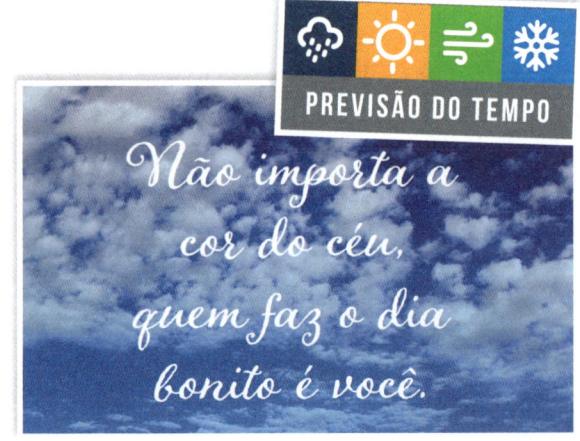

PREVISÃO DO TEMPO

Não importa a cor do céu, quem faz o dia bonito é você.

DESTINOS PARA INVESTIR EM CADA ESTAÇÃO

Por Ricardo Freire, turista.profissional@grupoestado.com.br

VERÃO	OUTONO	INVERNO	PRIMAVERA
DEZ. – JAN. – FEV.	MAR. – ABR. – MAIO	JUN. – JUL. – AGO.	SET. – OUT. – NOV.
Entre o início de dezembro até o fim do Carnaval, Salvador torna-se a cidade mais agitada durante o verão. As chuvas são menos frequentes do que no Sudeste. Portanto, sol e mar são garantidos!	Para fugir dos dias nublados da estação e estar em um ambiente com poucos turistas e menos trânsito, a melhor opção é Santa Catarina. Vale a pena explorar tanto o litoral quanto o interior.	O período de estiagem no centro do país torna as Chapadas ótimas para passeio. Fase de cachoeiras abundantes e matas verdes, com temperatura agradável para caminhar pela manhã. Já as noites frias são ótimas para usar o edredom.	É o melhor momento para curtir o sol nordestino, pois não há risco de chuvas frequentes. Setembro e outubro são meses de mar mais calmo, o que favorece atividades de mergulho. Além disso, a baixa temporada garante bons descontos.

Fonte: bit.ly/2ZBLMca (Acesso em: 21 fev. 2017. Adaptado.)

Médias históricas de variação da chuva no território brasileiro, em milímetros, por estação do ano.

17. Imagine que um amigo convidou você para passar uma temporada na casa da família dele em Florianópolis. A partir da análise da temperatura média e índices de chuva da região, responda.

a. Qual mês você acha que seria o mais interessante para ir visitá-lo? Por quê?

CLIMATOLOGIAS DE PRECIPITAÇÃO E TEMPERATURA
FLORIANÓPOLIS - SC

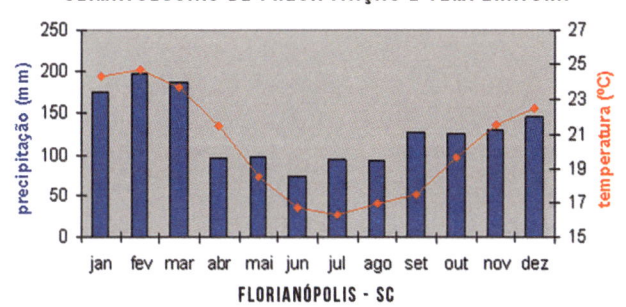

18. A partir dos textos acima, responda.

a. Qual o período do ano mais interessante para viajar para o Nordeste? Por quê?

b. Qual estação do ano é mais chuvosa no Brasil?

c. A partir do texto e das imagens, qual o melhor período do ano para visitar o Rio de Janeiro e aproveitar as praias?

d. Quando são os meses de alta temporada no Brasil? Por quê?

e. Qual é a região brasileira mais chuvosa?

QUE ROUPA LEVAR
DE ACORDO COM A TEMPERATURA

Arrumar as malas é uma tarefa que a maioria dos viajantes não gosta e acaba adiando o máximo possível. Você decide, começa e de repente surge a dúvida inevitável: que roupa levar para a temperatura que está fazendo no destino das minhas próximas férias? Para que você não se desespere, preparamos um miniguia de como você deve se vestir segundo cada clima. Boa viagem!

Fonte: bit.ly/2KgPEKA (Acesso em: 9 dez. 2018.)

Destino de inverno
Recomendado com 10ºC

- Jaqueta fina com interior de tecido térmico e exterior impermeável.
- Duas camadas de algodão e um suéter com gola alta
- Calça jeans ou de tecido mais grosso
- Meias que cubram os tornozelos e sapatos fechados

LONDRES
País: Inglaterra
Fuso horário: UTC/ GMT +1
Coordenadas: 51º30'26''N 0º07'39''O
Estadia aproximada: 4 a 6 dias
Visitar em: abril, maio, outubro e novembro

Destino de praia
Recomendado com 40ºC

- Traje de banho! Com 40ºC você deveria estar perto da praia
- Proteja sua cabeça com chapéu ou lenço
- Calçado aberto, chinelo ou sandália
- Roupas com tecidos leves e frescos, evite cobrir os braços e as pernas

PHUKET
País: Tailândia
Fuso horário: UTC/ GMT +7
Coordenadas: 7º53'24''N 98º23'54''E
Estadia aproximada: 4 a 6 dias
Visitar em: abril, maio, setembro e outubro

Destino de verão
Recomendado com 30ºC

- Camiseta de algodão de manga curta
- Bermuda, shorts ou saia
- Calçado aberto: chinelo ou sandália

PARATY
País: Brasil
Fuso horário: UTC/ GMT +3
Coordenadas: 23º13'04''S 44º19'05''O
Estadia aproximada: 4 a 6 dias
Visitar em: janeiro, fevereiro e março

---

19. Após ler o texto, responda.
a. Você gosta de fazer as malas? Por quê?
b. O que você leva em conta para organizar sua mala?
c. O que você sempre leva quando vai viajar?
d. Qual dos destinos acima você prefere? Por quê?
e. Você sabe em qual estado brasileiro fica a cidade de Paraty?
f. Quais roupas você levaria para Paraty?
g. O que você levaria do Brasil para seu país?

> **?** A expressão "levar em conta" é o mesmo que "considerar".

> **LEVAR** Podemos associar o verbo TRAZER e LEVAR aos advérbios AQUI e LÁ.
> **TRAZER** Trazer ➡ aqui
> Levar ➡ lá

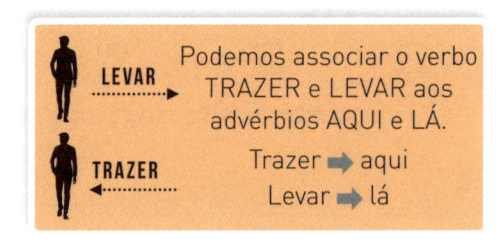

20. Complete as frases com os verbos trazer ou levar.

PRESENTE DO INDICATIVO		
PRONOMES	TRAZER	LEVAR
Eu	tra**go**	lev**o**
Você	traz	lev**a**
Ele/ Ela	traz	lev**a**
Nós	traz**emos**	lev**amos**
Vocês	traz**em**	lev**am**
Eles/ Elas	traz**em**	lev**am**

PRETÉRITO PERFEITO DO INDICATIVO		
PRONOMES	TRAZER	LEVAR
Eu	tr**ouxe**	lev**ei**
Você	tr**ouxe**	lev**ou**
Ele/ Ela	tr**ouxe**	lev**ou**
Nós	tr**ouxemos**	lev**amos**
Vocês	tr**ouxeram**	lev**aram**
Eles/ Elas	tr**ouxeram**	lev**aram**

a. Sempre _____ guarda-chuva para onde vou.
b. Vou _____ as malas lá para a sua casa.
c. Ontem, Jéssica _____ as roupas aqui para eu escolher.
d. Vou para a praia, não posso deixar de _____ o biquíni.

VOCÊ FARIA UMA TATUAGEM?

21. Leia o texto abaixo, analise o infográfico e responda.

▶ **COMPORTAMENTO . 1º CENSO DE TATUAGEM DO BRASIL: RESULTADOS**

Para descobrir quem são os tatuados brasileiros, a revista *Superinteressante* fez uma pesquisa inédita por meio das redes sociais, com mais de 80 mil entrevistados e 150 mil tatuagens mapeadas. Os resultados desse censo foram publicados na edição de março da revista, e aqui você confere alguns dados e depoimentos inéditos.

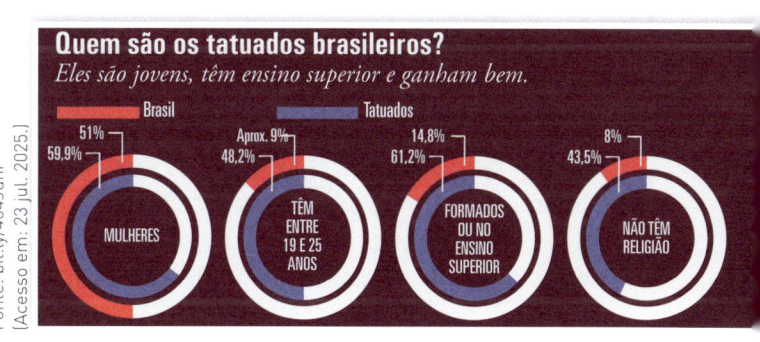

Quem são os tatuados brasileiros?
Eles são jovens, têm ensino superior e ganham bem.

Brasil / Tatuados
- MULHERES: 51% / 59,9%
- TÊM ENTRE 19 E 25 ANOS: Aprox. 9% / 48,2%
- FORMADOS OU NO ENSINO SUPERIOR: 14,8% / 61,2%
- NÃO TÊM RELIGIÃO: 8% / 43,5%

Fonte: bit.ly/4o4Juhr (Acesso em: 23 jul. 2025.)

Fomos ao estúdio eu, minha mãe e minha vó
Marina Formiga, 21 anos, quiropraxista

"Desde os 15 anos eu queria fazer uma tatuagem, mas minha mãe dizia que era melhor esperar até os 18. Quando chegou a hora, fui ao estúdio com ela e a minha vó. Foi a primeira vez para mim e a minha mãe, mas a minha avó já tinha feito uma. Acabamos voltando alguns anos depois, no fim do ano passado, e dessa vez as três fizeram a mesma tatuagem: um elefante tribal e seu filhote no tornozelo. Ele representa a importância da figura materna, já que nós três somos muito unidas."

Fonte: bit.ly/33g6Alo (Acesso em: 26 set. 2018.)

a. De acordo com o infográfico, as mulheres ou os homens tatuam mais?
b. Qual foi a primeira pessoa da família de Marina a se tatuar?
c. Por que Marina esperou até os 18 anos para fazer a primeira tatuagem?
d. Você faria uma tatuagem? Por quê?
e. Se você respondeu sim à pergunta anterior, em que parte do corpo você faria?
f. O que você desenharia ou escreveria?

▶ Os brasileiros gostam muito de tatuagem. No Brasil, o precursor da tatuagem moderna foi um dinamarquês chamado **Knud Harald Lucky Gegersen**. Ele chegou no Brasil em 1959 e morou em Santos, no litoral paulista, onde ficou conhecido como Mr. Tattoo ou apenas Lucky.

FORMAÇÃO DO FUTURO DO PRETÉRITO

Verbos regulares

Verbo no infinitivo + terminações (-ia/ íamos/ iam)

Verbos terminados em -zer

Verbo no infinitivo sem a terminação -zer + as terminações (-ria/ ríamos/ riam)

Exemplo:
- tra~~zer~~ ➡ tra**ria**
- di~~zer~~ ➡ di**ria**

FUTURO DO PRETÉRITO II		
PRONOMES	TATUAR	FAZER
Eu	tatuar**ia**	far**ia**
Você	tatuar**ia**	far**ia**
Ele/ Ela	tatuar**ia**	far**ia**
Nós	tatuar**íamos**	far**íamos**
Vocês	tatuar**iam**	far**iam**
Eles/ Elas	tatuar**iam**	far**iam**

POR DENTRO DA LUSOFONIA: PORTUGAL FASHION

▶ O Portugal Fashion representa uma forma de promover oportunidades junto dos jovens e de apoiar uma verdadeira mudança de visão no setor têxtil português. Criado em 1995, o projeto conseguiu afirmar-se como um dos maiores eventos de moda ibéricos. Ele destaca-se por descobrir e apresentar novos valores na constituição de verdadeiras parcerias entre produção e criação.

O Portugal Fashion é atualmente mais que um acontecimento de moda. É sinônimo de cultura, de modernismo e de aposta na promoção da imagem nacional, afirmando-se como uma referência de criatividade e sofisticação estética de Portugal face ao exterior.

Fonte: bit.ly/2MLmXXJ (Acesso em: 23 fev. 2018. Adaptado.)

VAMOS BUSCAR: OS CLIMAS DO BRASIL

▶ O Brasil tem uma área de 8,5 milhões de km² e está localizado entre os trópicos de Câncer e de Capricórnio. Tem grandes áreas de clima tropical, mas o clima do Brasil não é uniforme. Agora que você já conhece um pouco sobre as estações do ano e as variações climáticas, busque com o auxílio das suas ferramentas digitais quais são os climas do Brasil, suas características e temperaturas médias.

Fonte: goo.gl/tTAjNj (Acesso em: 26 set. 2018.)

▶ Escute as palavras e marque os sons [k], [g] e outros.

	1	2	3	4	5	6	7	8	9	10
[k] es**qu**ema/ **qu**ilo										
[g] san**gu**e/ **gu**ilhotina										

▶ AMOR.COM

2017 . ROMANCE/COMÉDIA . 1H 32M

Katrina é uma famosa blogueira de moda que dita tendências no mercado brasileiro através de seus populares vídeos na internet. Fernando, por sua vez, é um vlogueiro de um canal de videogames que ainda não é muito famoso, mas que já está fazendo certo sucesso. Quando os dois se conhecem, em uma situação complicada, acabam se apaixonando e o romance dos dois ganha destaque na internet

DATA DE LANÇAMENTO: 1 de junho de 2017 (Brasil)
DIREÇÃO: Anita Barbosa
PRODUÇÃO: Marcos Didonet, Walkiria Barbosa, Vilma Lustosa
MÚSICA COMPOSTA POR: Vivian Aguiar-Buff
ROTEIRO: Bruno Garotti, Saulo Aride, Leandro Matos

Fonte: bit.ly/2T9z560 (Acesso em: 22 jun. 2017. Adaptado.)

COM QUE ROUPA EU VOU?

MEDIDAS

▶ No Brasil as medidas do corpo são expressas em metros ou quilogramas.
- Altura: eu meço/ eu tenho 1,70 m (um metro e setenta)
- Tórax/ cintura e quadril: eu tenho 65 cm (sessenta e cinco centímetros) de cintura e 90 cm (noventa centímetros) de quadril.
- Eu peso 65 kg (sessenta e cinco quilos).

TAMANHOS MAIS COMUNS NO BRASIL

- PP = extrapequeno
- P = pequeno
- M = médio
- G = grande
- GG = extragrande

TEMPO E CLIMA

- pancadas de chuva
- céu parcialmente nublado
- focos de chuva
- tempo firme
- nuvens esparsas
- nuvem – sol – neve – temporal
- céu ➡ claro ≠ escuro
- dia ➡ quente ≠ frio/ úmido ≠ seco/ ensolarado ≠ nublado/ abafado ≠ fresco
- tempo ➡ estado da atmosfera em um determinado momento
- clima ➡ condição média do tempo; padrões que se repetem

ESTILOS

- clássico
- esportivo
- casual
- básico
- despojado
- hipster
- hippie

EXPRESSÕES PARA PECHINCHAR

- Você pode dar um desconto?
- Por quanto você pode fazer esta peça?
- Qual o melhor preço que você pode fazer?

TIPOS DE COMPRADOR

comprador compulsivo = compra por vício
≠
comprador impulsivo = compra por impulso

CLIMATEMPO

- Como está o dia/ tempo hoje?
- Vai fazer sol? Vai chover?
- Que dia feio./ Que dia lindo.
- Nossa! O tempo está fechado/ encoberto./ Hoje o tempo está aberto.
- Ontem teve/ caiu um temporal.
- O tempo está... seco/ úmido - abafado/ fresco – nublado/ ensolarado – quente/ frio.
- Tempo = dia (alguns contextos)

COMPRAR E NEGOCIAR

- Estou apenas olhando.
- Eu visto tamanho (P-M-G)
- Tem um número maior/ menor?
- Quais cores você tem?
- Ficou certinho (a) no corpo.
- Está um pouco curto.
- Está apertado/ pequeno.
- Está largo/ grande.
- Você tem outro tamanho?
- Vocês dão desconto à vista?
- Posso parcelar no cartão?
- Em quantas vezes sem juros?
- Você tem esta roupa na cor...?
- Ficou bem em você.

SAMBA! • UNIDADE 8 — Cento e oitenta e nove — 189

EXERCÍCIOS UNIDADE 8

1 Descreva o que as pessoas estão vestindo nas imagens abaixo.

Na imagem um a mulher está usando...

....

2 Qual é a palavra intrusa?

Exemplo: meias/ cuecas/ ~~brincos~~/ sapatos

a. Cuecas/ sutiã / pijamas/ calcinha
b. Brincos/ chapéu/ boné/ lenço
c. Botas/ sapato/ sandália/ scarpin
d. Biquíni/ canga/ cachecol/ maiô
e. Saia/ short / sutiã/ calça

3 Vamos completar abaixo com os verbos LEVAR ou TRAZER no pretérito perfeito.

*Exemplo: Meu marido **levou** as crianças para a escola.*

a. Ontem eu .... João em casa.
b. Maria não .... seus óculos para a o clube.
c. Anna, eu não posso ler, porque não .... meus óculos.
d. Hoje eu não .... os meninos para aula de natação.
e. Você .... um guarda-chuva?
f. Eu .... o computador aqui para arrumar.
g. Ela .... o celular aqui.
h. Eu não .... dinheiro na bolsa, porque não é seguro.
i. Foi ele que .... a roupa suja para aqui.
j. Eu .... o bolo para a festa da Maria.
k. Minha tia .... a feijoada para a minha festa aqui em casa.

4 Resolva o jogo de palavras cruzadas testando seu vocabulário.

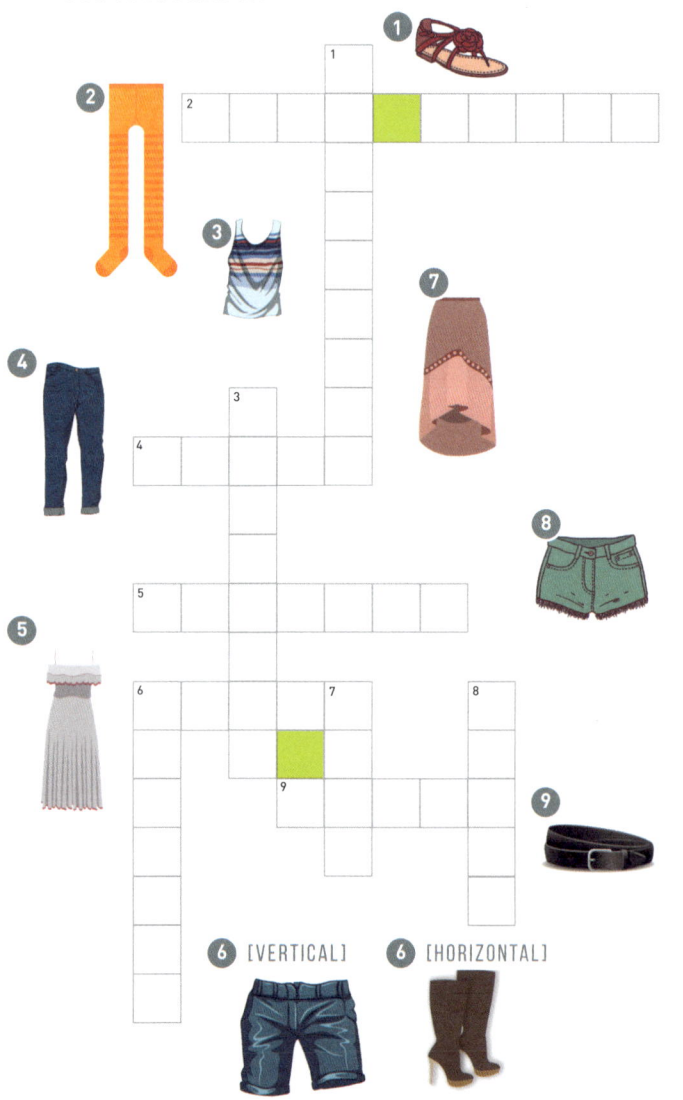

⑥ [VERTICAL]   ⑥ [HORIZONTAL]

5 Na lista a seguir, organize as vestimentas de acordo com as categorias: acessórios, roupas ou calçados.

- camisa
- chapéu
- lenço
- anel
- jeans
- botas
- sapatilhas
- jaqueta
- saia
- suéter
- scarpin
- *pulseira*
- colar
- óculos
- chinelo
- bermuda
- bolsa
- prendedor de cabelo
- tênis
- relógio de pulso
- brincos
- short
- sandália
- meias
- vestido

ACESSÓRIOS	ROUPAS	CALÇADOS
pulseira		

6 Imagine que você vai viajar em um feriado prolongado para o Rio de Janeiro. Veja a previsão do tempo da semana e responda às questões abaixo.

PREVISÃO DO TEMPO
SEMANA DO FERIADÃO

SEG.		Sol e muito calor, com pancadas esparsas de chuva pela manhã.
TER.		Sol e muito calor durante todo o dia. Não chove.
QUA.		Sol e muito calor durante todo o dia. Não chove.
QUI.		Sol e calor durante todo o dia. Tempo levemente úmido. Não chove.
SEX.		Tempo encoberto e úmido durante todo o dia. Pancadas de chuva.
SÁB.		Chuvas fortes durante o dia. Possibilidade de temporal durante a noite.
DOM.		Chuva durante todo o dia.

a. Vale a pena viajar nessa semana para o Rio? Por quê?

b. Que programação seria mais interessante para terça? E para sábado? Descreva no mínimo duas atividades.

c. Que tipo de roupa você deve levar? Cite pelo menos seis roupas ou acessórios indispensáveis.

d. Você deixaria de sair algum dos dias da semana devido às condições do tempo? Existe alguma interferência climática em seu país/ cidade que influencia nas atividades comerciais ou de lazer? Quais? Por quê?

e. Descreva o tempo perfeito para você se sentir bem-disposto e realizar suas atividades de lazer favoritas.

7 Na imagem ao lado, observe as condições do tempo da cidade de Belo Horizonte e responda.

a. Qual a temperatura mínima nesse dia? _____

b. Qual a temperatura máxima nesse dia? _____

c. Como está descrita a aparência do céu? _____

d. Existe a possibilidade de chover? _____

e. Quando o sol nasceu? _____

f. Quando vai se pôr? _____

g. Qual é a sensação de temperatura que as pessoas estão sentindo ao longo do dia? _____

8 Complete o texto abaixo com as expressões do quadro.

► cartão de crédito	► vitrines	► estilo	► confortáveis	► quentes
	► desconto	► ~~curtas~~	► à vista	► leves

Exemplo: As roupas usadas no verão são mais **curtas**.

a. As roupas em países tropicais, em geral, são mais _____.

b. Nos países em que a temperatura é mais baixa, precisamos usar roupas mais _____.

c. Gosto de roupas _____.

d. Se pagamos _____ com dinheiro, é provável conseguir um _____.

e. Mas se pagamos com _____, então podemos conseguir dividir a compra em parcelas.

f. Eu sempre gosto de ver as _____ das lojas. Elas sempre mostram o _____ das coleções da estação.

9 Transforme as palavras abaixo com -ismo e -ista.

Exemplo: Absoluto ➡ **absolutismo** ➡ **absolutista**

a. Ótimo ➡ _____ ➡ _____

b. Péssimo ➡ _____ ➡ _____

c. Jornal ➡ _____ ➡ _____

d. Marx ➡ _____ ➡ _____

e. Comum ➡ _____ ➡ _____

f. Raça ➡ _____ ➡ _____

g. Macho ➡ _____ ➡ _____

h. Puro ➡ _____ ➡ _____

10 Separe as palavras de acordo com a categoria.

1. Modo de pensar/ doutrina   2. Profissão   3. Sistema

a. ( ) Capitalista
b. ( ) Budismo
c. ( ) Altruísta
d. ( ) Liberalismo
e. ( ) Dentista
f. ( ) Estilista
g. ( ) Consumista
h. ( ) Otimista
i. ( ) Consumismo
j. ( ) Budista
k. ( ) Socialismo
l. ( ) Economista
m. ( ) Judaísmo
n. ( ) Motorista
o. ( ) Catolicismo
p. ( ) Comunismo

11 Atribua o valor de conselho (**C**), desejo (**D**) ou hábito (**H**) para as frases abaixo.

Exemplo: Ana Laura sempre viaja nas férias de verão. ➡ _____H_____

a. Maria leva presentes da viagem para toda família quando viaja. ➡
b. Joana e Marcos deveriam levar agasalhos na viagem para o Canadá; lá é muito frio. ➡
c. Pedro e eu queríamos comprar um pacote de viagem para um cruzeiro. ➡
d. Elise deveria passar muito protetor solar, porque o sol está forte. ➡
e. No verão chove muito na região Sudeste do Brasil. ➡
f. Todos os estrangeiros gostariam de conhecer a Chapada Diamantina. ➡

12 Escreva um conselho para cada situação descrita abaixo:

Exemplo: Joana vai para o Canadá em dezembro. ➡ *Ela deveria levar agasalhos./ Ela deve levar agasalhos.*

a. Luiz quer visitar o Rio de Janeiro, mas não tem dinheiro. ➡
b. Luana precisa comprar novos sapatos. ➡
c. Ana perdeu o passaporte. ➡
d. Quero sair e está chovendo muito. ➡

13 Escreva o que você faria diante das situações listadas a seguir. Use o futuro do pretérito.

Exemplo: Vestir-se para um jantar elegante. ➡ *Eu me vestiria com terno e gravata.*

a. Escolher uma parte do corpo para tatuar. ➡
b. Decidir se come uma comida doce ou salgada. ➡
c. Decidir se diz a verdade ou uma mentira. ➡
d. Levar apenas um objeto pessoal para uma viagem. ➡

14 Pendurar? Doar? Ou jogar fora? Diga o que fazer com as roupas / acessórios abaixo.

Exemplo: Roupas que não uso: *Doar*

a. Roupas que não servem ou precisam de ajuste:
b. Meias furadas:
c. Roupas de festa, pouco usadas, mas que ainda me servem:
d. Roupa íntima que não serve mais.
e. Sapatos que não uso e estão em bom estado:
f. Nunca usei a roupa, mas acho linda e quero usar:

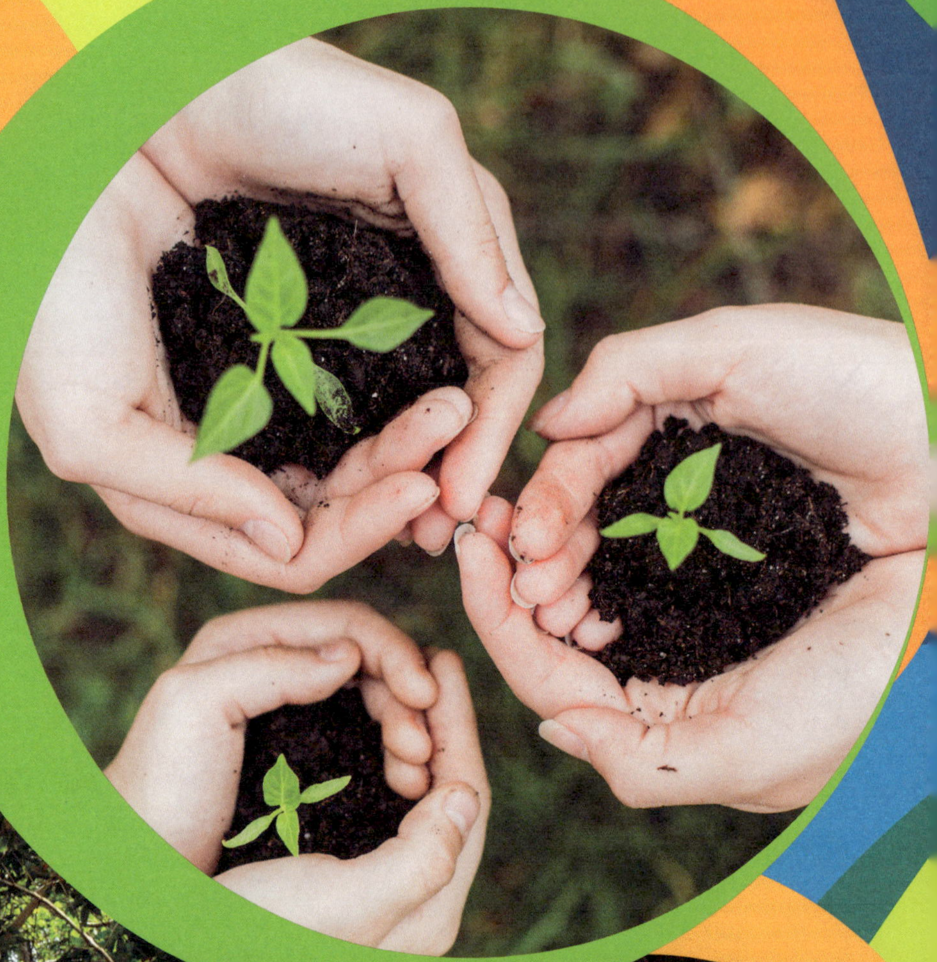

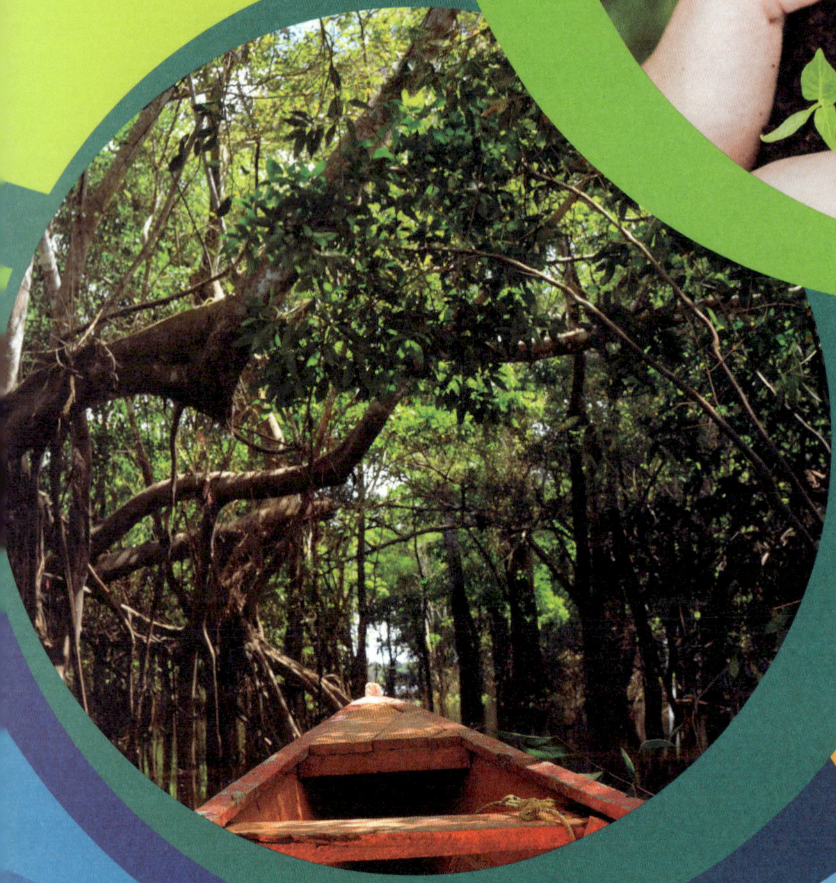

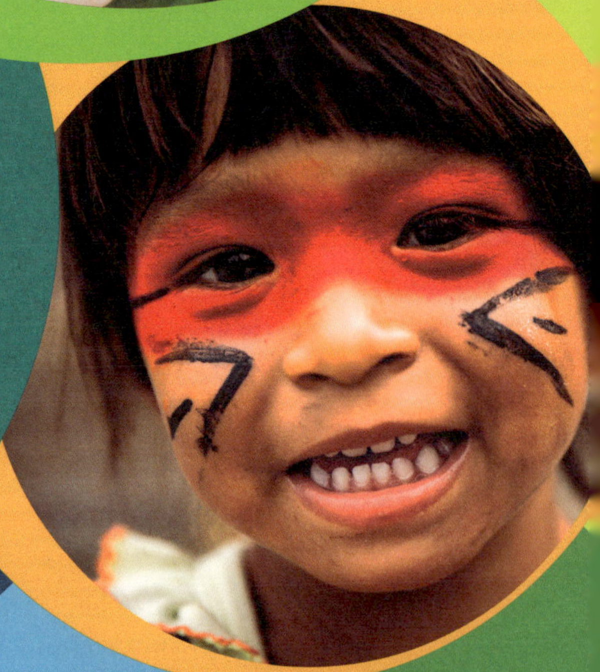

UNIDADE 9

🔊 BICHOS DO MAR

RESPONSABILIZE-SE

NESTA UNIDADE VOCÊ VAI APRENDER:
- os pronomes indefinidos
- o imperativo
- os tipos de material reciclável e não reciclável
- as expressões relacionadas ao meio ambiente
- os biomas brasileiros
- os verbos PÔR e HAVER (impessoal)
- mais números cardinais

PARA:
- discutir questões ambientais
- falar sobre ações para proteção do meio ambiente
- compreender panfletos e orientações
- propor soluções

A AMAZÔNIA DEPENDE DE NÓS

1. Observe as imagens e responda.
a. Quais elementos nas imagens acima você identifica?
b. O que você sabe sobre a Amazônia?
c. Para você, por que a Amazônia é um lugar importante? O que ela produz?
d. Como você compreende o título "Depende de nós"?
e. Na sua opinião, a Amazônia depende de nós ou nós dependemos dela?

2. Assista ao vídeo *De onde vem a água?* e responda.
a. O que são rios voadores?
b. Por que eles são importantes?

2.1. Assista ao vídeo novamente e anote as informações.
a. Qual é o volume de água dos rios da Amazônia que deságuam no oceano por dia? ____
b. Quanto de água toda a floresta joga no ar por dia? ____
c. Quantos litros de água uma árvore da Floresta Amazônica produz por dia? ____
d. Quantas árvores fazem esse trabalho? ____

3. Leia o documento ao lado e responda.
a. O que é a Amazônia Legal?
b. Em quais estados brasileiros ela está presente?
c. O que é a Amazônia Internacional? Qual sua área fora do Brasil?

4. Com a ajuda de suas ferramentas digitais busque as informações abaixo.
a. Quantas espécies animais existem na floresta?
b. Quantas pessoas vivem na Amazônia brasileira?
c. Cite o nome de três produtos extraídos da floresta.

VAMOS APRENDER MAIS NÚMEROS CARDINAIS

1.000.000	Um milhão
1.000.000.000	Um bilhão
1.000.000.000.000	Um trilhão

▶ No plural de milhão/ bilhão/ trilhão, você deve substituir a terminação -ão por -ões.

- meio ambiente
- floresta/ mata
- fauna e flora
- biodiversidade
- desmatamento
- queimada
- degradação ambiental
- preservação ambiental

▶ VAMOS MUDAR ESSA HISTÓRIA

5. Veja as imagens e responda.
a. Como você interpreta cada imagem?
b. O que elas têm em comum?

{ **VOCÊ SABE A DIFERENÇA ENTRE A AMAZÔNIA INTERNACIONAL E A LEGAL?** }

- Região Norte do Brasil
- Amazônia Brasileira/Legal
- Amazônia Internacional

Internacional
7 milhões de km^2
9 países
50% do continente sul-americano
Bioma Amazônia
Floresta equatorial

Legal
5 milhões de km^2
9 estados
59% do território brasileiro
56% da população indígena brasileira habita a região
1953 foi o ano em que se delimitou as duas áreas, no Governo Vargas. O objetivo era planejar o desenvolvimento econômico da região.

Cento e noventa e sete 197

A ECOLOGIA NO DIA A DIA

6. Leia o documento e responda.
   a. Qual o assunto do texto?
   b. A quem se destina?
   c. Qual o objetivo da Semana Lixo Zero?
   d. O que você compreende por "jogar fora"?
   e. Como você compreende a frase "não há fora"?
   f. Na sua opinião, quais assuntos vão ser debatidos no evento?
   g. Quais atitudes de preservação você pratica?

---

7. Leia as frases abaixo e responda.

O verbo haver na forma impessoal pode ter diferentes sentidos:

- *Acontecer*: **Houve** um protesto contra o uso de embalagens não recicláveis.
- *Passar/ ser exibido*: **Há** um documentário interessante sobre aquecimento global.
- *Existir*: **Há** muitas formas de reciclar o lixo residencial.

A qual dos sentidos do verbo haver você associa a frase "Não há fora"?

Na oralidade, mais informal, os brasileiros geralmente usam o verbo TER no lugar de HAVER.

Exemplos:
→ Tem uma caçamba de lixo na rua.
→ Tem muitas formas de reciclar o lixo.
→ Tem uma nova série sobre aquecimento global na TV.

VERBO HAVER (FORMA IMPESSOAL)

Um verbo impessoal sempre permanecerá na terceira pessoa do singular e não pode ser flexionado no plural.

▶ **VAMOS TESTAR SEUS CONHECIMENTOS SOBRE RECICLAGEM DE LIXO**

8. Em qual lixeira você vai pôr? Ligue cada lixo à lixeira correta e dê o nome de cada um deles.

- latas
- copo descartável
- papel higiênico
- papel
- garrafas
- lixo orgânico

PAPEL | PLÁSTICO | VIDRO | METAL | ORGÂNICO | NÃO RECICLÁVEL

VAMOS PÔR O LIXO NO LUGAR CERTO

VIDRO
▶ Garrafas, potes e frascos de alimentos e produtos de higiene e limpeza.

PAPEL
▶ Jornais, revistas, cadernos, folhas, listas telefônicas, caixas de papelão, embalagens de Tetra Pak.

PLÁSTICO
▶ Garrafas de água e refrigerantes, sacolas plásticas, embalagens de produtos de higiene e limpeza, brinquedos e utensílios de plástico.

METAL
▶ Latas de bebidas, de alimentos, panelas, (sem cabo), talheres, bacias, objetos de cobre, zinco, bronze e ferro.

RECICLÁVEIS

9. Escute o áudio e responda.

a. De que trata o áudio?
O primeiro R é _____. Dê um exemplo de prática.
➡ _____

b. O segundo R é _____. Dê um exemplo de prática.
➡ _____

c. O terceiro R é _____. Quais tipos de materiais o áudio cita?
_____

d. Qual é o quarto R? O que ele propõe? _____

e. E qual é o quinto R? Como podemos praticá-lo?
_____

10. Que outras ações podemos praticar para proteger o planeta? Em dupla, com a sugestão de verbos abaixo, crie um *flyer* para propor ações que as pessoas podem praticar em casa, na escola ou no trabalho. Vamos eleger qual é a apresentação mais criativa.

▶ reciclar ▶ reutilizar ▶ recusar ▶ reduzir ▶ economizar ▶ substituir ▶ separar ▶ proteger

Diariamente, um brasileiro produz entre 600 g e 1 kg de lixo, e por essa razão o Brasil produz 240 mil toneladas de lixo por dia. Do total de lixo produzido, 45% é reciclável, mas apenas 3% são, de fato, reciclados. No Brasil, 1 em cada 1.000 brasileiros é catador de lixo.

▶ SE VOCÊ USA TRÊS COPINHOS POR DIA, **VAI ECONOMIZAR 700 POR ANO!**

SÃO 250 ANOS PARA UM COPO SE DECOMPOR.

QUAL **HERANÇA** VOCÊ QUER DEIXAR NO **PLANETA**?

QUE TAL ADOTAR UMA **CANECA** NO TRABALHO?

LIXO OU RECURSO?
DEPENDE DE ONDE A GENTE PÕE

11. Leia a notícia e o cartaz sobre a reciclagem da lata e responda.

> Nem todo lixo é lixo. Há muitos materiais que podem ser reciclados: garrafas PET, papéis, vidros, latas de alumínio, óleo, pneus, equipamentos eletrônicos, etc. A coleta seletiva existe em apenas 18% dos municípios brasileiros, mesmo assim, o Brasil é o maior reciclador de latas de alumínio do mundo. O índice brasileiro é de mais de 97%. No Brasil, entre 30 e 60 dias, uma lata de alumínio completa seu ciclo de reciclagem. O país é campeão nesse mercado porque a demanda do produto é muito alta. Por exemplo, quase 50% da cerveja nacional é vendida em latas.

a. Por que a latinha é um lixo especial?
b. Por que o Brasil é campeão mundial de reciclagem de latas de alumínio?
c. Onde devemos descartar as latas?
d. Quais produtos você consome em latas de alumínio?
e. O que você faz com suas latas usadas?

Que embalagem é esta?

LATA DE ALUMÍNIO
É usada em que produto?

Refrigerantes, sucos, chás, energéticos e bebidas alcoólicas

O campeão mundial de reciclagem de latas de alumínio é o Brasil, com um índice de reciclagem que está próximo a 100%

Como descartar?

1. Ao terminar de consumir o conteúdo, retire toda a sobra que você conseguir.
2. Amasse as latinhas vazias se precisar de mais espaço.
3. Evite separar o anel da abertura da lata.
4. Descarte a latinha de alumínio no lixo seco ou no cesto destinado a metais (quando houver), separado do lixo orgânico.

POR QUE ESSE LIXO É ESPECIAL?

1. Alumínio (tanto a latinha quanto outros produtos) pode ser reciclado indefinidamente, sem perda de qualidade
2. Sistema de logística reversa gera renda e emprego, em especial para catadores de materiais recicláveis
3. Ciclo de vida da embalagem dura cerca de 60 dias. Ou seja, a lata comprada na prateleira do supermercado volta para a gôndola, depois de ser reciclada, em dois meses

RECICLAGEM DA LATINHA

- **97,5%** É o índice de reciclagem de latinhas de alumínio no Brasil
- **74 latinhas (350 ml)** Podem ser produzidas a partir de 1 kg de alumínio reciclado
- **95%** De economia de energia e emissões de CO_2 para a produção de latas recicláveis

Fonte: bit.ly/2UakCaD (Acesso em: 26 set. 2018.)

▶ **PARA ONDE VAI A LATINHA?**

12. Escute o áudio e marque verdadeiro (**V**) ou falso (**F**).

a. ( ) Muitos brasileiros têm como trabalho a coleta de latinhas.
b. ( ) O Brasil recicla quase 98% das latinhas que produz.
c. ( ) As latas de alumínio não são sempre recicláveis.
d. ( ) O ciclo da lata dura dois meses.
e. ( ) Reciclar as latinhas necessita mais energia do que produzir novas.
f. ( ) Os brasileiros consomem, em média, 127 latas por ano.
g. ( ) Uma das vantagens da embalagem da lata é que ela mantém a qualidade do produto por mais tempo.

12.1. Você sabe dizer outras vantagens que o áudio indica?

O MAR **NÃO TÁ** PRA PEIXE!

Papel — 3 meses
Caixa de papelão — No mínimo 6 meses
Embalagem de leite — Mais de 100 anos
Tecido — De 6 meses a 1 ano
Ponta de cigarro — De 20 a 30 anos
Chiclete — 5 anos
Madeira pintada — 13 anos
Boia de isopor — Por volta de 80 anos
Copo de plástico — Quase 100 anos
Garrafa PET — Mais de 100 anos
Latinha — Mais de 100 anos
Linha de pesca — Mais de 600 anos
Fralda descartável — Cerca de 450 anos
Lixo radioativo — Uns 250 000 anos
Vidro — Cerca de 1 milhão de anos
Pneu — Ninguém sabe ao certo

▶ **VAMOS MUDAR ESSA HISTÓRIA**

♻ RECICLAGEM NO BRASIL *

SÃO RECICLADAS **267 MIL** TONELADAS DE LATAS
2,3 MILHÕES DE UNIDADES POR HORA

A COMPRA DE LATAS USADAS MOVIMENTA **R$ 630 MILHÕES**

PAÍS RECICLA **331 MIL TONELADAS** DE GARRAFAS PET
60% DA PRODUÇÃO ANUAL

EXISTEM MAIS DE **400 EMPRESAS** DE RECICLAGEM DE PET NO BRASIL

O PET RECICLADO ESTÁ PRESENTE EM:
CAIXAS D'ÁGUA · PARA-CHOQUES DE VEÍCULOS · BANCOS DE ESTÁDIOS · ÔNIBUS · TRENS · CELULARES

*DADOS DE 2012. FONTES: ASSOCIAÇÃO BRASILEIRA DO ALUMÍNIO (ABAL), INTERNATIONAL ALUMINIUM INSTITUTE (IAI) E ASSOCIAÇÃO BRASILEIRA DA INDÚSTRIA DO PET (ABIPET).

Fonte: bit.ly/30DFX70. (Acesso em: 10 ago. 2019.)

13. Veja o panfleto ao lado, feito para conscientizar a população sobre o período de decomposição de alguns materiais, e responda.

a. Quanto tempo pode demorar para um objeto de plástico se decompor?
b. Qual material não é possível determinar seu tempo de decomposição?
c. Você sabe dizer quais materiais da lista não são recicláveis?

14. Observe as expressões de quantidade aproximada e indique qual delas expressa o tempo inferior (-), superior (+) ou próximo (+/-) ao número de referência nas frases a seguir. Exemplo: Uns 250.000 anos (próximo a 250 mil).

- Quase 100 anos. (   )
- Mais de 100 anos. (   )
- Além de 600 anos. (   )
- Por volta de 80 anos. (   )
- Cerca de 1 milhão de anos. (   )
- No mínimo 6 meses. (   )

O verbo PÔR pode ter o mesmo sentido que o verbo COLOCAR. Os outros verbos terminados em -OR têm a mesma conjugação.
Exemplo: repor, supor, compor, depor...

O acento circunflexo na forma infinitiva serve para diferenciar o verbo PÔR da preposição POR. Os verbos terminados em -OR não são acentuados no infinitivo como o verbo PÔR.

PÔR = COLOCAR

Exemplo: Onde você põe o lixo orgânico?

PRONOMES	PÔR (Presente)	PÔR (Pretérito)
Eu	po**nho**	p**us**
Você/ Ele/ Ela	põ**e**	p**ôs**
Nós	po**mos**	p**usemos**
Vocês/ Eles/ Elas	põ**em**	p**useram**

15. A exemplo da notícia da reciclagem de latas de alumínio no Brasil, escreva uma notícia sobre a reciclagem no Brasil a partir dos dados e informações do quadro acima. Dê destaque à reciclagem de garrafas PET. Não se esqueça de fazer uma introdução e uma conclusão.

EVITE O DESPERDÍCIO DE CONSCIÊNCIA

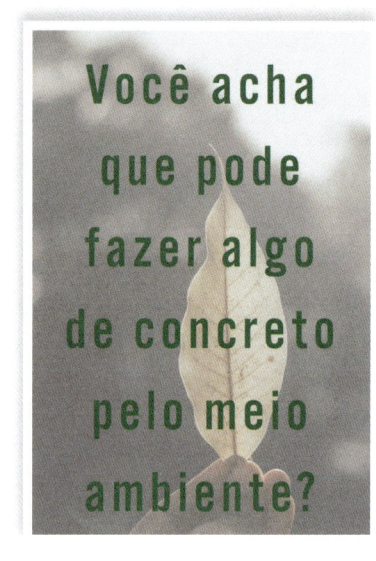

Você acha que pode fazer algo de concreto pelo meio ambiente?

▶ DOCUMENTO 1

FAÇA TUDO O QUE VOCÊ PODE

O MAIOR DE TODOS OS ERROS É NÃO FAZER NADA POR ACHAR QUE SE FAZ POUCO.

▶ DOCUMENTO 2

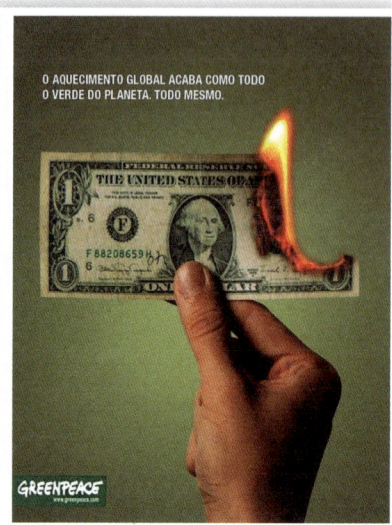

O AQUECIMENTO GLOBAL ACABA COMO TODO O VERDE DO PLANETA. TODO MESMO.

GREENPEACE
www.greenpeace.com

▶ DOCUMENTO 3

16. Leia os documentos ao lado e responda.
a. Na sua opinião, o que é "fazer algo de concreto pelo meio ambiente"?
b. O que é fazer "tudo o que pode" pelo meio ambiente?
c. Qual é a mensagem que os documentos têm em comum?
d. No documento 3, a que se refere a expressão "todo o verde do planeta, todo mesmo"? Explique.

17. Escute o áudio e responda oralmente.
a. Onde se passa o diálogo?
b. Luciana contribui com .... reais.
c. Por que ela decidiu contribuir?
d. Segundo o áudio, quem pode ajudar?
e. Desde quando Luciana é associada à ONG?
f. Em quais ambientes o grupo promove ações coletivas?
g. Por que Luciana decidiu se filiar à ONG?

18. Nas frases a seguir, associe um sentido para cada palavra em destaque.
a. "[...] acho que preciso fazer **algo** pelo meio ambiente."
b. "Não posso deixar a responsabilidade para os **outros**."
c. "**Cada um** deve fazer sua parte."
d. "[...] o maior de todos os erros é não fazer **nada**."
e. "Nós sempre encontramos **algum** ponto que precisa de ajuda."
f. "**Qualquer** um pode ajudar."
g. "As pequenas ações de **todos** fazem muita diferença."
h. "Faça **tudo** o que você pode."
i. "[...] acaba com **todo** o verde do planeta, **todo** mesmo."
j. "É uma responsabilidade de **todos**."

( ) Os indivíduos separadamente
( ) Um lugar/ uma área
( ) As pessoas
( ) Todas as ações possíveis
( ) As outras pessoas
( ) A humanidade
( ) Nenhuma ação
( ) Todas as pessoas sem exceção
( ) Alguma coisa/ alguma ação
(*i*) A parte inteira

FLORESTA EM PÉ
RESPONSABILIDADE DE TODOS

Desde o acordo do *Protocolo de Kioto* de 1997, ficou determinado que os países devem reduzir a emissão de gases poluentes na atmosfera. Dessa forma, cada país que reduz a emissão de uma tonelada desses gases recebe um crédito de carbono. Esses créditos não têm fronteiras, de forma que podem ser vendidos a países e/ ou empresas que têm metas de redução a cumprir em qualquer parte do mundo. A venda de créditos de carbono ajuda os países que não cumprem suas metas e gera renda para os países que cumprem.

Os territórios indígenas no Norte do Brasil são verdadeiras ilhas de floresta conservada e a flora da Amazônia é responsável por retirar da atmosfera cerca de 850 milhões de toneladas de CO_2 por ano. Por essa razão, hoje, as reservas e os povos indígenas que as protegem são fundamentais na preservação da floresta. A venda de créditos de carbono por esses povos, se feita de forma legalizada, pode ser um recurso importante para ampliar a autonomia das tribos, porque é uma fonte de capital para a melhoria da qualidade de vida dos índios.

Um fato que muitos desconhecem é que na Floresta Amazônica vivem 24 milhões de pessoas. Por isso, cuidar dos povos da floresta e de seus recursos é fundamental para garantir a Amazônia viva.

19. Leia o texto e responda por escrito.
a. Como uma empresa ou um país pode receber créditos de carbono?
b. Como as árvores participam desse processo?
c. Por que os índios são importantes na conservação da floresta?
d. Na sua opinião, quem é beneficiado com a venda de créditos de carbono?

Jogos Mundiais dos Povos Indígenas (JMI) é um evento internacional multiesportivo, que reúne atletas representantes de povos indígenas de diversos países. A primeira edição foi realizada em 2015, em Palmas (TO), e reuniu mais de 2 mil atletas de 30 países. Tendo como lema a união dos povos indígenas, a preservação de sua cultura e a sustentabilidade, apresentou competições em arco e flecha, arremesso de lança, cabo de guerra, corrida de tora, lutas, futebol, atletismo e xikunahati (futebol de cabeça).

Veja como foram os jogos em: bit.ly/2ly12cg (Acesso em: 26 set. 2018.)

PRONOMES ADJETIVOS INDEFINIDOS VARIÁVEIS

SINGULAR	PLURAL	INVARIÁVEL
algum/ alguma	alguns/ algumas	algo
nenhum/ nenhuma	nenhuns/ nenhumas	nada
todo/ toda	todos/ todas	tudo
pouco/ pouca	poucos/ poucas	
muito/ muita	muitos/ muitas	cada
outro/ outra	outros/ outras	ninguém
certo/ certa	certos/ certas	alguém
qualquer	quaisquer	
	vários/ várias	

Todos os pronomes adjetivos indefinidos, quando apresentam valor negativo, acompanham o advérbio **não** na oração.

*Exemplo: Eu não conheço nenhuma ONG e **não** conheço ninguém que colabora, por isso também **não** faço nada.*

Atenção: Ele tem **algum** amigo. ≠ Ele não tem amigo algum. (= nenhum)

Os plurais "nenhuns"/ "nenhumas" raramente são usados.

É UMA BOA IDEIA

SEMANA DO MEIO AMBIENTE

SEGUNDA 30 DE MAIO	TERÇA 31 DE MAIO	QUARTA 1 DE JUNHO	QUINTA 2 DE JUNHO	SEXTA 3 DE JUNHO	SÁBADO 4 DE JUNHO	DOMINGO 5 DE JUNHO
Feche A TORNEIRA AO ESCOVAR OS DENTES	*Reduza* O TEMPO DE BANHO NO CHUVEIRO ELÉTRICO	*Aproveite* CASCAS E TALOS DE FRUTAS E VEGETAIS	*Faça* TRECHOS CURTOS A PÉ OU DE BICICLETA	*Promova* UMA FEIRA DE TROCAS DE PEÇAS DE ROUPA	*Tire* OS CELULARES DA GAVETA E FAÇA A DESTINAÇÃO CORRETA	*Crie* UMA HORTA EM CASA OU NA SUA COMUNIDADE

20. Leia e responda.

a. Qual o objetivo da semana do meio ambiente?

b. Quando ela acontece?

c. Quais dessas ações você já pratica?

d. De que maneira podemos pôr em prática a ação de quarta-feira?

e. O que é uma destinação correta para celulares?

f. Que outras ações você sugere para a semana do meio ambiente?

5 DE JUNHO
DIA MUNDIAL DO MEIO AMBIENTE

21. Leia novamente o documento e responda por escrito.

a. No calendário, as orientações são expressas por meio de verbos no modo imperativo. Que outra forma verbal podemos utilizar para dar orientações?
_____

b. Os verbos do calendário correspondem a quais verbos no infinitivo? _____ - _____ - _____ - _____ - _____ - _____ - _____ .

c. Os verbos terminados em -ar no modo imperativo terminaram pela letra _____ .

d. Os verbos terminados em -er e -ir no modo imperativo terminaram pela letra _____ .

e. Agora, forme o imperativo dos verbos...
- Participar ➡ _____
- Resolver ➡ _____
- Decidir ➡ _____

UM BRASILEIRO EXTRAORDINÁRIO

Vicente José de Oliveira Muniz é um artista, fotógrafo e pintor brasileiro, que nasceu em São Paulo em 1961. Estudou Publicidade e Propaganda. Em 1983, mudou-se para Nova York, onde vive até hoje. Vik Muniz, como é conhecido o artista, utiliza em suas obras materiais como açúcar, manteiga, chocolate, ketchup e lixo. Sim! Ele transforma lixo em incríveis obras de arte. Suas obras, que utilizam materiais perecíveis, são fotografadas. As fotos do artista estão expostas em museus e galerias em Londres, Los Angeles, Madrid, Paris, Moscou e Tóquio. No Brasil, vemos suas obras no Museu de Arte Moderna (MAM) em São Paulo e no Inhotim, em Minas Gerais. Em 2010, o documentário *Lixo extraordinário* registrou o trabalho do artista com catadores de materiais recicláveis em um aterro em Duque de Caxias, no estado do Rio de Janeiro. O documentário ganhou prêmios no Festival de Sundance e no Festival de Berlim.

CADA GOTA CONTA

CONSUMO DE ÁGUA NA PRODUÇÃO DE:

- 2400 Litros / 1 Hamburguer
- 1608 Litros / KG Pão
- 3178 Litros / KG Queijo
- 4325 Litros / KG Frango
- 16000 Litros / KG Carne
- 1222 Litros / KG Arroz
- 17196 Litros / KG Chocolate
- 1259 Litros por pizza Pizza
- 132 Litros por 125 ml Café
- 255 Litros por 250 ml Leite
- 109 Litros por 125 ml Vinho
- 10000 Litros Calça jeans
- 27 Litros por 250 ml Chá

22. Leia o texto do infográfico ao lado e responda.
a. Quais alimentos consomem mais água para sua produção?
b. Quais dos itens na imagem você consome mais?
c. Para proteger o meio ambiente, que produtos devemos consumir menos?
d. Qual país tem a maior reserva de água doce do mundo?
e. De que formas podemos economizar água?

23. Em dupla, crie um calendário de atividades para a Semana da Água e um panfleto para divulgar a campanha. Use o imperativo dos verbos.

O Aquífero Guarani, a maior reserva de água doce do planeta, encontra-se no Uruguai, na Argentina, no Paraguai e principalmente no Brasil, ocupando 1.200.000 km^2.

PRONOMES	VERBOS REGULARES TERMINADOS EM -AR	VERBOS REGULARES TERMINADOS EM -ER/-IR	
Você/ Ele/ Ela	fal**e**	com**a**	abr**a**
Nós	fal**emos**	com**amos**	abr**amos**
Vocês/ Eles/ Elas	fal**em**	com**am**	abr**am**

* A formação do imperativo é feita a partir do radical da 1ª pessoa do singular no presente do indicativo.

Exemplo: Falar ➡ Eu fal**o** ➡ Fale/ Falemos/ Falem

IMPERATIVO DE ALGUNS VERBOS IRREGULARES

Ir ➡ Vá/ Vamos/ Vão
Ser ➡ Seja/ Sejamos/ Sejam
Estar ➡ Esteja/ Estejamos/ Estejam
Vir ➡ Venha/ Venhamos/ Venham
Pedir ➡ Peça/ Peçamos/ Peçam
Saber ➡ Saiba/ Saibamos/ Saibam
Ver ➡ Veja/ Vejamos/ Vejam
Pôr ➡ Ponha/ Ponhamos/ Ponham
Dar ➡ Dê/ Demos/ Deem

DIA MUNDIAL DA ÁGUA

22 DE MARÇO

OS BIOMAS BRASILEIROS

O Brasil possui 71 parques nacionais. Eles são administrados pelo Instituto Chico Mendes (ICMBio), juntamente com o Ministério do Meio Ambiente, e têm por objetivo proteger a fauna e a flora, além de receber os visitantes com qualidade e segurança. Todos os biomas possuem parques nacionais, exceto o Pampa. Os parques mais visitados são o Parque do Iguaçu, famoso pelas cachoeiras, e o Parque da Tijuca, que é o menor parque nacional do Brasil e maior floresta urbana do mundo, localizado na cidade do Rio de Janeiro.

1º	Parque Nacional da Tijuca	RJ
2º	Parque Nacional do Iguaçu	PR
3º	Parque Nacional de Jericoacoara	CE
4º	Parque Nacional dos Veadeiros	GO
5º	Parque Nacional dos Lençóis Maranhenses	MA
6º	Parque Nacional da Chapada dos Guimarães	MT
7º	Parque N. Marinho de Fernando de Noronha	PE
8º	Parque Nacional Aparados da Serra	RS e SC
9º	Parque Nacional do Pantanal	MT
10º	Parque Nacional da Chapada Diamantina	BA

24. Leia, analise o mapa e responda.

a. Qual bioma ocupa a maior parte do território brasileiro?
b. Qual é o segundo maior bioma brasileiro?
c. Em qual estado brasileiro podemos encontrar o bioma Pampa?
d. Qual o menor bioma do Brasil? Em quais estados ele fica?
d. Em qual região do Brasil encontramos o bioma Caatinga?

CACHOEIRA DE SANTA BÁRBARA – CHAPADA DOS VEADEIROS

25. Assista ao vídeo e responda às questões.

a. De que trata a reportagem?
b. Qual o bioma presente no parque?
c. Qual é a principal atração do parque?
d. Por que é importante a ampliação da área do parque?
e. Segundo o áudio, por que é importante a criação de parques nacionais?

ECOTURISMO EM CABO VERDE

Observar a desova das tartarugas marinhas é uma das grandes atrações de Cabo Verde. Vale a pena procurar uma das instituições autorizadas e ficar de plantão à noite na praia para ver o espetáculo. As tartarugas cavam o ninho na areia, põem cerca de 80 a 100 ovos, cobrem o ninho e caminham de volta ao mar, tudo bem lentamente. Mesmo proibida por lei, a carne de tartaruga é muito apreciada no arquipélago. Organizações não governamentais, associações e instituições estatais têm trabalhado para a conscientização da população, preservação da natureza, desenvolvimento comunitário e ecoturismo. As tartarugas marinhas existem há mais de 150 milhões de anos e de cada 1.000 tartarugas que nascem apenas uma chega à idade adulta. A Associação Cabo-Verdiana de Ecoturismo (ECOCV) é um exemplo de ação para o desenvolvimento sustentável dos recursos culturais e naturais de Cabo Verde.

▶ No Brasil, o Projeto TAMAR, criado em 1980, protege as tartarugas marinhas e outros animais em extinção. Com 22 postos no litoral brasileiro, nas regiões Nordeste, Sudeste e Sul, tem como base de ação a conservação e pesquisa aplicadas, a educação ambiental e o desenvolvimento local sustentável.

▶ PARA JOGAR COM A SALA TODA

Um aluno diz uma palavra sobre o tema da natureza e da ecologia, o aluno seguinte diz outra palavra que se associa à primeira e assim por diante. As palavras não podem se repetir. Quem repetir uma palavra ou falar uma palavra errada (sem relação com o tema) sai do jogo e os outros colegas continuam. Ganha o aluno que chegar até o fim.

Exemplo: mar ➡ areia ➡ água ➡ peixes ➡ baleia ➡ azul ➡ algas ➡ verde ➡ natureza ➡ árvores ➡ plantas ➡ flores ➡ etc.

QUAIS AS CINCO CIDADES BRASILEIRAS COM MAIOR NÚMERO DE ÁRVORES?

O Instituto Brasileiro de Geografia e Estatística (IBGE), em 2010, realizou um censo para saber quais são as cinco cidades mais arborizadas do Brasil, com mais de 1 milhão de habitantes.

- 1º Goiânia – GO
- 2º Campinas – SP
- 3º Belo Horizonte – MG
- 4º Porto Alegre – RS
- 5º Curitiba – PR

▶ A Rua Gonçalo de Carvalho, em Porto Alegre – RS, é considerada uma das ruas mais bonitas do mundo graças às suas árvores.

▶ Escute as palavras e marque os sons [ʎ] e [l].

	1	2	3	4	5	6	7	8	9	10
[ʎ] milho										
[l] camomila										

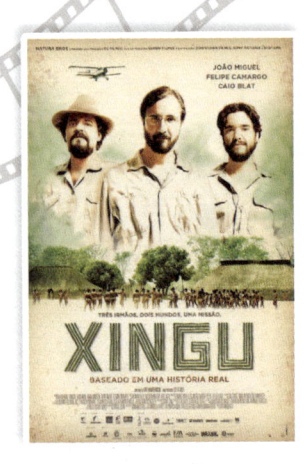

▶ **XINGU**

2011 . DRAMA/AÇÃO . 1H 43M

Conheça a história dos irmãos Villas-Bôas em sua jornada de desbravamento do Brasil. Eles entram em contato com aldeias indígenas, ajudando a defender a sua cultura e criando o Parque Nacional do Xingu.

DATA DE LANÇAMENTO: 6 de abril de 2012 (Brasil)
DIREÇÃO: Cao Hamburger
MÚSICA COMPOSTA POR: Beto Villares
DIREÇÃO DE ELENCO: Patricia Faria
PRODUÇÃO: Fernando Meirelles, Andrea Barata Ribeiro, Bel Berlinck

Fonte: bit.ly/2L1QaMJ (Acesso em: 26 set. 2018.)

ECOLOGIA

- meio ambiente
- floresta/ mata
- fauna e flora
- biodiversidade
- desmatamento
- queimada
- degradação ambiental
- preservação ambiental
- poluição
- extinção de animais

REUTILIZAR

...significa evitar que vá para o lixo aquilo que pode ser reaproveitado. Usar um produto de diferentes maneiras.

RECICLAR

...significa transformar materiais usados em matérias-primas para outros produtos.

REDUZIR

...significa evitar o desperdício, consumir menos e preferir produtos que produzem menos lixo.

RESPONSABILIZE-SE

REPENSAR

...a necessidade de consumo e os padrões de produção e descarte.

RECUSAR

...produtos que geram um impacto ambiental significativo e o consumo desnecessário.

ECOLOGIA EM AÇÃO

- contribuir
- proteger
- economizar
- reciclar
- reutilizar
- prolongar
- diminuir
- aumentar
- recusar
- substituir
- separar
- evitar

TIPOS DE MATERIAIS

- papel
- metal
- vidro
- plástico
- madeira
- pilhas e baterias
- Tetra Pak
- isopor
- alimentos
- PET

PRÁTICAS ECOLÓGICAS

- Você recicla o lixo?
- Onde você descarta os vidros?
- Quais objetos você reutiliza?
- Você economiza/ desperdiça água e energia?
- Você reaproveita algum tipo de material?
- Você recusa sacolas plásticas?
- Que ações você pratica para proteger o meio ambiente?

EXERCÍCIOS UNIDADE 9

1 Responda às perguntas utilizando o verbo pôr.

Exemplo: Você põe o lixo na lixeira correta? ➡ *Eu ponho.*

a. Os seus amigos põem protetor solar quando vão à praia? ➡ ....
b. Vocês põem a mesa para o almoço? ....
c. Os brasileiros põem farinha e pimenta na comida? ....
d. Que roupa você põe para trabalhar? ....
e. Onde você põe seus livros? ....
f. Quem põe o lixo para fora na sua casa? ....
g. Você pôs as músicas do livro *Samba* no seu celular? ....

2 Escreva os verbos na forma imperativa e forme frases conforme o exemplo a seguir.

Exemplo: Vender ➡ *Venda* ➡ *Venda seu apartamento na imobiliária São Domingos.*

a. Trocar: ➡ .... ➡ ....
b. Educar ➡ .... ➡ ....
c. Alertar ➡ .... ➡ ....
d. Evitar ➡ .... ➡ ....
e. Separar ➡ .... ➡ ....
f. Reduzir ➡ .... ➡ ....
g. Recolher ➡ .... ➡ ....
h. Pôr ➡ .... ➡ ....

3 Complete o texto com o vocabulário disponível no quadro a seguir.

▶ diminuir   ▶ repensar   ▶ lixo   ▶ reutilizar (3 x)   ▶ outra
▶ ~~reciclagem~~   ▶ todos   ▶ proteger   ▶ economizar   ▶ reduzir

A **1** *reciclagem* é um procedimento que permite **2** .... materiais de **3** .... forma. **4** .... o lixo e **5** .... o meio ambiente é dever de **6** .... No Brasil são produzidas 260.000 toneladas de **7** .... por dia. Para **8** .... a quantidade de lixo, devemos **9** .... sacolas de plástico, **10** .... copos de vidro, **11** .... água e **12** .... as necessidades de consumo.

4 Complete com os pronomes indefinidos (cada/ algo/ outro/ outra/ qualquer)

a. .... pessoa deve contribuir como pode.
b. Não deixe para .... o que é seu dever.
c. Precisamos fazer .... para mudar os índices de desmatamento da Amazônia.
d. .... pessoa pode ajudar o meio ambiente. contribuam com a reciclagem.
e. Sempre há soluções, mas não há .... melhor do que agir.
f. .... dia o planeta precisa mais de você.

5 Substitua o verbo PÔR, utilizado nas frases abaixo, por outros verbos de significado mais específico.

Exemplo: O irmão mais velho sempre põe a culpa ao irmão mais novo.
➡ **O irmão mais velho sempre atribui a culpa ao irmão mais novo.**

a. Maria pôs tempero na comida. ➡
b. Joaquim pôs a chave na porta. ➡
c. Mário Lúcio pôs toda a matéria no quadro. ➡
d. Nós pusemos o quadro na parede. ➡
e. Eles puseram o lixo na rua. ➡
f. Andrea pôs a blusa de frio. ➡

6 Reescreva as frases abaixo substituindo o verbo HAVER por outro verbo semelhante, conforme estudado nesta unidade.

Exemplo: Há muita extração ilegal de árvores nas florestas.
➡ **Acontece muita extração ilegal de árvores nas florestas.**

a. Há muitas casas coloniais no centro da cidade de Ouro Preto.

b. Muitas pessoas acreditam que não há solução para o problema do lixo radioativo.

c. Há muitas novelas brasileiras nas TVs estrangeiras.

d. Há uma manifestação no centro da cidade contra o aumento das tarifas de ônibus.

e. Não há muitas usinas de reciclagem no interior do Brasil.

f. Houve uma queimada no Cerrado da região Centro-Oeste.

g. Há muitas áreas de proteção ambiental no Brasil.

7 Veja as informações no documento abaixo e complete as frases com as expressões de aproximação adequadas:

▶ além de ▶ no máximo ▶ cerca de ▶ no mínimo ▶ mais de ▶ *até*

Papel
De 3 a 6 meses

Embalagem de leite
No mínimo 6 meses

Tecido
De 6 meses a 1 ano

Filtro de cigarro
5 anos

Chiclete
5 anos

Garrafa plástica
Mais de 100 anos

Latinha
Mais de 100 anos

Vidro
Cerca de 1 milhão de anos

Saco plástico
De 30 a 40 anos

Fonte: Companhia Municipal de Limpeza Urbana – RJ
Disponível em: bit.ly/2K36vhg (Acesso em: 23 ago. 2017.)

Exemplo: O chiclete gasta **até** *10 anos para se decompor.*

a. Muitos materiais demoram _____ 10 anos para se decompor.
b. Saco plástico e PET demoram _____ 30 anos para se decompor.
c. O filtro de cigarro gasta _____ 5 anos para se decompor.
d. A garrafa plástica gasta _____ 100 anos para se decompor.
e. O papel gasta _____ 6 meses para se decompor.

8 A partir das informações do mapa e de seus conhecimentos sobre as regiões brasileiras, complete as informações nas frases abaixo.

a. A região .... é formada quase totalmente pela Floresta Amazônica.

b. O menor bioma brasileiro é o ....

c. .... é o bioma do extremo .... do Brasil, onde as temperaturas são as mais baixas.

d. .... ocupou grande parte do território dos estados do Rio de Janeiro, Espírito Santo e São Paulo na região ....

e. A .... é um bioma adaptado para grande período de seca e altas temperaturas, que se concentra na região .... do Brasil.

f. O .... é o segundo maior bioma brasileiro em extensão, mas atualmente só existem 20% de sua constituição original.

9 Ajude a criar slogans para campanhas de proteção ao meio ambiente. Faça as frases usando o imperativo.

a. (vocês) reduzir/ consumo de água. ➡ ....

b. (vocês) não consumir/ excessivamente. ➡ ....

c. (você) fazer/ separação do lixo. ➡ ....

d. (você) evitar/ desperdício ➡ ....

e. (vocês) reutilizar/ as embalagens ➡ ....

f. (vocês) proteger/ o meio ambiente ➡ ....

10 Associe as frases abaixo às palavras da primeira coluna e descubra ações importantes para proteger o planeta.

( ) Repensar
( ) Recusar
( ) Reduzir
(a) Reutilizar
( ) Reciclar

a. Significa evitar que vá para o lixo o que pode ser reaproveitado. Usar um produto de diferentes maneiras.
b. Significa não usar produtos que geram impacto ambiental desnecessário.
c. Significa transformar materiais usados em matérias-primas para outros produtos.
d. Significa diminuir o consumo e mudar os padrões de produção e descarte.
e. Significa refletir sobre o que consome, evitando o desperdício: comprar menos e gastar menos.

11 Responda às perguntas abaixo. Sempre que possível, use um pronome indefinido.

Exemplo: Você conhece alguma associação de proteção ambiental?
Sim, algumas. A Associação de Proteção Ambiental (APAM-BR)...

a. Você conhece alguém que é associado? ....

b. Você é membro de alguma associação? ....

c. Você considera todas as atitudes de proteção ao meio ambiente importantes? ....

d. Você acha que todas as pessoas se preocupam com o meio ambiente? ....

e. Você acha que todos os meios de transportes no Brasil são poluentes? ....

f. Você acha que todas as fontes de energia do Brasil são limpas? ....

12 Complete os campos a seguir com o pronome indefinido adequado.

a. ALGUÉM X NINGUÉM
- Se **1.** _____ mostrar desejo de fazer a sua parte, todos no planeta vão sofrer as consequências.
- Quando **2.** _____ se preocupa com um problema, precisa agir logo para resolver a situação.
- Mesmo se **3.** _____ se preocupar, você precisa ajudar de alguma forma.
- Se **4.** _____ gosta de preservar a natureza, precisa demonstrar com atitudes.

b. MUITO (A)(S) X POUCO (A)(S)
- **1.** _____ contribuem para a proteção do meio ambiente.
- **2.** _____ só poluem ao invés de ajudar.
- Entre as políticas de preservação, **3.** _____ são efetivas.
- As pessoas não fazem **4.** _____ para proteger a natureza.
- As ações ambientais são **5.** _____, mas, se **6.** _____ ajudam, o resultado é eficaz.

c. TODO (A)(S) X TUDO
- **1.** _____ os biomas brasileiros estão sob ameaça de extinção. **2.** _____ isso porque alguns exploram os recursos sem se importar com as consequências no futuro.
- Para tentar resolver o problema, é importante que **3.** _____ ajudem a preservar o meio ambiente e denunciem **4.** _____ ameaça à flora e fauna.
- **5.** _____ pode ser diferente se **6.** _____ as pessoas ajudarem a preservar o meio ambiente.
- Ninguém pode resolver o problema **7.** _____, mas é importante fazer **8.** _____ para ajudar.

d. ALGUM (A)(S) X NENHUM (A)
- Quando **1.** _____ problema ambiental é identificado, devemos ligar para o IBAMA.
- É importante não desprezar **2.** _____ recurso natural.
- **3.** _____ tribo indígena deixou de participar dos Jogos Mundiais dos Povos Indígenas.
- **4.** _____ pessoas financiam projetos ambientais porque não praticam **5.** _____ ação para proteger o meio ambiente.

e. TUDO X NADA
- Se ninguém faz **1.** _____ para ajudar o meio ambiente, todos vamos ter problemas no futuro.
- Quando **2.** _____ é feito com sustentabilidade, não temos que nos preocupar com **3.** _____.
- Devemos nos preparar para **4.** _____, pois com as inúmeras adversidades climáticas **5.** _____ é inesperado.

13 Veja o documento ao lado.

A partir das informações disponíveis, você vai criar o texto para a divulgação e venda do produto. Apresente o produto, fale sobre seu processo de produção, quais são suas vantagens e crie um slogan para a venda.

214 Duzentos e quatorze

ANEXOS

- a fonética do português brasileiro
- anexos gramaticais
- tabela de conjugação
- transcrição de áudios
- respostas dos exercícios
- mapa político
- a língua portuguesa no mundo

ANEXO 1 A FONÉTICA DO PORTUGUÊS BRASILEIRO

ALFABETO

A - B - C - D - E - F - G - H - I - J - K - L - M - N - O - P - Q - R - S - T - U - V - W - X - Y - Z

TABELA FONÉTICA DO PORTUGUÊS

VOGAIS ORAIS

SÍMBOLO FONÉTICO	REPRESENTAÇÃO	USOS
[a]	A	Pato – Gato
[ə]	A	Amiga – Abraço
[e]	E / Ê	Abelha – Bebo / Você – Patê
[ɛ]	E / É	Festa – Ferro / Época – Café
[o]	O / Ô	Amor – Ovo / Vôlei – Avô
[ɔ]	O / Ó	Obra – Cola / Óculos – Avó
[i]	I / -E (final)	Igreja – Bico / Mate – Ponte
[ʊ]	U / -O (final) / -L (final)	Uva – Música / Teto – Moto / Anel – Sinal

VOGAIS NASAIS

SÍMBOLO FONÉTICO	REPRESENTAÇÃO	USOS
[ã]	Ã / AM / AN	Alemã / Bambu / Antes
[ẽ]	EM / EN	Lembrança / Dente
[õ]	OM / ON	Bombom / Ontem
[ĩ]	IM / IN	Limpo / Incrível
[ũ]	UM / UN	Um / Fundo

DITONGOS ORAIS

SÍMBOLO FONÉTICO	REPRESENTAÇÃO	USOS
[aɪ̯]	AI	Pai
[eɪ̯]	EI	Beijo – Peito
[ɛɪ̯]	EI	Colmeia – Ideia
[oɪ̯]	OI	Boi – Coisa
[ɔɪ̯]	OI	Roi
[uɪ̯]	UI / UE	Fui / Tênue
[aʊ̯]	AU	Auxílio – Automóvel
[eʊ̯]	EU	Meu – Seu
[ɛʊ̯]	ÉU	Céu – Chapéu
[oʊ̯]	OU	Outono
[iʊ̯]	IU	Caiu – Partiu
[ɪ̯ə/ ɪ̯a]	IA	Itália – Ciência
[ɪ̯u/ ɪ̯o]	IO	Diário – Ódio
[u̯ə/ u̯a]	UA	Estátua – Tábua

DITONGOS NASAIS

SÍMBOLO FONÉTICO	REPRESENTAÇÃO	USOS
[ãj]	ÃI / ÃE	Cãibra / Mãe
[ẽj]	EM / EN	Trem / Mente
[ãʊ]	ÃO / AM	Mão / Cantam
[õj]	ÕE	Compõe
[ũj]	UI / UE	Muito

CONSOANTES		
SÍMBOLO FONÉTICO	REPRESENTAÇÃO	USOS
[p]	P	Papai
[b]	B	Boneca Cabo
[t]	T	Tatu
[tʃ]	T	Tinta Pente
[d]	D	Dado
[dʒ]	D	Dia Parede
[k]	Ca Co Cu QUi QUe	Casa Comida Curto Quibe Quente
[g]	Ga Go Gu GUi GUe	Gato Gota Gula Guitarra Guerra
[f]	F	Faca
[v]	V	Vaca
[z]	-S- Z- -Z- EX-	Casa Zebra Fazenda Exame
[ʃ]	CH X- -X-	Chuva Xícara Enxergar
[ʒ]	J Ge Gi	Janela Gelo Girafa
[m]	M	Mulher
[n]	N	Nadar
[ɲ]	NH	Farinha
[l]	L	Luz
[ʎ]	LH	Velho
[h]	R- -RR- -R -R-	Rato Carro Amor Honra/ Carta
[ɾ]	-R-	Caro
[s]	S- Ce Ci	Sal Céu Cidade

A - a   J - jota   S - esse
B - bê   K - cá   T - tê
C - cê   L - ele   U - u
D - dê   M - eme   V - vê
E - é ou ê   N - ene   W - dáblio
F - efe   O - ó ou ô   X - xis
G - gê   P - pê   Y - ípsilon
H - agá   Q - quê   Z - zê
I - i   R - erre

Pontuação

. ponto final   ? interrogação
, vírgula   ! exclamação
; ponto e vírgula   ( ) parênteses
: dois pontos   ' apóstrofo
– travessão   " aspas
- hífen   * asterisco

ACENTOS GRÁFICOS

▶ O **acento agudo (´)** marca a vogal tônica **a**, **i** e **u** e as vogais tônicas abertas **e** e **o**.

Exemplos: água, fantástico, gambá
índice, legível, açaí
último, açúcar, país.

▶ O **acento grave (`)** serve para indicar a crase: a contração da preposição **a** com o artigo **a (s)** ou pronome iniciado com a letra **a.**

Exemplos: Nós vamos à escola/ àquela escola.
Eles chegaram ao cinema/ àquele cinema em frente ao restaurante italiano.

▶ O **acento circunflexo (^)** marca a vogal tônica fechada. As letras que recebem o acento circunflexo são **a**, **e** e **o**.

Exemplos: ângulo, atlântico, português, ciência, gêmeo, patrimônio, vovô.

▶ O **til (~)** é uma marca de nasalização das vogais **a** e **o**.

Exemplos: maçã, mão, põe, campeões, pães, irmãos.

▶ A **cedilha** colocada debaixo da letra **c** faz com que esta tenha o som de **ss** antes de **a**, **o** e **u**.

Exemplo: lançar, almoço, açúcar.

ANEXO 2 ANEXOS GRAMATICAIS

I. ESTRUTURA BÁSICA DA FRASE

TIPO DE FRASE	ESTRUTURA	EXEMPLO
Afirmativa	Pronome pessoal + verbo + complemento da frase	Ele se chama João.
Negativa	Pronome pessoal + não + verbo + complemento da frase	Ele não se chama Carlos.
Interrogativa	Palavra interrogativa + pronome pessoal + verbo? Pronome (s) + verbo + complemento da frase?	Como ele se chama? Ele se chama Carlos?

II. ARTIGOS DEFINIDOS E INDEFINIDOS

O artigo é a palavra que vem antes do substantivo e que define gênero e número. Pode generalizar ou particularizar o substantivo que determina.

ARTIGOS	SINGULAR	PLURAL
Definidos	o (masculino)/ a (feminino)	os (masculino)/ as (feminino)
Indefinidos	um (masculino)/ uma (feminino)	uns (masculino)/ umas (feminino)

III. SUBSTANTIVOS

Substantivo é a palavra que nomeia tudo que existe ou pode existir.
Os substantivos apresentam flexão de gênero, número e grau.

GÊNERO				
Masculino	o menino	o tempo	o amor	o gato
Feminino	a menina	a temperatura	a paz	a gata

NÚMERO							
Singular	o menino	o sinal	o amor	o cartaz	o homem	o limão	a mão	o pão
Plural	os meninos	os sinais	os amores	os cartazes	os homens	os limões	as mãos	os pães

* as palavras oxítonas terminadas em **-l** fazem o plural em **-is** (o sinal/ os sinais)

*as palavras paroxítonas terminadas em **-l** fazem o plural em **-eis** (o túnel/ os túneis)

*as palavras oxítonas terminadas em **-s** formam o plural em **-ses** (o país/ os países)

GRAU	ANALÍTICO	SINTÉTICO
Aumentativo	Casa grande	Casarão
Diminutivo	Casa pequena	Casinha

O grau **analítico** é formado pelo uso de adjetivos.
O grau **sintético** é formado pelo uso de sufixos.

▶ FORMAÇÃO DE FEMININO

SUBSTANTIVO	MASCULINO	FEMININO	REGRA
Menino	o menino	a menina	-o final ➡ -a
Professor Espanhol Chinês	o professor o espanhol o chinês	a professora a espanhola a chinesa	Palavras terminadas em -r, -l, -s formam o feminino acrescentando-se a letra -a.
Chefe Estudante Canadense	o chefe o estudante o canadense	a chefe a estudante a canadense	Palavras terminadas em -e, -nte e -ense mudam apenas o artigo (determinante).
Cidadão	o cidadão	a cidadã	As palavras terminadas em -ão, geralmente, formam o feminino com -ã.
Ator	o ator	a atriz	irregular

IV. ADJETIVOS

O adjetivo é a palavra que modifica o substantivo por meio da atribuição de características materiais, psicológicas, de qualidade, defeito, tamanho, cor, textura e aparência. Como os substantivos, os adjetivos podem variar em gênero, número e grau.

ADJETIVOS	SIMPLES	COMPOSTOS	UNIFORMES (MASC./FEM.)	BIFORMES
	feliz/ triste/ novo/ velho	azul-claro/ sociocultural	quente/ alegre/ sensual	bonito (a)/ belo (a)

V. PRONOMES

O pronome é uma palavra que pode substituir outra palavra, expressão ou oração. Pode determinar ou indeterminar outra palavra, questionar e localizar no tempo e no espaço as pessoas e coisas às quais se refere.

▶ PRONOMES PESSOAIS

Os pronomes pessoais se referem às pessoas gramaticais ou pessoas do discurso. Podem ser retos (sujeito), oblíquos (complemento) ou de tratamento.

RETOS	OBLÍQUOS ÁTONOS	OBLÍQUOS TÔNICOS
SINGULAR: 1ª pessoa – EU 2ª pessoa – TU 3ª pessoa – ELE/ ELA	me te se, lhe, o, a	mim, comigo ti, contigo si, consigo
PLURAL: 1ª pessoa – NÓS 2ª pessoa – VÓS 3ª pessoa – ELES/ ELAS	nos vos se, lhes, os, as	conosco convosco si, consigo

▶ PRONOMES DE TRATAMENTO

Pronomes empregados no trato com as pessoas.

- Você/ Vocês (informal)
- Seu/ Dona
- O senhor (sr.)/
  A senhora (sra.) (formal)

O pronome de tratamento "você" é usado na maior parte das regiões brasileiras e, embora substitua o pronome "tu", conjuga os verbos na terceira pessoa do singular. A expressão "a gente", na linguagem coloquial, substitui o pronome pessoal do caso reto da 1ª pessoa do plural (nós).

▶ PRONOMES POSSESSIVOS

Os pronomes possessivos estabelecem ideia de posse.

POSSESSIVOS			
1ª pessoa singular	meu, minha, meus, minhas	1ª pessoa plural	nosso, nossa, nossos, nossas
2ª pessoa singular	teu, tua, teus, tuas*	2ª pessoa plural	vosso, vossa, vossos, vossas**
3ª pessoa singular	seu, sua, seus, suas, dele, dela***	3ª pessoa plural	seu, sua, seus, suas, deles, delas***

* são usados em algumas regiões do Brasil
** não são usados na linguagem oral/ informal
*** são colocados depois do substantivo (*Exemplo: O carro dele é azul.*)

▶ PRONOMES DEMONSTRATIVOS

Os pronomes demonstrativos determinam a posição relativa de pessoas, coisas, orações e assuntos no espaço e no tempo.

	DEMONSTRATIVOS	ADVÉRBIOS DE LUGAR
1ª pessoa	este, esta, estes, estas; isto	Aqui
2ª pessoa	esse, essa, esses, essas; isso	Aí
3ª pessoa	aquele, aquela, aqueles, aquelas; aquilo	Lá, Ali

O pronome demonstrativo "isso" pode ser usado com o valor afirmativo de "sim", de concordância.
➡ Isso. Isso mesmo.

Advérbios de lugar

Aqui ➡ onde está o falante
Aí ➡ onde está a pessoa com quem se fala
Lá/ ali ➡ lugar longe do falante e da pessoa com quem se fala

▶ PRONOMES INDEFINIDOS

Os pronomes indefinidos indeterminam e imprecisam os nomes que acompanham. Podem ser variáveis e invariáveis.

INDEFINIDOS VARIÁVEIS			
SINGULAR		PLURAL	
Masculino	Feminino	Masculino	Feminino
Algum	Alguma	Alguns	Algumas
Nenhum	Nenhuma		
Todo	Toda	Todos	Todas
Tanto	Tanta	Tantos	Tantas
Muito	Muita	Muitos	Muitas
Pouco	Pouca	Poucos	Poucas
Outro	Outra	Outros	Outras

INDEFINIDOS INVARIÁVEIS		
Pessoas	Alguém	Ninguém
Coisas	Tudo	Nada

Locuções pronominais indefinidas
cada um, cada qual, alguns poucos, qualquer um, tal e qual, todo aquele, uma ou outra, seja quem for, seja qual for, etc.

▶ FORMAS INTERROGATIVAS (PRONOMES E ADVÉRBIOS)

As formas interrogativas estabelecem uma pergunta e podem ser variáveis ou invariáveis.

FORMA	INDICAÇÃO
Qual/ quais?	a escolha de algo
O quê?	sobre algo ou um fato
Quem?	a pessoa
Quando?*	o tempo
Quanto?	a quantidade/ o preço
Onde/ aonde?*	lugar
Como?*	a maneira/ a forma
Por quê?	o motivo/ a causa

*advérbios

Cadê?

O pronome "cadê" é muito usado oralmente. É derivado da expressão *o que é feito de?* Demanda localização.

➡ *Cadê* meu dicionário de português?

▶ PRONOMES RELATIVOS

Os pronomes relativos estabelecem uma relação sintática e semântica com o termo antecedente a que se referem, evitando a sua repetição. Podem ser variáveis ou invariáveis.

PRONOMES RELATIVOS VARIÁVEIS			PRONOMES RELATIVOS INVARIÁVEIS
(concordam com o antecedente)		(concordam com o subsequente; nunca são seguidos de artigo)	Que Quem Onde Quando Como
O qual/ a qual Os quais/ as quais	Quanto/ quanta Quantos/quantas	Cujo/ cuja Cujos/ cujas	

VI. NUMERAL

▶ NÚMEROS CARDINAIS E ORDINAIS

Os números cardinais expressam números inteiros.
Os números ordinais são aqueles que expressam ordem ou posição em relação a outro numeral.

NÚMEROS CARDINAIS	NÚMEROS ORDINAIS	NÚMEROS CARDINAIS	NÚMEROS ORDINAIS
Zero	-		
Um/ uma	Primeiro (a)	Treze	Décimo (a) terceiro (a)
Dois/ duas	Segundo (a)	Quatorze	Décimo (a) quarto (a)
Três	Terceiro (a)	Quinze	Décimo (a) quinto (a)
Quatro	Quarto (a)	Vinte	Vigésimo (a)
Cinco	Quinto (a)	Trinta	Trigésimo (a)
Seis	Sexto (a)	Quarenta	Quadragésimo (a)
Sete	Sétimo (a)	Cinquenta	Quinquagésimo (a)
Oito	Oitavo (a)	Sessenta	Sexagésimo (a)
Nove	Nono (a)	Setenta	Septuagésimo (a)
Dez	Décimo (a)	Oitenta	Octogésimo (a)
Onze	Décimo (a) primeiro (a)	Noventa	Nonagésimo (a)
Doze	Décimo (a) segundo (a)	Cem	Centésimo (a)

NÚMEROS CARDINAIS: CENTENAS
100 – cem/ cento
200 – duzentos/ duzentas
300 – trezentos/ trezentas
400 – quatrocentos/ quatrocentas
500 – quinhentos/ quinhentas
600 – seiscentos/ seiscentas
700 – setecentos/ setecentas
800 – oitocentos/ oitocentas
900 – novecentos/ novecentas

ATENÇÃO: Na leitura ou na escrita dos cardinais por extenso, separam-se as centenas das dezenas, as centenas das unidades e as dezenas das unidades pela conjunção **e.** As centenas de duzentos a novecentos concordam em gênero com o substantivo. O número "**cem**" acrescido de qualquer unidade torna-se **cento**.

Exemplos:
- 123 – cento e vinte e três
- 247 – duzentos e quarenta e sete livros/ duzentas e quarenta e sete revistas
- 400 – quatrocentos homens/ quatrocentas mulheres
- 501 – quinhentos e um/quinhentas e uma

▶ **NÚMEROS FRACIONÁRIOS**

Fracionários indicam que um número representa fração de outro: meio/ metade, terço, quarto, quinto, sexto, sétimo, oitavo, nono, décimo, onze avos, doze avos, treze avos... vinte e um avos... trinta e dois avos...

VII. CONJUNÇÕES

Conjunção é a palavra invariável que une e relaciona dois termos ou orações.

SUBCLASSIFICAÇÃO E SENTIDO	CONJUNÇÃO	LOCUÇÕES CONJUNTIVAS E CORRELATIVAS
Aditivas (indicam adição)	e/ também/ nem	não só... mas também/ não só... como também/ tanto... como
Adversativas (indicam oposição)	mas/ porém/ contudo/ todavia/ entretanto	no entanto/ não obstante/ de outra sorte/ ao passo que
Alternativas (expressam alternância)	ou	ou... ou/ ora... ora/ quer... quer/ seja... seja/ nem... nem
Conclusivas (expressam conclusão ou consequência lógica)	logo/ então/ portanto/ pois	por consequência/ por conseguinte/ pelo que
Explicativas (justificam o conteúdo da oração que sucedem)	que/ porquanto/ porque/ pois	
Causais (expressam causa)	porque/ pois/ porquanto/ como/ que	pois que/ por isso/ que/ já que/ uma vez que/ visto que/ visto como
Condicionais (expressam condição)	se/ caso	a menos que/ a não ser que/contanto que/ dado que/ exceto que/ no caso de (que)/ se não
Conformativas (expressam conformidade)	conforme/ consoante/ segundo	
Concessivas (expressam concessão)	embora/ conquanto/ que	ainda que/ mesmo que/ se bem que/ por mais que/ por menos que/ apesar de
Comparativas (expressam comparação)	como/ que/ qual	do que/ assim como/ também/ bem como/ mais... do que/ menos... do que/ tão/ tanto... como/ tanto... quanto/ como se/ que nem

SUBCLASSIFICAÇÃO E SENTIDO	CONJUNÇÃO	LOCUÇÕES CONJUNTIVAS E CORRELATIVAS
Consecutivas (expressam consequência)	tal... que/ tão... que/ tanto... que	de maneira que/ de forma que/ de modo que/ de sorte que
Temporais (expressam tempo)	quando/ enquanto/ mal/ que	antes que/ depois que/ logo que/ assim que/ desde que/ até que
Finais (expressam finalidade)	que	para que/ a fim de/ com o propósito de/ com a finalidade de
Proporcionais (expressam proporção)		à proporção que/ à medida que
Integrantes (integram complementos)	que/ se	

VIII. PREPOSIÇÕES

Preposição é a palavra invariável que une e relaciona dois termos. Qualquer preposição pede complemento. Uma mesma preposição pode denotar diferentes sentidos.

Preposições essenciais: a, ante, após, até, com, contra, de, desde, em, entre, para, perante, por, sem, sob, sobre, trás.

Locuções prepositivas: abaixo de, acerca de, acima de, adiante de, a fim de, além de, antes de, ao lado de, ao redor de, apesar de, a respeito de, através de, de acordo com, debaixo de, em frente de/a, perto de, por cima de, por entre, em lugar de, junto a.

PREPOSIÇÃO EM + ARTIGO		PREPOSIÇÃO POR + ARTIGO		PREPOSIÇÃO A + ARTIGO		PREPOSIÇÃO DE + ARTIGO	
EM + A	Na	POR + A	Pela	A + A	À	DE + A	Da
EM + O	No	POR + O	Pelo	A + O	Ao	DE + O	Do
EM + AS	Nas	POR + AS	Pelas	A + AS	Às	DE + AS	Das
EM + OS	Nos	POR + OS	Pelos	A + OS	Aos	DE + OS	Dos

A preposição **para** não faz contração com artigos formalmente, e sofre contração com os artigos na língua oral = pro/ pros/ pra/ pras.

PREPOSIÇÃO EM + DEMONSTRATIVO		PREPOSIÇÃO DE + DEMONSTRATIVO		PREPOSIÇÃO A + DEMONSTRATIVO	
EM + ESTE	Neste, nesta, nestes, nestas	DE + ESTE/ ESTA/ ESTES/ ESTAS	Deste/ desta/ destes/ destas	A + AQUELE	Àquele
EM + ESSE	Nesse, nessa, nesses, nessas	DE + ESSE/ ESSA/ ESSES/ ESSAS	Desse/ dessa/ desses/ dessas	A + AQUELA	Àquela
				A + AQUELES	Àqueles
EM + AQUELE	Naquele, naquela, naqueles, naquelas	DE + AQUELE/ AQUELA/ AQUELES/ AQUELAS	Daquele/ daquela/ daqueles/ daquelas	A + AQUELAS	Àquelas

IX. ADVÉRBIOS

O advérbio é a palavra que geralmente expressa circunstância. Pode modificar um verbo, um adjetivo ou outro advérbio.

ADVÉRBIO	
Afirmação	sim, certamente, realmente, de fato, com certeza, deveras
Assunto	expressões iniciadas por "sobre" ou "de"
Causa	expressões iniciadas por "de", "com", "por"
Companhia	expressões iniciadas por "com"
Dúvida	acaso, talvez, possivelmente, provavelmente, porventura
Finalidade	expressões iniciadas por "a", "em" ou "para"
Instrumento	expressões iniciadas por "com" ou "a"
Intensidade	muito, bastante, pouco, demais, meio, assaz, demasiado
Lugar	aqui, ali, perto, longe, fora, dentro, acima, abaixo, atrás, em frente
Meio	expressões iniciadas por a ou de
Modo	assim, bem, mal, depressa, rapidamente, tranquilamente, violentamente
Negação	não, absolutamente, tampouco
Tempo	Agora, amanhã, antes, brevemente, cedo, depois, já, nunca, jamais, diariamente, sempre

▶ GRAU DO ADVÉRBIO

COMPARATIVOS		
IGUALDADE	SUPERIORIDADE	INFERIORIDADE
Açúcar é tão doce quanto mel. (tão + adjetivo + quanto) (para associar à intensidade)	Dormir bem é mais importante (do) que meditar. (mais + adjetivo + que/ do que)	Meditar é menos importante (do) que se exercitar. (menos + adjetivo + que/ do que)
a. Ele gasta tanta energia quanto consome. b. Ele bebe tanto suco quanto água de coco. c. Ele bebe tanto suco quanto Jussara. d. Nós comemos tantas frutas quanto você. e. Lucas tem tantos livros quanto discos. (verbo + tanta/ as – tanto/ os + substantivo + quanto)	Eu como mais pão (do) que frutas. (mais + substantivo + que/ do que)	Os brasileiros bebem menos chá (do) que os ingleses. (menos + substantivo + que/ do que)
Açúcar adoça tanto quanto mel. (verbo + tanto quanto) (Para associar similaridade/ funcionalidade)	Nós falamos mais do que escrevemos. (verbo + mais que/ do que)	Eu me exercito menos do que durmo. (verbo + menos que/ do que)

ATENÇÃO!	SUPERIORIDADE
Bom	melhor (do) que
Mal/ mau/ ruim	pior (do) que
Pequeno	menor (do) que
Grande	maior (do) que

SUPERLATIVO RELATIVO		
ADJETIVO	SUPERIORIDADE	INFERIORIDADE
Pesado	O mais pesado/ pesadíssimo	O menos pesado
Grande	O maior	O menor
Bom	O melhor	O pior
Mau	O pior	O menos pior

X. VERBOS

O verbo expressa um fato, um acontecimento.

▶ MODOS VERBAIS

- Indicativo (expressa certeza, realidade)
- Subjuntivo (expressa dúvida, incerteza, desejo, possibilidade)
- Imperativo (expressa ordem, pedido, súplica, proibição)

TEMPO VERBAL	MODO INDICATIVO
Presente	Indica o momento em que um fato é anunciado, isto é, o "agora". Indica hábito ou uma verdade geral.
Pretérito perfeito simples	Indica fato concluído em um momento preciso no passado, com uma duração limitada.
Pretérito perfeito composto	Indica ação ou reação que iniciou em um passado recente e continua no presente.
Pretérito imperfeito	Indica uma situação, uma descrição ou um hábito no passado.
Pretérito mais-que-perfeito simples e composto	Indica um fato concluído no passado antes de outro fato passado.
Futuro do presente	Indica um fato em um futuro próximo ou distante do momento presente.
Futuro do pretérito	Indica um desejo, um conselho ou uma forma polida de pedir algo. Indica um fato condicionado a outro.

▶ AS FORMAS NOMINAIS DOS VERBOS

As formas nominais dos verbos são: infinitivo, gerúndio e particípio. Embora se pareçam com tempos verbais, podem assumir outras funções.

FORMA NOMINAL	CARACTERÍSTICA	EXEMPLO
Infinitivo	Pode apresentar flexão de pessoa e número na forma pessoal. Na forma impessoal não flexiona.	É importante trabalharmos com aquilo que amamos.
Gerúndio	Não apresenta flexão	Ela vive esquecendo o celular em casa.
Particípio	Apresenta flexão de gênero e número	As mulheres estão angustiadas.

▶ OS VERBOS AUXILIARES

Os verbos auxiliares antecedem o verbo principal (na forma nominal) e auxiliam na conjugação. Os verbos auxiliares mais comuns são: **ter**, **haver**, **ser** e **estar**.

INFINITIVO

Na língua portuguesa o infinitivo pode ser conjugado concordando com o sujeito. Ele é descrito em duas formas: pessoal e impessoal. A forma pessoal é usada quando o sujeito da oração principal é diferente do sujeito cujo verbo está na forma infinitiva. A forma impessoal não se refere a um sujeito, por isso não flexiona.

GERÚNDIO

O gerúndio desempenha a função de advérbio ou de adjetivo. Usamos o gerúndio para indicar modo e circunstância de tempo e para expressar ação simultânea ou contínua.

MODO	Ela lia, sorrindo, a carta do namorado. ➡ Ela lia, com um sorriso no rosto, a carta do namorado.
TEMPO	Saindo do cinema, fomos jantar em um bom restaurante. ➡ Quando saímos do cinema, fomos jantar em um bom restaurante.
SIMULTANEIDADE	Estudo ouvindo música. ➡ Estudo enquanto ouço música.
CONTINUIDADE	O homem está vendendo pipoca. (Frases no presente contínuo)

Formação do gerúndio:

Verbo no infinitivo sem o r + o final -NDO

Exemplos: falar ➡ falando

comer ➡ comendo

dormir ➡ dormindo

pôr ➡ pondo

ser ➡ sendo

ir ➡ indo

PARTICÍPIO

O particípio de um verbo é usado em formas verbais compostas, neste caso invariável, ou como adjetivo concordando em gênero e número com o sujeito. O particípio passado dos verbos de 1ª conjugação (-AR) termina em -ado e o particípio dos verbos de 2ª e 3ª conjugação (-ER e -IR) termina em -ido.

Amar ➡ am**ado**   Beber ➡ beb**ido**   Partir ➡ part**ido**

PARTICÍPIOS IRREGULARES					
INFINITIVO	PARTICÍPIO	INFINITIVO	PARTICÍPIO	INFINITIVO	PARTICÍPIO
fazer	**feito**	pôr	**posto**	trazer	**trago**
descobrir	**descoberto**	abrir	**aberto**	escrever	**escrito**
ver	**visto**	dizer	**dito**	vir	**vindo**

No caso de verbos que apresentam duas formas de particípio, a forma regular (-ado/-ido) é usada em tempos verbais compostos nos quais o verbo auxiliar é TER ou HAVER. A forma irregular é usada como adjetivo e pode acompanhar os verbos auxiliares SER e ESTAR.

INFINITIVO	PARTICÍPIO REGULAR	PARTICÍPIO IRREGULAR
aceitar	aceitado	aceito
acender	acendido	aceso
corrigir	corrigido	correto
eleger	elegido	eleito
entregar	entregado	entregue
enxugar	enxugado	enxuto
expressar/ exprimir	expressado	expresso
extinguir	extinguido	extinto
fixar	fixado	fixo
fritar	fritado	frito
ganhar	ganhado	ganho

INFINITIVO	PARTICÍPIO REGULAR	PARTICÍPIO IRREGULAR
gastar	gastado	gasto
imprimir	imprimido	impresso
limpar	limpado	limpo
matar	matado	morto
morrer	morrido	morto
pagar	pagado	pago
pegar	pegado	pego
prender	prendido	preso
salvar	salvado	salvo
segurar	segurado	seguro
sujar	sujado	sujo
suspender	suspendido	suspenso

REGÊNCIA NOMINAL		
acostumado a	doutor em	indigno de
anterior a	dúvida acerca de/ sobre/ em	indispensável para/ a/ em
afeiçoado (a)/ por	essencial para	insensível a
atento (a)/ em	estranho a	necessário a

REGÊNCIA NOMINAL

amoroso com	fácil a/ para/ de	negligente em
bom para	falho em	nocivo a
bacharel em	favorável a	obediente a
capaz de	feliz com/ de/ em/ por	orgulhoso com/ de
certo de	fiel a	parecido a/ com
comum a	furioso com/ de	possível de
contente com/de/em/por	grato a	preferível a
contrário a	hábil em	próprio para/ de
cuidadoso com	habituado a	responsável por/ de
curioso de/ com	idêntico a	sensível a
desejoso de	incompatível com	situado em
desfavorável a	indiferente a	suspeito de

REGÊNCIA VERBAL

ir a/ para	vir de/ a/ para/ até	se inscrever em
chegar a	sonhar com	passar por
gostar de	falar de/ com/ a	continuar a
pensar em	estar em	impedir de
preocupar com	ser de	evitar de
competir com/ em	morar em	se habituar a
sair de	concordar com	propor de
entrar em	concorrer a/ em	sugerir de
esforçar-se em	obrigar-se a	consentir em
aprender a	ameaçar de	ensinar a
prestar atenção em	forçar a	exitar em
insistir em	renunciar a	visar a
começar a	pedir para	cuidar de
incitar a	proibir de	esquecer de
acabar de	terminar de	discutir com/ sobre

ABREVIAÇÕES USADAS NOS TEXTOS DIGITAIS

ABREVIAÇÕES	SIGNIFICADO	ABREVIAÇÕES	SIGNIFICADO	ABREVIAÇÕES	SIGNIFICADO
abç (s)	abraço (s)	kd	cadê	rs	risos
bm	bem; bom	mto	muito	tb/ tbm	também
bj/ bjo(s)	beijo (s)	ngm	ninguém	td	tudo
blz	beleza	ñ/ nem	não	vc	você
c	com	pq	porque	vcs/ v6	vocês
d+	demais	q	que	vlw	valeu
fds	fim de semana	qq	qualquer	xau	tchau
hehe/ kkkkk	risada	qd	quando	cmg	comigo
hj	hoje	qt	quanto	ctz	certeza
gnt	gente	msg	mensagem	obg	obrigado (a)

ANEXO 3
TABELA DE CONJUGAÇÃO

MODO INDICATIVO E IMPERATIVO AFIRMATIVO — CONJUGAÇÃO

INFINITIVO	PRESENTE	PRETÉRITO PERFEITO	PRETÉRITO IMPERFEITO	PRETÉRITO-MAIS-QUE-PERFEITO	FUTURO	FUTURO DO PRETÉRITO	IMPERATIVO AFIRMATIVO
Amar Regular - 1ª conjugação	eu amo tu amas ele ama nós amamos vós amais eles amam	eu amei tu amaste ele amou nós amamos vós amastes eles amaram	eu amava tu amavas ele amava nós amávamos vós amáveis eles amavam	eu amara tu amaras ele amara nós amáramos vós amáreis eles amaram	eu amarei tu amarás ele amará nós amaremos vós amareis eles amarão	eu amaria tu amarias ele amaria nós amaríamos vós amaríeis eles amariam	- (tu) ama (ele) ame (nós) amemos (vós) amai (eles) amem
Beber Regular - 2ª conjugação	eu bebo tu bebes ele bebe nós bebemos vós bebeis eles bebem	eu bebi tu bebeste ele bebeu nós bebemos vós bebestes eles beberam	eu bebia tu bebias ele bebia nós bebíamos vós bebíeis eles bebiam	eu bebera tu beberas ele bebera nós bebêramos vós bebêreis eles beberam	eu beberei tu beberás ele beberá nós beberemos vós bebereis eles beberão	eu beberia tu beberias ele beberia nós beberíamos vós beberíeis eles beberiam	- (tu) bebe (ele) beba (nós) bebamos (vós) bebei (eles) bebam
Partir Regular - 3ª conjugação	eu parto tu partes ele parte nós partimos vós partis eles partem	eu parti tu partiste ele partiu nós partimos vós partistes eles partiram	eu partia tu partias ele partia nós partíamos vós partíeis eles partiam	eu partira tu partiras ele partira nós partíramos vós partíreis eles partiram	eu partirei tu partirás ele partirá nós partiremos vós partireis eles partirão	eu partiria tu partirias ele partiria nós partiríamos vós partiríeis eles partiriam	- (tu) parte (ele) parta (nós) partamos (vós) parti (eles) partam
Ser	eu sou tu és ele é nós somos vós sois eles são	eu fui tu foste ele foi nós fomos vós fostes eles foram	eu era tu eras ele era nós éramos vós éreis eles eram	eu fora tu foras ele fora nós fôramos vós fôreis eles foram	eu serei tu serás ele será nós seremos vós sereis eles serão	eu seria tu serias ele seria nós seríamos vós seríeis eles seriam	- (tu) sê (ele) seja (nós) sejamos (vós) sede (eles) sejam
Estar	eu estou tu estás ele está nós estamos vós estais eles estão	eu estive tu estiveste ele esteve nós estivemos vós estivestes eles estiveram	eu estava tu estavas ele estava nós estávamos vós estáveis eles estavam	eu estivera tu estiveras ele estivera nós estivéramos vós estivéreis eles estiveram	eu estarei tu estarás ele estará nós estaremos vós estareis eles estarão	eu estaria tu estarias ele estaria nós estaríamos vós estaríeis eles estariam	- (tu) está (ele) esteja (nós) estejamos (vós) estai (eles) estejam
Ir	eu vou tu vais ele vai nós vamos/vimos vós vades/vides eles vão	eu fui tu foste ele foi nós fomos vós fostes eles foram	eu ia tu ias ele ia nós íamos vós íeis eles iam	eu fora tu foras ele fora nós fôramos vós fôreis eles foram	eu irei tu irás ele irá nós iremos vós ireis eles irão	eu iria tu irias ele iria nós iríamos vós iríeis eles iriam	- (tu) vai (ele) vá (nós) vamos (vós) ide (eles) vão

INFINITIVO	PRESENTE	PRETÉRITO PERFEITO	PRETÉRITO IMPERFEITO	PRETÉRITO-MAIS-QUE-PERFEITO	FUTURO	FUTURO DO PRETÉRITO	IMPERATIVO AFIRMATIVO
Vir	eu venho tu vens ele vem nós vimos vós vindes eles vêm	eu vim tu vieste ele veio nós viemos vós viestes eles vieram	eu vinha tu vinhas ele vinha nós vínhamos vós vínheis eles vinham	eu viera tu vieras ele viera nós viéramos vós viéreis eles vieram	eu virei tu virás ele virá nós viremos vós vireis eles virão	eu viria tu virias ele viria nós viríamos vós viríeis eles viriam	- (tu) vem (ele) venha (nós) venhamos (vós) vinde (eles) venham
Ter	eu tenho tu tens ele tem nós temos vós tendes eles têm	eu tive tu tiveste ele teve nós tivemos vós tivestes eles tiveram	eu tinha tu tinhas ele tinha nós tínhamos vós tínheis eles tinham	eu tivera tu tiveras ele tivera nós tivéramos vós tivéreis eles tiveram	eu terei tu terás ele terá nós teremos vós tereis eles terão	eu teria tu terias ele teria nós teríamos vós teríeis eles teriam	- (tu) tem (ele) tenha (nós) tenhamos (vós) tende (eles) tenham
Dar	eu dou tu dás ele dá nós damos vós dais eles dão	eu dei tu deste ele deu nós demos vós destes eles deram	eu dava tu davas ele dava nós dávamos vós dáveis eles davam	eu dera tu deras ele dera nós déramos vós déreis eles deram	eu darei tu darás ele dará nós daremos vós dareis eles darão	eu daria tu darias ele daria nós daríamos vós daríeis eles dariam	- (tu) dá (ele) dê (nós) demos (vós) dai (eles) deem
Fazer	eu faço tu fazes ele faz nós fazemos vós fazeis eles fazem	eu fiz tu fizeste ele fez nós fizemos vós fizestes eles fizeram	eu fazia tu fazias ele fazia nós fazíamos vós fazíeis eles faziam	eu fizera tu fizeras ele fizera nós fizéramos vós fizéreis eles fizeram	eu farei tu farás ele fará nós faremos vós fareis eles farão	eu faria tu farias ele faria nós faríamos vós faríeis eles fariam	- (tu) faz(e) (ele) faça (nós) façamos (vós) fazei (eles) façam
Preferir	eu prefiro tu preferes ele prefere nós preferimos vós preferis eles preferem	eu preferi tu preferiste ele preferiu nós preferimos vós preferistes eles preferiram	eu preferia tu preferias ele preferia nós preferíamos vós preferíeis eles preferiam	eu preferira tu preferiras ele preferira nós preferíramos vós preferíreis eles preferiram	eu preferirei tu preferirás ele preferirá nós preferiremos vós preferireis eles preferirão	eu preferiria tu preferirias ele preferiria nós preferiríamos vós preferiríeis eles prefeririam	- (tu) prefere (ele) prefira (nós) prefiramos (vós) preferi (eles) prefiram
Poder	eu posso tu podes ele pode nós podemos vós podeis eles podem	eu pude tu pudeste ele pôde nós pudemos vós pudestes eles puderam	eu podia tu podias ele podia nós podíamos vós podíeis eles podiam	eu pudera tu puderas ele pudera nós pudéramos vós pudéreis eles puderam	eu poderei tu poderás ele poderá nós poderemos vós podereis eles poderão	eu poderia tu poderias ele poderia nós poderíamos vós poderíeis eles poderiam	-
Querer	eu quero tu queres ele quer nós queremos vós quereis eles querem	eu quis tu quiseste ele quis nós quisemos vós quisestes eles quiseram	eu queria tu querias ele queria nós queríamos vós queríeis eles queriam	eu quisera tu quiseras ele quisera nós quiséramos vós quiséreis eles quiseram	eu quererei tu quererás ele quererá nós quereremos vós querereis eles quererão	eu quereria tu quererias ele quereria nós quereríamos vós quereríeis eles quereriam	- (tu) quer (ele) queira (nós) queiramos (vós) querei (eles) queiram
Ver	eu vejo tu vês ele vê nós vemos vós vedes eles veem	eu vi tu viste ele viu nós vimos vós vistes eles viram	eu via tu vias ele via nós víamos vós víeis eles viam	eu vira tu viras ele vira nós víramos vós víreis eles viram	eu verei tu verás ele verá nós veremos vós vereis eles verão	eu veria tu verias ele veria nós veríamos vós veríeis eles veriam	- (tu) vê (ele) veja (nós) vejamos (vós) vede (eles) vejam
Ler	eu leio tu lês ele lê nós lemos vós ledes eles leem	eu li tu leste ele leu nós lemos vós lestes eles leram	eu lia tu lias ele lia nós líamos vós líeis eles liam	eu lera tu leras ele lera nós lêramos vós lêreis eles leram	eu lerei tu lerás ele lerá nós leremos vós lereis eles lerão	eu leria tu lerias ele leria nós leríamos vós leríeis eles leriam	- (tu) lê (ele) leia (nós) leiamos (vós) lede (eles) leiam
Saber	eu sei tu sabes ele sabe nós sabemos vós sabeis eles sabem	eu soube tu soubeste ele soube nós soubemos vós soubestes eles souberam	eu sabia tu sabias ele sabia nós sabíamos vós sabíeis eles sabiam	eu soubera tu souberas ele soubera nós soubéramos vós soubéreis eles souberam	eu saberei tu saberás ele saberá nós saberemos vós sabereis eles saberão	eu saberia tu saberias ele saberia nós saberíamos vós saberíeis eles saberiam	- (tu) sabe (ele) saiba (nós) saibamos (vós) sabei (eles) saibam

INFINITIVO	PRESENTE	PRETÉRITO PERFEITO	PRETÉRITO IMPERFEITO	PRETÉRITO-MAIS-QUE-PERFEITO	FUTURO	FUTURO DO PRETÉRITO	IMPERATIVO AFIRMATIVO
Conhecer	eu conheço tu conheces ele conhece nós conhecemos vós conheceis eles conhecem	eu conheci tu conheceste ele conheceu nós conhecemos vós conhecestes eles conheceram	eu conhecia tu conhecias ele conhecia nós conhecíamos vós conhecíeis eles conheciam	eu conhecera tu conheceras ele conhecera nós conhecêramos vós conhecêreis eles conheceram	eu conhecerei tu conhecerás ele conhecerá nós conheceremos vós conhecereis eles conhecerão	eu conheceria tu conhecerias ele conheceria nós conheceríamos vós conheceríeis eles conheceriam	- (tu) conhece (ele) conheça (nós) conheçamos (vós) conhecei (eles) conheçam
Sair	eu saio tu sais ele sai nós saímos vós saís eles saem	eu saí tu saíste ele saiu nós saímos vós saístes eles saíram	eu saía tu saías ele saía nós saíamos vós saíeis eles saíam	eu saíra tu saíras ele saíra nós saíramos vós saíreis eles saíram	eu sairei tu sairás ele sairá nós sairemos vós saireis eles sairão	eu sairia tu sairias ele sairia nós sairíamos vós sairíeis eles sairiam	- (tu) sai (ele) saia (nós) saiamos (vós) saí (eles) saiam
Descer	eu desço tu desces ele desce nós descemos vós desceis eles descem	eu desci tu desceste ele desceu nós descemos vós descestes eles desceram	eu descia tu descias ele descia nós descíamos vós descíeis eles desciam	eu descera tu desceras ele descera nós descêramos vós descêreis eles desceram	eu descerei tu descerás ele descerá nós desceremos vós descereis eles descerão	eu desceria tu descerias ele desceria nós desceríamos vós desceríeis eles desceriam	- (tu) desce (ele) desça (nós) desçamos (vós) descei (eles) desçam
Dormir	eu durmo tu dormes ele dorme nós dormimos vós dormis eles dormem	eu dormi tu dormiste ele dormiu nós dormimos vós dormistes eles dormiram	eu dormia tu dormias ele dormia nós dormíamos vós dormíeis eles dormiam	eu dormira tu dormiras ele dormira nós dormíramos vós dormíreis eles dormiram	eu dormirei tu dormirás ele dormirá nós dormiremos vós dormireis eles dormirão	eu dormiria tu dormirias ele dormiria nós dormiríamos vós dormiríeis eles dormiriam	- (tu) dorme (ele) durma (nós) durmamos (vós) dormi (eles) durmam
Pedir	eu peço tu pedes ele pede nós pedimos vós pedis eles pedem	eu pedi tu pediste ele pediu nós pedimos vós pedistes eles pediram	eu pedia tu pedias ele pedia nós pedíamos vós pedíeis eles pediam	eu pedira tu pediras ele pedira nós pedíramos vós pedíreis eles pediram	eu pedirei tu pedirás ele pedirá nós pediremos vós pedireis eles pedirão	eu pediria tu pedirias ele pediria nós pediríamos vós pediríeis eles pediriam	- (tu) pede (ele) peça (nós) peçamos (vós) pedi (eles) peçam
Pôr	eu ponho tu pões ele põe nós pomos vós pondes eles põem	eu pus tu puseste ele pôs nós pusemos vós pusestes eles puseram	eu punha tu punhas ele punha nós púnhamos vós púnheis eles punham	eu pusera tu puseras ele pusera nós puséramos vós puséreis eles puseram	eu porei tu porás ele porá nós poremos vós poreis eles porão	eu poria tu porias ele poria nós poríamos vós poríeis eles poriam	- (tu) põe (ele) ponha (nós) ponhamos (vós) ponde (eles) ponham
Sentir	eu sinto tu sentes ele sente nós sentimos vós sentis eles sentem	eu senti tu sentiste ele sentiu nós sentimos vós sentistes eles sentiram	eu sentia tu sentias ele sentia nós sentíamos vós sentíeis eles sentiam	eu sentira tu sentiras ele sentira nós sentíramos vós sentíreis eles sentiram	eu sentirei tu sentirás ele sentirá nós sentiremos vós sentireis eles sentirão	eu sentiria tu sentirias ele sentiria nós sentiríamos vós sentiríeis eles sentiriam	- (tu) sente (ele) sinta (nós) sintamos (vós) senti (eles) sintam
Dirigir	eu dirijo tu diriges ele dirige nós dirigimos vós dirigis eles dirigem	eu dirigi tu dirigiste ele dirigiu nós dirigimos vós dirigistes eles dirigiram	eu dirigia tu dirigias ele dirigia nós dirigíamos vós dirigíeis eles dirigiam	eu dirigira tu dirigiras ele dirigira nós dirigíramos vós dirigíreis eles dirigiram	eu dirigirei tu dirigirás ele dirigirá nós dirigiremos vós dirigireis eles dirigirão	eu dirigiria tu dirigirias ele dirigiria nós dirigiríamos vós dirigiríeis eles dirigiriam	- (tu) dirige (ele) dirija (nós) dirijamos (vós) dirigi (eles) dirijam
Conseguir	eu consigo tu consegues ele consegue nós conseguimos vós conseguis eles conseguem	eu consegui tu conseguiste ele conseguiu nós conseguimos vós conseguistes eles conseguiram	eu conseguia tu conseguias ele conseguia nós conseguíamos vós conseguíeis eles conseguiam	eu conseguira tu conseguiras ele conseguira nós conseguíramos vós conseguíreis eles conseguiram	eu conseguirei tu conseguirás ele conseguirá nós conseguiremos vós conseguireis eles conseguirão	eu conseguiria tu conseguirias ele conseguiria nós conseguiríamos vós conseguiríeis eles conseguiriam	- (tu) consegue (ele) consiga (nós) consigamos (vós) consegui (eles) consigam
Dizer	eu digo tu dizes ele diz nós dizemos vós dizeis eles dizem	eu disse tu disseste ele disse nós dissemos vós dissestes eles disseram	eu dizia tu dizias ele dizia nós dizíamos vós dizíeis eles diziam	eu dissera tu disseras ele dissera nós disséramos vós disséreis eles disseram	eu direi tu dirás ele dirá nós diremos vós direis eles dirão	eu diria tu dirias ele diria nós diríamos vós diríeis eles diriam	- (tu) diz (e) (ele) diga (nós) digamos (vós) dizei (eles) digam

INFINITIVO	PRESENTE	PRETÉRITO PERFEITO	PRETÉRITO IMPERFEITO	PRETÉRITO-MAIS-QUE-PERFEITO	FUTURO	FUTURO DO PRETÉRITO	IMPERATIVO AFIRMATIVO
Trazer	eu trago tu trazes ele traz nós trazemos vós trazeis eles trazem	eu trouxe tu trouxeste ele trouxe nós trouxemos vós trouxestes eles trouxeram	eu trazia tu trazias ele trazia nós trazíamos vós trazíeis eles traziam	eu trouxera tu trouxeras ele trouxera nós trouxéramos vós trouxéreis eles trouxeram	eu trarei tu trarás ele trará nós traremos vós trareis eles trarão	eu traria tu trarias ele traria nós traríamos vós traríeis eles trariam	- (tu) traz(e) (ele) traga (nós) tragamos (vós) trazei (eles) tragam
Ouvir	eu ouço tu ouves ele ouve nós ouvimos vós ouvis eles ouvem	eu ouvi tu ouviste ele ouviu nós ouvimos vós ouvistes eles ouviram	eu ouvia tu ouvias ele ouvia nós ouvíamos vós ouvíeis eles ouviam	eu ouvira tu ouviras ele ouvira nós ouvíramos vós ouvíreis eles ouviram	eu ouvirei tu ouvirás ele ouvirá nós ouviremos vós ouvireis eles ouvirão	eu ouviria tu ouvirias ele ouviria nós ouviríamos vós ouviríeis eles ouviriam	- (tu) ouve (ele) ouça (nós) ouçamos (vós) ouvi (eles) ouçam
Haver	eu hei tu hás ele há nós havemos vós haveis eles hão	eu houve tu houveste ele houve nós houvemos vós houvestes eles houveram	eu havia tu havias ele havia nós havíamos vós havíeis eles haviam	eu houvera tu houveras ele houvera nós houvéramos vós houvéreis eles houveram	eu haverei tu haverás ele haverá nós haveremos vós havereis eles haverão	eu haveria tu haverias ele haveria nós haveríamos vós haveríeis eles haveriam	- (tu) há (ele) haja (nós) hajamos (vós) havei (eles) hajam
Vestir-se*	Eu me visto tu te vestes ele se veste nós nos vestimos vós vos vestis eles se vestem	eu me vesti tu te vestiste ele se vestiu nós nos vestimos vós vos vestistes eles se vestiram	eu me vestia tu te vestias ele se vestia nós nos vestíamos vós vos vestíeis eles se vestiam	eu me vestira tu te vestiras ele se vestira nós nos vestíramos vós vos vestíreis eles se vestiram	eu me vestirei tu te vestirás ele se vestirá nós nos vestiremos vós vos vestireis eles se vestirão	eu vestir-me-ia tu vestir-te-ias ele vestir-se-ia nós vestir-nos-íamos vós vestir-vos-íeis eles vestir-se-iam	- (tu) veste-te (ele) vista-se (nós) vistamo-nos (vós) vesti-vos (eles) vistam-se
Divertir-se*	eu me divirto tu te divertes ele se diverte nós nos divertimos vós vos divertis eles se divertem	eu me diverti tu te divertiste ele se divertiu nós nos divertimos vós vos divertistes eles se divertiram	eu me divertia tu te divertias ele se divertia nós nos divertíamos vós vos divertíeis eles se divertiam	eu me divertira tu te divertiras ele se divertira nós nos divertíramos vós vos divertíreis eles se divertiram	eu me divertirei tu te divertirás ele se divertirá nós nos divertiremos vós vos divertireis eles se divertirão	eu divertir-me-ia tu divertir-te-ias ele divertir-se-ia nós divertir-nos-íamos vós divertir-vos-íeis eles divertir-se-iam	- (tu) diverte-te (ele) divirta-se (nós) divirtamo-nos (vós) diverti-vos (eles) divirtam-se
Barbear-se*	eu me barbeio tu te barbeias ele se barbeia nós nos barbeamos vós vos barbeais eles se barbeiam	eu me barbeei tu te barbeaste ele se barbeou nós nos barbeamos vós vos barbeastes eles se barbearam	eu me barbeava tu te barbeavas ele se barbeava nós nos barbeávamos vós vos barbeáveis eles se barbeavam	eu me barbeara tu te barbearas ele se barbeara nós nos barbeáramos vós vos barbeáreis eles se barbearam	eu me barbearei tu te barbearás ele se barbeará nós nos barbearemos vós vos barbeareis eles se barbearão	eu barbear-me-ia tu barbear-te-ias ele barbear-se-ia nós barbear-nos-íamos vós barbear-vos-íeis eles barbear-se-iam	- (tu) barbeia-te (ele) barbeie-se (nós) barbeemo-nos (vós) barbeai-vos (eles) barbeiem-se
Maquiar-se*	eu me maquio tu te maquias ele se maquia nós nos maquiamos vós vos maquiais eles se maquiam	eu me maquiei tu te maquiaste ele se maquiou nós nos maquiamos vós vos maquiastes eles se maquiaram	eu me maquiava tu te maquiavas ele se maquiava nós nos maquiávamos vós vos maquiáveis eles se maquiavam	eu me maquiara tu te maquiaras ele se maquiara nós nos maquiáramos vós vos maquiáreis eles se maquiaram	eu me maquiarei tu te maquiarás ele se maquiará nós nos maquiaremos vós vos maquiareis eles se maquiarão	eu maquiar-me-ia tu maquiar-te-ias ele maquiar-se-ia nós maquiar-nos-íamos vós maquiar-vos-íeis eles maquiar-se-iam	- (tu) maquia-te (ele) maquie-se (nós) maquiemo-nos (vós) maquiai-vos (eles) maquiem-se

* *verbos pronominais*

** *Há três verbos que apresentam formas irregulares no futuro do presente: dizer ➡ eu direi; fazer ➡ eu farei; e trazer ➡ eu trarei.*

ANEXO 4
TRANSCRIÇÃO DE ÁUDIOS

UNIDADE 0

▶ **EXERCÍCIO 2 (P. 18)**

1. Tecnobrega
2. Rock
3. Sertanejo
4. Forró
5. Salsa
6. Samba
7. Clássico
8. Reggaeton
9. Funk
10. Jazz

▶ **EXERCÍCIO 4 (P. 20)**

Diálogo 1:
– Oi! Tudo bem?
– Tudo bem.
– Qual é o seu nome?
– Meu nome é Marina. E o seu?
– Eu me chamo Eric. Muito prazer!

Diálogo 2:
– Bom dia!
– Bom dia!
– Como vai o senhor?
– Eu vou bem, obrigado. E a senhora?
– Eu também, obrigada.

Diálogo 3:
– E aí, gente? Beleza?
– Beleza!
– Tudo bem com vocês?
– Tudo. E você?

▶ **EXERCÍCIO 9 (P. 23)**

Hotel Vale do Sol
– Hotel Vale do Sol. Bom dia!
– Bom dia! Eu gostaria de reservar um quarto. É para o réveillon.
– Qual é o dia da chegada?
– É dia 28 de dezembro.
– E qual é o dia da saída?
– Dia 5 de janeiro.
– Senhor, gostaria de um quarto de solteiro ou um quarto de casal?
– De solteiro, simples, por favor.
– Ok! A reserva está em nome de quem?
– De Jarrod Johnson.
– Como se escreve? Você pode soletrar, por favor?
– Ok. J-A-R-R-O-D espaço J-O-H-N-S-O-N.
– Então é... J-A-R-R-O-D... J-O-H-N-S-O-N.
– Certo.
– Qual é o seu número de telefone?
– É +1 343 986 4840.
– Confirmando... + 1 343 986 4840.
– E qual é o seu e-mail?
– jjohnson13@samba.com
– Desculpe, você pode repetir?
– É jjohnson13@samba.com
– Vamos enviar a confirmação por e-mail e por WhatsApp. A diária vence ao meio-dia.
– Obrigado.
– Muito obrigada! Tenha um bom dia!

▶ **EXERCÍCIO 18 (P. 27)**

Números de telefone

Diálogo 1:
– Marcelo, você tem o telefone da Adriana? Acho que o número mudou.
– Ah! O telefone da Adriana? É... 3496-1367.
– E qual é o telefone do João? Você tem também?
– É 99731-2211.

Diálogo 2:
– Lu, qual é o zap da Daniela?
– É DDD 37 98875-2326.
– Vou chamar a Dani pro cinema.
– Convida o Fred também...
– Você tem o número dele?
– Do celular ou do fixo?
– Do fixo.
– É 3491-1121

Diálogo 3:
– Me passa o zap da Juliana de São Paulo?
– É DDD 11 99873-1130. Você quer o fixo?
– Não. O fixo eu já tenho. Vou mandar um zap.

Diálogo 4;
– Você tem o celular da Mônica?
– Tenho sim. É 73 99067-3334.
– Vou ligar pra ela.

Diálogo 5:
– O número da Ana é 98234-5678?
– É sim.
– Você tem o número do Betinho?
– Tenho sim. É 98732-0224.

▶ FONÉTICA UNIDADE 0 (P. 28)

1. Contente
2. Café
3. Dente
4. Liberdade
5. Você
6. Gente
7. Pé
8. Ipê
9. Pelé
10. Dendê

UNIDADE 1

▶ EXERCÍCIO 2 (P. 37)

Audio A:
100,9 - A brasileiríssima apresenta... Feito em casa.
O - Meu nome é Aurelie.
V - Meu nome é Verioca.
O - Então a gente é Aurelie e Verioca... E estamos aqui em Belo Horizonte apresentando nosso novo disco, chamado "Pas à pas".

Áudio B:
A Brasileiríssima apresenta... Feito em Casa. "Meu nome é Augusto Nunes Filho, presidente da Fundação Clóvis Salgado. A Fundação Clóvis Salgado está fazendo 45 anos." (...)

Áudio C:
100,9 A Brasileiríssima apresenta... Feito em Casa. "Boa noite, ouvintes da Rádio Inconfidência. Quem fala aqui é Eduardo Moreira, eu sou ator e diretor do Grupo Galpão de Teatro. Estou muito feliz de estar aqui neste programa." (...)

Áudio D:
100,9 A Brasileiríssima apresenta... Feito em Casa. "Olá, ouvintes da Rádio Inconfidência. É uma alegria imensa dirigir minha voz até vocês. Aqui quem fala é o músico Eduardo Pio. Sou cantor, compositor, instrumentista e produtor musical belo-horizontino." (...)

▶ EXERCÍCIO 6 (P. 38)

Áudio A:
Ariano Suassuna foi um importante escritor brasileiro. Ele nasceu no dia 16 de junho na cidade de João Pessoa, na Paraíba.

Áudio B:
Francisco Buarque de Hollanda, mais conhecido como Chico Buarque, é músico, compositor e escritor. Ele nasceu no dia 19 de junho no Rio de Janeiro.

▶ EXERCÍCIO 8 (P. 39)

– Bom dia! Eu me chamo Flávia. Sou do Jornal da Cidade. Você pode responder umas perguntas?
– Bom dia! Posso sim.
– Qual é o seu nome?
– É Sônia.
– Sônia, você é casada?
– Sim, sou casada com um italiano, o Giuseppe.
– Você tem filhos?
– Sim, temos dois filhos, Ricardo e Marcela.
– Quantos anos eles têm?
– Marcela tem 19, e Ricado tem 28.
– Seus filhos trabalham?
– A Marcela é estudante em São Paulo e o Ricardo trabalha como engenheiro.
– Eles falam inglês?
– Não, só falam português e italiano.
– Vocês têm interesse em estudar inglês? O Jornal da Cidade oferece um curso on-line para assinantes.
– Quanto é a assinatura?

▶ EXERCÍCIO 11 (P. 42)

Ahhhh! Tenho uma ótima ideia!
Por favor, por favor, eu preciso de você...
Poxa! Acho que não tem jeito...
Que raiva! Ele/ ela vai ver...
Obaaaa! Que delícia!
Acho que vou chorar...

▶ EXERCÍCIO 19 (P. 45)

Profissional 1:
– Olá, você pode falar com a Rádio Samba?
– Opa! Pode ser!
– Qual é o seu nome?
– É Julião Batista.
– Onde o senhor trabalha, seu Julião?
– Eu trabalho na estrada... dirijo meu caminhão e entrego alimentos em outras cidades.

– Então o senhor tá aqui fazendo uma entrega?
– Estou, sim.
– E qual é o seu horário de trabalho?
– Meu horário de trabalho é principalmente à noite.
– O senhor dorme?
– (Risos) Durmo. Durmo, claro! Mas varia o horário.
–Muito obrigado, seu Julião! E agora é você, ouvinte! Quais profissões a gente encontrou hoje? Mande um zap com a resposta e ganhe um super-brinde da Rádio Samba! Boa tarde, você que está aqui com a gente no nosso momento do ouvinte, e a gente hoje vai falar de profissão.
Você consegue dizer qual é a profissão dos nossos entrevistados?
Então, bora pra rua!

Profissional 2:
– Oiiii... Você tem um minutinho pro momento do ouvinte da Rádio Samba?
– Claro.
– Como você se chama? Fala também pra gente do local onde você trabalha.
– Bom... meu nome é Aline. Ah... Onde eu trabalho?
– Ah... trabalho em um escritório, sabe? Desses bem formais. Trabalho de manhã e de tarde, oito horas por dia, atendo o telefone, envio e-mails, escrevo cartas e agendo reuniões. Lá, eu às vezes preciso falar inglês e espanhol também. Eu gosto do meu trabalho, meus colegas são muito legais.
– Muito obrigado, Aline.

Profissional 3:
– Boa tarde, tudo bem? Qual é o seu nome?
– Tudo ótimo. Meu nome é Ana.
– Dona Ana, a senhora trabalha? E... pode descrever suas atividades de rotina pra gente?
– Se eu trabalho? Ah! Mas eu trabalho muito (risos). Bom... eu faço todo tipo de serviço em minha casa: lavo, limpo, cozinho, organizo tudo. Geralmente trabalho de manhã. À tarde eu gosto de ler, assistir à TV, visitar os amigos, ou vir aqui no centro.
– Muito obrigado, dona Ana! E aí, você de casa, já adivinhou o que a dona Ana faz?

▶ **EXERCÍCIO 22 (P. 46)**

– Olá, posso ajudar?
– Sim. Vou comprar algumas lembrancinhas para meus amigos e minha família. O que você tem?
– Tenho chaveiro por 5 reais cada, as canecas por 12, a camiseta por 20 reais, o boné por 18, os chinelos por 25, o imã de geladeira por 3,50, a canga por 35 e o favorito, o kit caipirinha, por 70 reais.
– Nossa! O kit é caro!
– É... mas essa lembrancinha é a favorita dos estrangeiros para lembrar do Brasil. (risos)
– É verdade...

▶ **FONÉTICA UNIDADE 1 (P. 48)**

1. Arroz
2. Arara
3. Carro
4. Caro
5. Rio
6. Barato
7. Areia
8. Terra
9. Restaurante
10. Roupa

UNIDADE 2

▶ **EXERCÍCIO 2 (P. 57)**

Depoimento 1:
No verão eu sempre viajo para o Sul do Brasil. Eu moro aqui em São Paulo e sempre consigo bom preço nas passagens de avião. Eu gosto de visitar minha família. Nós praticamos esportes juntos, visitamos os amigos e jantamos no restaurante do centro.

Depoimento 2:
Eu adoro desafios, por isso gosto de escalar montanhas. Eu vou para o Chile com meus amigos todos os anos. Nós fazemos escaladas, rapel e todo tipo de esporte de aventura. Nós vamos no período de baixa temporada, o outono, quando não chove muito e não é tão frio. Para chegar no parque nacional, nós precisamos pegar um avião até Santiago e ir de ônibus até a cidade, e depois caminhar 1 quilômetro até o parque.

Depoimento 3:
Eu e meu marido amamos viajar. Nós sempre fazemos esportes aquáticos juntos. Gostamos de fazer trilhas, canoagem, kaiak e rapel. Sempre vamos para o interior da Argentina, por isso o verão é o período mais adequado, quando não está tão frio. Nós moramos na fronteira do Brasil e da Argentina e gostamos de ir de carro para aproveitar a paisagem.

▶ **EXERCÍCIO 9 (P. 59)**

– Hotel Praia do Forte, bom dia!
– Bom dia! Eu gostaria de fazer uma reserva.
– Pois não, para qual dia?
– Do dia 2 ao dia 12 de janeiro.

– Para quantas pessoas?
– Para duas pessoas.
– Quarto de casal ou quarto de solteiro?
– Casal. E quais são os serviços do hotel?
– O hotel oferece café da manhã, restaurante e estacionamento. Quarto com frigobar, wi-fi e TV.
– O hotel fica perto da praia?
– O hotel fica de frente para o mar, a 200 metros.
– Qual o preço da diária?
– 240 reais o casal.
– Ok.
– Posso fazer a reserva em nome de quem?
– Paulo Mendes Pereira.
– Está reservado, senhor Paulo. Do dia 2 ao dia 12 de janeiro.
– Obrigado.
– De nada. O Hotel Praia do Forte agradece pela preferência.

▶ EXERCÍCIO 11 (P. 61)

Ida e volta?

– Olá! Eu quero uma passagem para Porto Seguro na Bahia.
– Para qual dia?
– Para dia 27 de dezembro.
– Nós temos um ônibus que sai às 18 horas e outro que sai à meia-noite.
– A que horas o ônibus chega lá?
– São 18 horas de viagem. O ônibus das 18 horas chega ao meio-dia. E o ônibus de meia-noite chega às 18 horas.
– Quero o ônibus das 18 horas.
– Quantas passagens?
– Uma.
– Ida o volta?
– Sim.
– Qual a data da volta?
– Dia 6 de janeiro.
– Só tem semileito. Tem ar-condicionado, Wi-Fi, TV, travesseiro e cobertor.
– Ok.
– Qual poltrona? Janela ou corredor?
– Em uma poltrona na janela. Gosto de ver a paisagem.
– O pagamento é em dinheiro ou cartão?
– Cartão.

▶ EXERCÍCIO 13 (P. 63)

Vamos navegar. Você está na Rua Henrique Roffman, em 3 km, vamos virar à esquerda na avenida Getúlio Vargas, ... em 200 metros, vamos virar à direita na rua Conselheiro Ruy Barbosa. Depois de passar em frente à Igreja São Luiz Gonzaga, em 100 m vamos virar à esquerda na Avenida das Comunidades. Na rotatória, onde fica o Fórum, vamos pegar a segunda saída na Avenida Cyro Gevaerd. Em 300 m, seu destino está à direita.

▶ EXERCÍCIO 21 (P. 66)

Olá, você tem um minuto? Estamos fazendo uma pesquisa do IBOPE sobre ferramentas de pesquisa.
– Claro, se você não se importar com meu português diferente e falar mais devagar, tudo bem! (risos)
– Ah, que legal. Você não é brasileiro! De onde você é?
– Eu sou do Canadá.
– Como você se chama?
– Eu me chamo Isaac. E você?
– Eu sou a Bruna. Ok, Isaac. Vamos começar... Você tem quantos anos?
– Tenho 28.
– Você visita muito os espaços públicos da cidade?
– Sim, eu gosto muito de ver tudo.
– Você conhece a agenda da cidade? Os eventos? Festivais?
– Sim. Eu sempre busco informação.
– Onde você busca?
– Às vezes com amigos brasileiros, mas principalmente com ajuda da internet. Tem muitos sites pra informar.
– Algum site específico?
– Sim, o Facebook e o site da cidade também. Aquele da cultura. Como se chama... acho que é "guiaBH.com".
– Nossa, que legal! Você está bem conectado. Você acha todas as informações que precisa na internet?
– Quase sempre sim. Eu vejo horários de shows, festivais e até dicas para eventos entrada franca! Ah... e também indicação de barzinhos e restaurantes.
– Ok, Isaac. Muito obrigado por responder à pesquisa.
– De nada! Foi um prazer... Até mais!

▶ FONÉTICA UNIDADE 2 (P. 68)

1. Bata
2. Vaca
3. Vive
4. Bebe
5. Bela
6. Vela
7. Veja
8. Beija
9. Vento
10. Bento

UNIDADE 3

▶ **EXERCÍCIO 2 (P. 76)**

A tarde está acabando e você já está sabendo o que vai fazer hoje à noite?
Então confira agora a programação que vai rolar nos principais canais abertos da TV desta quarta-feira.
O canal A vai começar com a novela mais querida do Brasil. Hoje, *Cheias de charme* está aí para entreter você às 19 horas. Depois do jornal da noite, tem ainda a novela que você também adora, *Laços de Família*, seguido do *Programa do Jô*. Fechamos a noite com a minissérie *Gabriela*, às 23h30.
A novela, *Um grande amor*, começa às 19 horas no canal B. Logo depois, Luana Faria Fraga vai apresentar o programa *Na cozinha com você*. Essa estreia promete ser muito boa. Hoje às oito e meia da noite.
Em seguida você vai ver, no *Face a Face*, uma entrevista com Anita Guerra.
Às 21h45 é a vez de Serginho Amigo fazer um show no programa *Rock Brasileiro*. Para o final da noite, às 23h30, a Sessão Corujão vai trazer um ótimo filme brasileiro.
O canal C vai fazer um programa para as crianças. Às 19 horas o desenho animado vai divertir os baixinhos.
Às 20h30 é a hora da fofoca. O programa *TV Fama* vai contar sobre a vida dos artistas para você.
Às 21 h começa o programa *Meu time do coração* e logo depois, 21h45, começa o jogo do campeonato brasileiro na quarta do futebol.
Às 23h30, a Tela de Sucessos vai transmitir o filme *Cidade de Deus*. Não perca!

▶ **EXERCÍCIO 9 (P. 78)**

Enquete de rua
Áudio 1:
– O que você faz no fim de semana?
– Vejo muita TV, faço quando não estou na cursos on-line e saio internet.
com os amigos à noite
Áudio 2:
– O que você faz no fim de semana?
– Ah! Pra mim fim de semana é churrasco, computador e sair com os amigos.
Áudio 3:
– O que você faz no fim de semana?

– Acordo tarde, arrumo a minha casa, lavo as roupas, faço os trabalhos da faculdade, depois vou à praia ou à piscina descansar e encontrar os amigos. Sempre vou à igreja aos domingos.

▶ **EXERCÍCIO 14 (P. 81)**

–Boa tarde, doutora.
– Oi. Boa tarde. Pode se assentar.
– Obrigada!
– Então, Sofia, por que você procura uma nutricionista?
– Bom, doutora, como a senhora pode ver, eu estou com sobrepeso e meus exames não estão bons. Meu médico disse que eu preciso emagrecer com urgência.
– Entendo. Realmente é importante orientação para emagrecer com saúde. Como é sua rotina?
– Eu sempre acordo às 5h30, tomo café às 6 h e tenho aula às 7 h, de segunda a sexta.
– Almoço às 12h40. Trabalho segunda, quarta e sexta, das 15 às 18 horas.
– E o que você faz nas terças e quintas à tarde?
– Nada importante, geralmente leio e vejo TV.
– Você faz atividade física?
– Não. Detesto esportes.
– Hum, entendi. Bom, vamos organizar uma rotina mais saudável.

▶ **EXERCÍCIO 21 (P. 86)**

E agora começa o programa Agenda Cultural. Curta a programação dos filmes do Cine Belas Artes.
De segunda a sexta, para quem gosta de romance, *Lisbela e o prisioneiro* passa às 14 horas. O preço da entrada é 15 reais. Para quem prefere drama, o cinema oferece dois longas metragens. Com Regina Casé, o filme *Que horas ela volta?* começa às 16 h. No mesmo horário, Fernanda Montenegro e a filha, Fernanda Torres, são as protagonistas de *A casa de areia*. O preço da entrada é 28 reais a inteira. Estudante paga meia. Mas, atenção, as sessões são apenas neste sábado e domingo. No domingo, temos ainda um pouco de ação com a reprise de *Cidade de Deus*, às 21 horas. A inteira custa 35 reais.

▶ **FONÉTICA UNIDADE 3 (P. 88)**

1. Mala
2. Cala
3. Bala
4. Barata
5. Caro
6. Cola
7. Cora
8. Mola
9. Mora
10. Para

UNIDADE 4

▶ EXERCÍCIO 3 (P. 97)

Os clientes exigentes:

Diálogo 1: (Sotaque mineiro)
– Olá, eu gostaria de um apartamento para alugar, por favor.
– Quais as características fundamentais para o senhor?
– Preciso de 2 ou 3 quartos com armários embutidos e uma cozinha já com armários também...
– Ah... certo... vamos olhar o que temos para você...

Diálogo 2: (Sotaque gaúcho)
– Boa tarde. Eu quero comprar um imóvel.
– Boa tarde. O senhor veio ao lugar certo! Que tipo de imóvel?
– Eu preciso de uma casa para a minha família. Agora tenho uma família grande e eu quero mais espaço interno e um quintal também. Ah! Não pode faltar a churrasqueira para o fim de semana!
– Claaaro... Bom, seu Manuel...

Diálogo 3 (Sotaque baiano)
– Oxi que calor... e boa tarde.
– Olá... Boa tarde. Posso ajudá-la?
– Sim, minha flor. Eu preciso alugar uma quitinete para meu menino. Ele vai estudar aqui. Sabe?
– Senhora, temos essas opções do catálogo. Você já viu?
– Olhe... eu vi sim, mas quero uma com instalação para ar-condicionado, essa cidade está cada vez mais quente.
– Ok, dona Marta. Vamos ver o que temos.

▶ EXERCÍCIO 7 (P. 98)

Na imobiliária

A: Boa tarde!
B: Boa tarde. Como posso te ajudar?
A: Eu procuro um apartamento para alugar.
B: De quantos quartos?
A: Três.
B: Tem que ter elevador? Ser um prédio novo?
A: Não. Mas prefiro no primeiro ou no segundo andar.
B: Ótimo. Prédios antigos têm área maior.
[...]
B: Veja! Aqui temos essas duas opções perto do centro. E também tem este outro aqui, no Bairro dos Lagos.
A: Esses do centro têm vaga de garagem?
B: Infelizmente, não. São muito antigos. Mas têm quartos grandes e uma sala para dois ambientes.
A: Ah... mas eu tenho carro. Tem que ter vaga.
B: O apartamento no Bairro dos Lagos tem duas vagas e é ótimo também. Vamos visitar?
A: Ok. Vamos lá!

▶ EXERCÍCIO 19 (P. 105)

Segundo reportagem de Heloísa Mendonça no jornal *El País Brasil*, um em cada quatro jovens de 25 a 34 anos vive com os pais.
A chamada "geração canguru" é composta, na maior parte, por homens da região Sudeste (60,2%). Os motivos que mantêm os jovens em casa são variados: mais anos de estudos, casamentos tardios, alto custo de vida nas grandes cidades, além do conforto e da comodidade da casa dos pais. A questão central sobre a geração canguru é que continuar morando com os pais é uma escolha e não uma necessidade, pois muitos jovens trabalham, mas preferem gastar o dinheiro com viagens e compras a pagar aluguel.

Fonte: bit.ly/2mb8mtD (Acesso em: 13 dez. 2017. Adaptado.)

▶ FONÉTICA UNIDADE 4 (P. 108)

1. Turno
2. Durmo
3. Dedo
4. Teto
5. Tatu
6. Dado
7. Doença
8. Textura
9. Tombo
10. Dor

UNIDADE 5

▶ EXERCÍCIO 2 (P. 116)

Origem: Retratos de Família no Brasil

A partir da influência da carga genética na construção da família brasileira, a fotógrafa de origem chinesa Fifi Tong reuniu 50 retratos de famílias de diferentes etnias, níveis sociais e regiões. Durante 15 anos de pesquisa em várias capitais do país, ela fotografou muitas famílias brasileiras. O resultado do projeto está no livro *Origem – Retratos de Família no Brasil*.
O Museu da Imigração inaugura neste sábado a exposição das fotografias de Fifi Tong.
Conhecida no meio publicitário como uma das grandes retratistas brasileiras, Fifi clicou filhos e netos de africanos, europeus e asiáticos, famílias brasileiras, conhecidas e anônimas. Segundo a

fotógrafa, um dos objetivos do livro é propor um debate sobre o valor da família. "Quero formar um grande banco de imagens e de dados das famílias brasileiras, e todo mundo pode participar."

Fonte: bit.ly/2lGC21s (Acesso em: 20 dez. 2017. Adaptado.)

▶ EXERCÍCIO 9 (P. 119)

Marina – Oi, Sara. Tudo bem? Como vai a família?
Sara – Oi, Marina! Todos estão bem. Olha que linda a foto do almoço em família! A gente sempre come na casa do vovô no domingo. Vovô Célio está na ponta da mesa, porque é o chefe da família, e essa é uma tradição. Ao lado dele está a Vovó Ângela. Tio Roberto está em pé, e, à direita dele, está a tia Vera.
Marina – Que saudade deles. Seus avós são muito legais. Quem é esse de costas?
Sara – Meu marido Carlos! Ficou na outra ponta da mesa, de costas para a foto, porque, você sabe... Até hoje, ele não gosta muito de fotografia. Meu filho Pedro está ao lado dele, de frente para a Monique, minha irmã.
Marina – Nossa, como o Pedro está bonito! Quem é essa garota ao lado da Monique? É a Joana? A filha dela?
Sara – É, sim! A Joana está muito grande, não está?
Marina – Demais! E quem é essa mocinha ao lado do seu avô?
Sara – É a Marie. Ela é uma intercambista francesa que está morando na minha casa.
Marina – Você ficou um pouco engraçada nessa foto Sara... e tem uma pessoa entre você e a Marie... Quem é?
Sara – Ah... ele se chama João. É muito tímido. Ele trabalha para meu avô. Mas sempre almoça conosco. É como da família!
Marina – Que legal! Da próxima vez, eu quero ir nesse almoço.

▶ EXERCÍCIO 11 (P. 120)

Cada vez mais, nas famílias brasileiras, existem menos crianças, enquanto cresce a presença de animais de estimação. Como nos países mais desenvolvidos do planeta, por exemplo, nos Estados Unidos e no Japão, também no Brasil, o número de animais que convivem com as famílias é maior do que o número de crianças até os 12 anos.
No Brasil, de cada cem famílias, 44 criam, por exemplo, cachorros e só 36 têm crianças até 12 anos de idade.

Segundo o IBGE, as famílias brasileiras cuidam de 52 milhões de cães contra 45 milhões de crianças. E a tendência indica que haverá cada vez mais espaço nas casas para os animais e menos para os filhos pequenos.
A diminuição do número de filhos e o aumento da presença de animais que fazem parte da família costuma acontecer nos países mais ricos, onde as mulheres têm um bom trabalho e preferem ter um número menor de crianças para ter mais liberdade. Outro motivo é que as mulheres também não querem perder sua beleza física com a maternidade. Já nos países menos desenvolvidos, em geral, as mulheres são pouco profissionalizadas e têm menos responsabilidade de um trabalho formal, por isso o número de filhos continua sendo alto.

Fonte: bit.ly/2lK7Q5p (Acesso em: 17 jan. 2018. Adaptado.)

▶ EXERCÍCIO 16 (P. 123)

Adotar uma criança no Brasil não é fácil, pois, segundo o Conselho Nacional de Justiça, existe uma diferença entre o perfil das crianças para adoção e o perfil procurado pelas famílias.
De acordo com a análise do Cadastro Nacional de Adoção, a maior parte dos candidatos é indiferente em relação à questão racial, apenas 32% dos candidatos a adotar só aceitam crianças brancas. Menos de 1% dos candidatos quer adotar um adolescente. Isso é um grande desafio para os centros de adoção, pois esses menores têm pouca chance de ter uma família.
Apenas 1 em cada 4 candidatos quer adotar crianças com 4 anos ou mais. As famílias preferem adotar bebês, e apenas 4,1% das crianças têm menos de 4 anos. Outra dificuldade é que 76% das crianças têm irmãos, e poucos candidatos querem adotar mais de uma criança ao mesmo tempo.
Por isso, a cada dia que passa, as crianças têm menos chance de encontrar um novo lar.

Fonte: bit.ly/2malcbq (Acesso em: 17 jan. 2018. Adaptado.)

▶ EXERCÍCIO 23 (P. 127)

Meu nome é Andrea Hoffmann e sou brasileira. Meu sobrenome vem do meu avô, que nasceu em São Paulo em 1920, filho de um imigrante alemão e de uma imigrante austríaca. Ele se casou com minha avó Odette, filha de portugueses, e teve duas filhas. Eu me casei com um brasileiro descendente de italianos.
Minha irmã se casou com um inglês e mora na

Inglaterra. Minha cunhada se casou com um alemão e vive nos Estados Unidos. Neste momento, recebemos em nossa casa o namorado da minha filha, que é australiano. Mesmo com tantas nacionalidades misturadas, nos sentimos uma só família.

▶ FONÉTICA UNIDADE 5 (P. 128)

1. Casa [z]
2. Caça [s]
3. Azeite [z]
4. Aceite [s]
5. Aceso [s/z]
6. Azedo [z]
7. Asilo [z]
8. Bacilo [s]
9. Asa [z]
10. Assa [s]

UNIDADE 6

▶ EXERCÍCIO 2 (P. 136)

No programa Brasil Repórter de hoje vamos falar sobre as origens dos hábitos alimentares dos brasileiros. Por que comemos feijão? E mandioca? De onde vem o mate?

A culinária, assim como outros aspectos culturais do Brasil, vem principalmente da mistura da cultura indígena, africana e europeia. Dessa forma, para se compreenderem os hábitos alimentares dos brasileiros e suas diferenças regionais, é preciso conhecer a história do Brasil e a formação do povo brasileiro. Entre os alimentos de origem indígena, por exemplo, podemos citar: a mandioca, o mate, o guaraná, o açaí e o cupuaçu. Além de pratos como o tacacá e a maniçoba.

Da cultura africana, adquirimos o hábito de comer o feijão preto, o dendê, o inhame, o quiabo, o leite de coco, a pimenta malagueta, a banana e o amendoim. Além disso, várias comidas das divindades africanas foram incorporadas ao nosso cardápio, como o acará, o acaçá, o mungunzá, o xinxim de galinha, entre outros.

Dos portugueses, incorporamos o consumo do açúcar e aprendemos a preparar sobremesas sofisticadas. O trigo, também de origem europeia, trouxe para a nossa culinária os pães, bolos e biscoitos. Os portugueses ainda introduziram no Brasil o vinho, o azeite de oliva e as frituras.

Mais recentemente, no início do século XX, tivemos a influência dos italianos, árabes e japoneses na gastronomia brasileira.

Acompanhe nosso programa para descobrir um pouco mais.

Cultura que a gente come!

▶ EXERCÍCIO 8 (P. 141)

A Rádio Samba vai falar hoje, na nossa seção Comportamento, sobre os hábitos alimentares dos brasileiros. Isso mesmo, meu amigo e minha amiga ouvinte. Você sabe quais os 5 alimentos que nós, brasileiros, mais consumimos?

A pesquisa é do IBGE (Instituto Brasileiro de Geografia e Estatística). E o resultado? Você vai saber agora! De acordo com o IBGE, o primeiro lugar é o cafezinho! Os brasileiros tomam um cafezinho várias vezes ao dia.

O segundo lugar vai para o feijão; o terceiro é o arroz; o quarto são os sucos; e o quinto lugar ficou para o refrigerante.

Ótima tarde para vocês! Em breve a gente fala mais sobre o comportamento da nossa gente.

▶ EXERCÍCIO 11 (P. 142)

No restaurante

Garçom: Boa noite! Mesa para quantas pessoas?
Cliente: Duas pessoas.
Garçom: O que vão querer?
Cliente: Vamos querer uma picanha. Qual é o acompanhamento?
Garçom: Temos opção de batata assada, fritas ou arroz com ervas.
Cliente: Vamos querer o arroz com ervas.
Garçom: E a carne? Mal passada? Bem passada...
Cliente: Ao ponto, por favor.
Garçom: Algo mais?
Cliente: Vamos querer também uma salada americana com molho de iogurte.
Garçom: E para beber?
Cliente: Vamos querer uma cerveja agora e uma água com gás quando chegar a comida.
Garçom: Querem uma sobremesa?
Cliente: Não. Apenas um café e a conta, por favor.
Garçom: Como preferem pagar? Com dinheiro ou cartão?
Cliente: Com cartão.
Garçom: Débito ou crédito?
Cliente: Débito.
Garçom: Posso incluir o serviço?
Cliente: Pode, sim.
Garçom: Muito obrigado. Boa noite!

▶ EXERCÍCIO 16 (P. 145)

Bolo de mandioca

Oi, gente! Tô de volta, e hoje estou trazendo uma

receita que vocês pediram muito pra gente no site. Bolo de mandioca, bolo de aipim, bolo de macaxeira: cada um fala de uma forma, não é mesmo?

Vou ser bem sincera em dizer que eu nunca tinha comido esse bolo. Fiz vários testes, e essa receita ficou perfeita, molhadinha na medida certa, supergostosa.

Vamos lá para os ingredientes? Pra essa receita, você vai precisar de: quinhentos gramas de mandioca ralada; dois ovos; uma xícara e meia de açúcar; duas colheres de sopa de manteiga em temperatura ambiente; e um vidro de leite de coco.

Além de essa receita ser supergostosa, ela é supersimples de ser feita porque ela não precisa nem de liquidificador e nem de batedeira... É tudo na mão mesmo!

Então, você vai colocar, em uma vasilha, seus ovos, o açúcar e a manteiga. Aí é só misturar bem, até que fique bem homogêneo. Pode dar uma leve batidinha para que a manteiga dissolva bem. Depois é só acrescentar o leite de coco e, por último, a mandioca ralada.

Gente, não coloque toda a mandioca, deixe separado mais ou menos uns cinquenta gramas para a gente fazer a decoração. Aí é só untar uma forma com bastante manteiga; não precisa passar farinha. Aqui, no vídeo, eu utilizei uma forma de 21 centímetros de fundo removível, porque eu queria depois que o bolo ficasse muito mais bonito pra apresentar pra vocês. Mas vocês podem fazer na forma normal que vocês têm em casa, inclusive uma forma de buraco no meio que também dá certo.

Despeja toda sua massa nessa forma já bem untada. E você vai finalizar com a mandioca que tava separada. Vai colocando por cima e isso vai ficar incrível depois no forno. Leva pro forno preaquecido a 180 graus, por mais ou menos uns cinquenta minutos.

Depois é só retirar do forno e deixar ele esfriar um pouquinho. Quando ele ainda tiver um pouco morno, a gente vai desenformar. Como eu fiz? Passei uma faca em volta de toda minha forma, com auxílio de um copo que eu coloquei embaixo da forma, já retirei com muita facilidade, esse bolo solta superfácil mesmo, gente. Depois é só passar a faca embaixo da forma, e já transferir para um prato bem bonito. E aí? Gostou dessa receita? Gente, é muito, mas muito gostoso mesmo.

Se você gostou, dá like aqui em baixo, se inscreve no canal e não esquece de acessar o meu site: cknj.com.br

Um enorme beijo e, por favor, não deixe de fazer essa receita. Até a próxima!

▶ **FONÉTICA UNIDADE 6 (P. 148)**

1. Pato
2. Pouca
3. Parto
4. Barco
5. Boca
6. Pula
7. Bico
8. Pico
9. Bato
10. Bula

UNIDADE 7

▶ **EXERCÍCIO 5 (P. 157)**

Vídeo: Flávia Zonaro

Oi! Eu sou a Flávia Zonaro, advogada, tenho 39 anos. E tô aqui pra contar pra vocês como eu deixei a obesidade de lado. Perdi 60 kg e tenho uma vida muito mais saudável.

Ei, gente, tô chegando aqui do trabalho e tô lembrando de quando eu subi na balança e pesei 140 kg... eu decidi que não dava, é muito peso.

A gente começa a trabalhar, casa, muda a rotina, saí da academia, e aí a balança começou a subir. "Ah! Já que tá aqui... vamo comer isso aqui que é mais rápido e vou descansar." Aí depois eu chegava no trabalho e, às vezes, tinha um monte de comidinha lá... comia de novo... depois era reunião... comia de novo!

Dizia que não tinha tempo pra nada... que era só trabalho, trabalho, trabalho... Eu descontava tudo na comida. A balança sobe, e em menos de 6 meses, eu já tinha mudado completamente o corpo. Quando eu subi na balança e vi 140 kg, deu desespero... Vi que sem um nutricionista, sem algum profissional comigo, eu não ia conseguir... A primeira coisa que ele me falou era assim: "Olha, Flávia, é com tempo tá... não tenha pressa... paciência e a gente vai mudar uma coisinha por vez...". Meu nutricionista pediu pra eu fazer musculação. Foi superestranho eu entrar numa sala de musculação... Mas achei um desafio interessante... e esse desafio foi o que me fez ter coragem de entrar no meio daquele monte de povo sarado... e... fazer exercício ali... e hoje tô treinando junto com eles... Comecei anotar as coisas, porque eu me enganava... e é a primeira coisa, ter consciência do que tá fazendo de errado... é diferenciar "eu preciso" de "eu quero".

Eu posso falar pra vocês... tinha vezes que eu comia uma pizza inteira e eu nem percebia.
Agora eu acabei de me arrumar aqui... é lanchinho e... partiu academia!
Quer um pouquinho?
Bom, galera... agora eu tô indo pra academia, porque mesmo depois de perder 60 kg não dá pra descuidar, não. E eu espero servir de um pouquinho de inspiração pra vocês, porque... olha... é possível! Eu consigo fazer mais coisas... eu sou muito mais ativa do que antes, e isso é tão bom, é tão gostoso...

▶ EXERCÍCIO 7 (P. 158)

Saúde com Ciência: alimentação

Saúde com ciência, a informação a serviço da qualidade de vida.
Olá! Se hoje o Brasil ainda abriga cerca de 7 milhões de pessoas que dormem de barriga vazia, mais da metade da população está acima do peso. Como anda a sua alimentação?
O Saúde com Ciência desta semana investiga as principais características da dieta brasileira, os maus hábitos na hora de comer e o problema da obesidade infantil. Nesta semana, o repórter Luis Gustavo Fonseca traz dicas de um especialista em nutrição sobre a composição de um cardápio saudável.

Reportagem especial:
Arroz e feijão, frango com quiabo e angu, peixe e purê de batata, feijoada com couve são muitas as combinações populares no cardápio do brasileiro, mas o mais importante é o consumo dos chamados alimentos *in natura*. Quem explica é o especialista em nutrição e saúde pública Rafael Claro, professor da Escola de Enfermagem da UFMG.
"Uma alimentação saudável envolve que a gente consuma alimentos essencialmente *in natura* ou com processamento mínimo, que são as partes comestíveis de plantas e bichos, mas que preferencialmente nosso prato esteja cheio de vegetais. Então, se eu for trabalhando com variação disso, como arroz integral, feijão, tomate, alface num dia, no outro dia eu troco lá o tomate ou o alface, por exemplo, por uma salada de quiabo e abóbora, troco o feijão por lentilha. Posso ir fazendo todo tipo de combinação porque esse é o cenário ideal, mais do que a gente ficar repetindo toda vez a mesma preparação.
Em outras palavras, os alimentos *in natura* são aqueles que não sofreram ou foram minimamente processados após sua retirada da natureza. É o caso das frutas, verduras, castanhas, ovos e feijão.
Por outro lado, Rafael Claro aponta os tipos de alimentos que podem comprometer a nossa saúde. "Os grandes problemas da alimentação da população brasileira hoje tão relacionados ao consumo de alimentos ultraprocessados, aqueles alimentos que, ao contrário dos *in natura*, em nada se parecem com uma parte comestível de bicho ou planta. Por exemplo, o que é um refrigerante? Quanto de morango tem uma bolacha de morango? Ou ainda, quanto será que tem de abacaxi em um refresco em pó de abacaxi? Esses alimentos são, em geral, fonte de açúcar, de sódio pra nossa alimentação e, por isso, eles acabam sendo prejudiciais, eles estimulam as pessoas a comerem mais do que elas precisam e estão intimamente relacionados ao ganho excessivo de peso."
Depois das principais refeições, o especialista recomenda o consumo de alguma fruta, já que ela tende a facilitar a absorção de algumas vitaminas e minerais ingeridos pelo organismo. Além disso, ao preferir a fruta, o indivíduo deixa de consumir um doce e seus açúcares adicionais. Rafael Claro ainda esclarece a importância de alimentos integrais em relação aos refinados.

▶ EXERCÍCIO 17 (P. 163)

Vídeo: Transplante de órgãos

Bom, eu sempre fui assim... uma pessoa muito ativa, sempre gostei de fazer mil coisas ao mesmo tempo. até... ter a notícia do meu diagnóstico: a fibrose pulmonar
O diagnóstico foi dado em 2003, e eu fui controlando a doença até mais ou menos 2009 e, pra correr, eu comecei a sentir alguma dificuldade... pra subir escada também até que, em 2011, eu precisei de usar oxigênio 24 horas e tive que entrar em lista pra espera de um transplante de pulmão...
Cada vez que o telefone tocava, era uma apreensão... "será que chegou?"
Então... a gente não que sair de casa... porque pode ser que nos chamem...
Foi uma euforia quando me ligaram e disseram: "Olha, a gente tem um órgão que provavelmente é pra ti".
Logo depois do meu transplante, quando eu tava com meu presente, né? Meu pulmão... a minha

sensação melhor foi de respirar por mim mesma... o papel da minha família foi fundamental... porque me deram todo apoio, todo suporte que eu precisei. Além de ser uma transplantada, eu consegui ser transplantada e ser desportista nos jogos mundiais para transplantados... Eu consegui a primeira medalha de ouro pro Brasil... nos 100 metros rasos na minha categoria. Então... uma transplantada de pulmão... unilateral, fazer uma prova de velocidade, eu considero uma grande superação.

Esse pulmão que me foi dado me deu esse fôlego novo, literalmente, pra vida. Eu quero que outras pessoas transplantadas consigam esse novo fôlego. O que precisa pra que as filas de espera pra transplante diminuam... é... a pessoa se declarar doadora e avisar seus familiares. Unidos somos mais fortes, né?

Para a Liege e outras pessoas que fizeram transplante, cada dia é uma vitória, porque viver é uma grande conquista. Ajude mais pessoas a serem vencedoras, seja doador de órgãos. Avise a sua família! Ministério da Saúde é o governo federal trabalhando para o Brasil avançar.

▶ **EXERCÍCIO 19 (P. 164)**

Paciente: Boa tarde, doutora.
Médica: Boa tarde, como posso ajudar você?
Paciente: Eu estou com uns sintomas estranhos já tem uns 2 dias e, por isso, achei melhor vir consultar.
Médica: Quais são os sintomas?
Paciente: Sinto uma febre que vem todo final da tarde.
Médica: A febre é alta?
Paciente: Sim.
Médica: E você sente dores nas articulações?
Paciente: Sinto. Dores fortes.
Médica: E você teve coceira?
Paciente: Sim, um pouco. E também estou com manchas vermelhas na pele.
Médica: Entendi. Mas quando essas manchas apareceram?
Paciente: Elas apareceram no segundo dia.
Médica: Seus olhos ficaram vermelhos algum momento?
Paciente: Ficaram, logo depois da febre.
Médica: Bom, acho que você pode ter Chikungunya, mas é melhor pedir um exame para confirmar. Os sintomas são muito semelhantes aos da Zica. Mas estou quase certa de que é Chikungunya, porque você teve febre alta e dores fortes nas articulações.
Paciente: E o que eu faço, até sair o resultado?
Médica: É importante tomar muito líquido e fazer repouso. Você deve tomar o antitérmico que vou colocar na receita de 6 em 6 horas.
Paciente: Muito obrigado, doutora.
Médica: De nada! Amanhã nós vamos ver o resultado dos exames.

▶ **FONÉTICA UNIDADE 7 (P. 168)**

1. Faca
2. Viu
3. Fã
4. Fio
5. Fera
6. Favela
7. Vaca
8. Vera
9. Fiado
10. Veado

UNIDADE 8

▶ **EXERCÍCIO 3 (P. 177)**

Vend: Olá! Posso ajudar?
Cliente: Adorei o vestido branco da vitrine. Quais cores vocês têm?
Vend: Temos nas cores branco, preto, vermelho e cinza. Você quer experimentar?
Cliente: Vou experimentar o cinza.
Vend: Qual é o seu tamanho?
Cliente: M ou G.
Vend: Acho que o M vai ficar bom... O que você achou?
Cliente: Ficou muito curto. Vou experimentar o G.
Vend: Só temos o tamanho G na cor preta.
Cliente: Ok! Vou experimentar... Esse ficou certinho, lindo! Vou levar o G... preto mesmo. Como posso pagar?
Vend: Damos 10% de desconto à vista ou parcelamos em 3 vezes no cartão.
Cliente: Pode ser à vista. No dinheiro.

▶ **EXERCÍCIO 6 (P. 178)**

Jorge: Oi, Mari. Tudo bem?
Marina: Oi, tudo.
Jorge: No próximo sábado, eu gostaria muito de levar você a um novo restaurante da cidade. Tenho algo muito importante pra te falar. Você quer ir?
Marina: Acho que vai ser ótimo. Que restaurante é esse? Como é o ambiente?
Jorge: Ah, É um restaurante perto do meu escritório, mais elegante, tem uma bela decoração. O

cardápio serve pratos brasileiros num estilo mais gourmet, mais sofisticado. O serviço é excelente. Acho que você vai adorar.
Marina: Nossa! Já estou imaginando... A que horas podemos encontrar?
Jorge: Fiz a reserva pras 19h30. Posso te buscar às 19 h?
Marina: Às 19 h é perfeito. Dá tempo de sair do trabalho, passar em casa e me arrumar.
Jorge: Então está combinado. Até sábado. Beijo.
Marina: Beijo.

▶ EXERCÍCIO 10 (P. 180)

Vídeo: Roupateca
Repórter: Um novo serviço está chegando no Brasil.
Uma loja aqui em São Paulo funciona assim.. cê paga um valor por mês e pode retirar uma peça, duas ou até 6... todo dia!
Então, por exemplo... Vamo lá... Vem cá, Lombardi, vem cá... Então a gente quer ir na biblioteca de roupa... Então a gente vai lá e paga um valor, aí eu chego lá e falo assim... Oh, eu gostei desse terno... cê vai devolver agora?
Lombardi: Vou!
Repórter: Então devolve que eu vou pegar... Cê gostou do meu? Aí cê pega esse... Aí a gente pega aquela camisa do Johnny... não, aquela camisa do Johnny, não...
Lombardi: Tem que lavar
Repórter: Isso! Aí... o seguinte... a gente vai trocando a roupa...
Lombardi: Bom isso...
Repórter: Não é legal? Quer entender como é que funciona essa ideia?
Lombardi: Quero!
Repórter: A biblioteca de roupas... Balança a reportagem!
Lombardi: Muito interessante.
Narração: Você sabe o que é guarda-roupa compartilhado?
Entrevistada 1: Roupa de aluguel. Você pega uma roupa sua, dá pra loja... e aí outra pessoa pode ir lá e usar.
Narração: Imagine um lugar cheio de roupas que todo mundo pode usar à vontade.
Entrevistada 2: Uma coisa muito bacana principalmente pelo lado financeiro de quem não tem, ou de quem tá na crise. É nesse momento que essas ideias são bem utilizadas.
Narração: Esse lugar existe em São Paulo. Foi criado há um ano e meio pela Daniela, que é publicitária e consultora de estilo. Ela se inspirou durante uma viagem internacional.
Daniela: Eu fiz uma viagem pra Amsterdam e lá eu conheci um projeto que chama Lena, que é uma biblioteca de roupa que funciona com uma outra mecânica com pontuação. O foco deles é divulgar novos estilistas regionais, mas a ideia foi o que deu inspiração pra gente construir uma coisa parecida aqui.
Narração: Nas araras, cerca de 300 peças estão à disposição das clientes. Calças, saias, vestidos, blusas, coletes de grifes famosas dividem espaço com outras peças de estilistas iniciantes. Também estão disponíveis sapatos, bolsas e acessórios. Tudo selecionado com cuidado para agradar a clientes de diferentes estilos.
Daniela: O acervo é construído de duas formas principais. Desapegos de pessoas físicas, que trazem pra ter acesso ao acervo, a gente faz uma troca. E uma coisa que tem dado muito certo pra gente, que tem sido bem importante, é a aproximação com marcas locais. Então a gente tem convidado, e muitas marcas têm procurado a gente pra fazer parte do acervo em troca de visibilidade, porque a Roupateca acaba sendo um laboratório pra elas.
Narração: É como uma biblioteca de roupas. O cliente tem três opções de assinatura. Com uma taxa de 100 reais, ele tem direito a retirar uma peça por dia, pagando-se 200 reais por mês, pode-se retirar três peças e com 300 reais mensais, pode se levar 6 peças a cada visita. As roupas têm que ser devolvidas limpas em até 10 dias. Ou, com uma taxa adicional, a Daniela se encarrega da lavagem.
Repórter 2: O foco é o consumo consciente, estimular as pessoas a comprar menos e, mesmo assim, ter mais. Uma fórmula que no papel pode não fazer muito sentido, mas na prática, a economia compartilhada funciona e, aqui, deixa todo mundo bem vestido.
Narração: É o caso da Mônica, que trabalha com moda, com a assinatura mensal, ela passou a gastar menos do que antes com o vestuário.
Mônica: Eu gastava em média 500 reais com roupa por mês. E... eu acho que eu já tinha até um consumo mais pensado do que eu ia fazer. Tem gente que gasta muito mais. Mas hoje em dia eu gasto 200 reais aqui na Roupateca e muitas vezes eu não

compro mais nada aí por fora. Né? Eu consumo com isso daqui e completo com o que eu tenho em casa.
Narração: Rebeca embarcou na filosofia da economia compartilhada já há alguns anos. O aluguel mensal de roupa casou certinho com os novos hábitos da arquiteta. E com uma preocupação que todo mundo deveria ter nos dias de hoje.
Rebeca: O mundo hoje não tá mais dando conta desse excesso de consumo. Acho que tem... Além dessa parte supergostosa da Roupateca, do desejo de compra e desse sentimento de roupa nova toda semana e da liberdade das escolhas... Eu acho que é algo além... acho que é uma consciência que realmente a gente tá precisando começar a ter.

▶ EXERCÍCIO 16 (P. 184)

"E vamos ver como fica a previsão do tempo amanhã... Em São Paulo, a mínima é de 17 graus e a máxima é de 32. Em Salvador o tempo vai ficar nublado, mas a mínima é de 24 graus e a máxima, de 31. Em Belo Horizonte, o dia vai ser nublado com mínima de 23 e máxima de 27 graus. Já, em Fortaleza, o dia vai ser de sol, com mínima de 24 e máxima de 35. No Sul, em Florianópolis, o céu também vai estar nublado. A mínima será de 16 e a máxima, de 24 graus."

▶ FONÉTICA UNIDADE 8 (P. 188)

1. Guerra
2. Guindaste
3. Queijo
4. Quente
5. Química
6. Guitarra
7. Quiabo
8. Mangueira
9. Enguia
10. Querido

UNIDADE 9

▶ EXERCÍCIO 2.1 (P. 196)

Vídeo: De onde vem a água?

Narração: Chuva: você já se perguntou de onde ela vem?
Pra quem mora no Centro-Oeste e Sudeste da América do Sul, grande parte vem da Amazônia. Nós sabemos que a Bacia Amazônica é a maior do mundo, que seus rios irrigam um vasto território possibilitando a biodiversidade mais espetacular do planeta.
Todos os dias, 17 bilhões de toneladas de água saem dos rios e desaguam nos oceanos.

O que poucos sabem é que... enquanto os rios correm pro mar, no ar, formam-se rios voadores.
Depoimento: O fato de você ter floresta é o único determinante para as áreas continentais grandes, dando transporte de água para dentro do continente.
Narração: A Amazônia é responsável pela formação de rios voadores que viajam por milhares de quilômetros e irrigam toda a região Central e Sudeste da América do Sul. Região onde é produzido 70% do PIB do continente.
O mais surpreendente é que o volume de água que a Floresta Amazônica coloca no ar é ainda maior que o volume jogado por seus rios no mar, podendo chegar a 20 bilhões de toneladas todos os dias. 20 bilhões de toneladas!
A Amazônia funciona como uma gigantesca usina onde trabalham 300 bilhões de árvores, produzindo em média 500 litros de água cada, todos os dias. Pra quem pensa que florestas são improdutivas, é melhor pensar de novo.

Fonte: bit.ly/2kq5kkF (Acesso em: 26 set. 2018.)

▶ EXERCÍCIO 9 (P. 199)

"Você sabe o significado dos 5 Rs da educação ambiental? Fique sabendo.
Cinco ações para um futuro melhor, cinco práticas para uma vida sustentável.
Essa história teve início nos anos 70 do século passado, quando as questões ambientais começavam a preocupar muita gente. Assim, criou-se o conceito dos 3 Rs.
O primeiro R é reduzir. Isso mesmo. Reduzir o consumo, comprar só o necessário e escolher produtos com maior durabilidade.
O segundo R é reutilizar, ou seja, usar um produto mais de uma vez para outro fim. Quer um exemplo? Quando acabar o doce de um pote de vidro, você pode usar a embalagem para guardar outra sobremesa.
O terceiro R é reciclar. Nem todo material pode ser reciclado, mas o plástico, o metal, o papel e o vidro, por exemplo, podem ser separados e transformados outra vez pela indústria, diminuindo a extração de matéria-prima da natureza.
Mas o tempo foi passando, e pesquisadores e ambientalistas viram a necessidade da colaboração de mais dois Rs.
O quarto R é recusar. Sim. Recusar produtos fabricados sem respeitar a natureza ou que prejudiquem

o meio ambiente.

E, por fim, o quinto R, é o R de repensar. Precisamos sempre refletir sobre os nossos hábitos de consumo e adotar práticas sustentáveis.

Os 5Rs são ações e práticas para um mundo melhor. Fique sabendo."

Fonte: bit.ly/2ma9bTn (Acesso em: 26 set. 2018.)

▶ EXERCÍCIO 12 (P. 200)

Pra onde vai a latinha? Você já se perguntou?

No Brasil, existem mais de 800 mil catadores de materiais recicláveis. Muitos brasileiros fazem da coleta de latas de alumínio uma oportunidade de trabalho. Essa realidade só é possível porque o Brasil é um dos países campeões em reciclagem de latinhas. Em 2015, o índice de reciclagem foi de 97,9%. Isso é quase 100% de sustentabilidade dessa produção! Mas não é só sustentabilidade; é sustentabilidade e economia de energia, pois reciclar uma lata necessita 95% menos de energia do que produzir uma nova. A lata de alumínio ganha cada vez mais espaço e preferência entre os consumidores. Tudo isso porque são neutras em termo de sabor, mantêm a qualidade do produto durante muito tempo, economizam espaço, facilitam o transporte dos produtos, gelam mais rápido as bebidas e ainda são 100% e infinitamente recicláveis.

Cada brasileiro consome, em média, 117 latas por ano. São mais de 2,5 bilhões de latinhas no Brasil a cada ano. Todo esse consumo permite que a reciclagem da latinha movimente mais de 50 milhões de reais na economia brasileira.

O processo completo do ciclo de vida da lata, desde a coleta até a produção de uma nova latinha, ocorre em 60 dias. É muito rápido e pode ser facilitado por você. Tudo o que você precisa fazer é descartar corretamente.

Fonte: bit.ly/2m5vEAQ (Acesso em: 26 set. 2018.)

▶ EXERCÍCIO 17 (P. 202)

A Rádio Samba hoje vai entrevistar nossa querida ouvinte Luciana Barros. A nova associada da APAM (Associação Protetora do Meio Ambiente) do estado do Pará.

– Tudo bem, Luciana?

– Tudo ótimo, Jorge, é um prazer estar aqui com você e todos os ouvintes da Rádio Samba.

– Luciana, conta pra gente. Desde quando você é associada da APAM?

– Jorge, eu comecei no dia 2 de julho. Foi uma decisão muito importante para mim, porque eu perdi meu preconceito e medo de me associar. Nós sempre desconfiamos das pessoas que pedem dinheiro pra gente na rua ou nos pedem para fazer cadastro, né? [...]

– Entendi, Luciana, mas como, então, você fez para se cadastrar?

– Na verdade, eu fui parada na rua por esses associados voluntários e depois de uma conversa, eu entrei no site da associação e me cadastrei. Agora eu sou membro e contribuo mensalmente pra instituição.

– E por que você tomou essa decisão?

– Porque acho que preciso fazer algo pelo meio ambiente. É uma responsabilidade de todos. Não posso deixar a responsabilidade para os outros. Cada um deve fazer sua parte.

– E como é isso, você escolhe o valor?

– Sim, claro. Existem cotas de 20, 30, 35, 50 ou mais. Eu, por exemplo, contribuo com 30 reais. Acho que cada um deve fazer sua parte e não pensar que por ser pouco é melhor não fazer nada.

– Mas é só com dinheiro que você participa, Luciana?

– Não, Jorge. O dinheiro financia as ações coletivas que o grupo realiza. Nós sempre encontramos algum ponto que precisa de ajuda ou preservação, como cachoeiras, parques ambientais, praças públicas, e sempre coletamos o lixo, ou fazemos alguma intervenção. Qualquer um pode ajudar, mesmo sem ser associado: podem reciclar latas, vidros e papéis ao separar o lixo, usar o etanol como combustível, economizar água e, até no supermercado mesmo, recusar sacolas de plástico. As pequenas ações de todos fazem muita diferença.

– Nossa, Luciana que legal! Não precisa associar pra ajudar, mas quem associa acaba ajudando, porque gera recursos para outros trabalhos, certo?

– Isso mesmo, Jorge!

– Muito obrigado da nossa rádio para a querida Luciana e vamos todos contribuir com o possível, galera!

▶ EXERCÍCIO 25 (P. 206)

Vídeo: Chapada dos Veadeiros

Funcionário do parque – O Parque Nacional da Chapada dos Veadeiros foi reconhecido pela Unesco como um sítio do patrimônio natural da humanidade. Ampliar o parque nacional, para além dos limites atuais, é fundamental pra manutenção da vida no Cerrado.

Não existe no planeta savanas tão ricas em termos de vida e de recursos naturais como o Cerrado.

Júlio Itacaramby – Um dos itens que mais atraem aqui são as águas. E as nossas águas são realmente muito limpas e muito puras. O desfile dessas águas nas cachoeiras é o que mais encanta os visitantes da região.

Funcionário do parque – Os novos limites conservam também plantas endêmicas, plantas raras. Certamente estão para ser descobertas novas espécies de bichos, de animais, de fauna e de flora nessas áreas, além de abrigar locais belíssimos, como a cachoeira de Simão Correia.
Estabelecer um parque nacional é a garantia de que no futuro, distante, essa região vai estar exatamente como ela se encontra hoje.

Fonte: bit.ly/2P9V2SX (Acesso em: 26 set. 2018.)

▶ FONÉTICA UNIDADE 9 (P. 208)

1. Vela
2. Velha
3. Telha
4. Tela
5. Malha
6. Mala
7. Amolar
8. Molhar
9. Escolha
10. Escola

ANEXO 5
RESPOSTAS DOS EXERCÍCIOS

▶ **UNIDADE 0**

1. (f) (a) (d) (h)
(i) (b) (e)
(j) (c) (g)

2. a. Meu sobrenome é...
b. Eu sou de (+ cidade)/ Eu sou de/ do/ da (+ país)
c. Eu sou... (+ nacionalidade)
d. A minha cor favorita é...
e. É o dia... (nº)... de... (mês)...
f. Meu telefone é...
g. Meu e-mail é...@...

3. a. é   d. é   g. são   j. é
b. são   e. são   h. sou
c. somos   f. são   i. são

4. a. francesa   d. cubana
b. inglesa   e. espanhola
c. canadense   f. brasileira

5. a. Não. Os brasileiros não falam espanhol. Eles falam português.
b. Não. A moeda do Brasil não é o peso. É o real.
c. Não. A capital do Brasil não é o Rio de Janeiro. É Brasília.
d. Não. O Brasil não tem seis regiões. Ele tem cinco regiões.
e. Não. As cores da bandeira do Brasil não são verde, amarelo e preto. Elas são verde, amarelo, azul e branco.

6. a. A   g. A   m. A
b. O   h. A   n. O
c. O   i. A   o. O
d. A   j. A   p. A
e. A   k. O   q. A
f. O   l. A

7. a. sou   f. é   k. é
b. é   g. é   l. é
c. são   h. são   m. é
d. somos   i. é   n. são
e. são   j. é

8. a. Júlio é brasileiro.
b. Juan é mexicano.
c. Maria é boliviana.
d. Sarah é israelense.
e. Jarrod é australiano.
f. Michel é alemão.
g. Nicole é estadunidense/ americana.
h. Kamília é bahamense.
i. Juca é português.

9. a. Eles estudam na universidade.
b. Eles são portugueses.
c. Ela canta no coral da escola.
d. Elas caminham no parque da cidade.
e. Quando vocês viajam?

10. segunda-feira. sexta-feira. oito. três. português. dezembro. janeiro. verão. praia. mar. comidas. cultura. música

11. a. três   e. doze   i. vinte e dois
b. cinco   f. dezesseis   j. vinte e nove
c. nove   g. dezenove
d. onze   h. vinte

12. a. Maçã verde   d. Céu azul
b. Lua branca   e. Uva roxa
c. Lápis vermelho   f. Casa branca

13. a. Uma   g. Um   m. Uma   s. Umas/ Uns
b. Um   h. Uma   n. Uma
c. Um   i. Um   o. Uma   t. Uns
d. Umas   j. Uma   p. Uma
e. Uma   k. Uma   q. Um
f. Uma   l. Uns   r. Um

14. (h)
(c)
(d)
(f)
(g)
(a)
(e)
(b)

15. B: Tudo bem
A: Bem também / me chamo
B: Prazer
A: francesa
B: brasileira

16. (d)
(c)
(b)
(a)
(resposta pessoal)

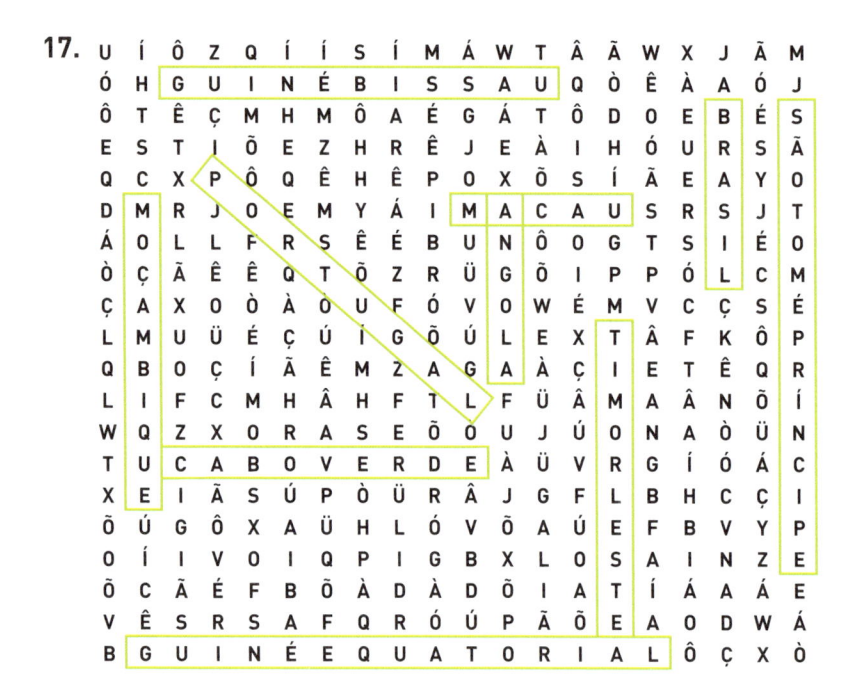

17.
```
U Í Ô Z Q Í Í S Í M Á W T Â Ã W X J Ã M
Ó H G U I N É B I S S A U Q Ò Ê À A Ó J
Ô T Ê Ç M H M Ô A É G Á T Ô D O E B É S
E S T I Õ E Z H R Ê J E À I H Ó U R S Ã
Q C X P Ô Q Ê H Ê P O X Õ S Í Ã E A Y O
D M R J O E M Y Á I M A C A U S R S J T
Á O L L F R S Ê É B U N Ô O G T S I É O
Ò Ç Ã Ê Ê Q T Õ Z R Ü G Õ I P P Ó L C M
Ç A X O Ò À O U F Ó V O W É M V C C S É
L M U Ü É Ç Ú Í G Õ Ú L E X T Â F K Ô P
Q B O Ç Í Ã Ê M Z A G A À Ç I E T Ê Q R
L I F C M H Â H F T L F Ü Â M A Â N Õ Í
W Q Z X O R A S E Õ Õ U J Ú O N A Ò Ü N
T U C A B O V E R D E À Ü V R G Í Ó Á C
X E I Ã S Ú P Ò Ü R Â J G F L B H C Ç I
Õ Ú G Ô X A Ü H L Ó V Õ A Ú E F B V Y P
O Í I V O I Q P I G B X L O S A I N Z E
Õ C Ã É F B Õ À D À D Õ I A T Í Á A Á E
V Ê S R S A F Q R Ó Ú P Ã Õ E A O D W Á
B G U I N É E Q U A T O R I A L Ô Ç X Ò
```

18. a. *verão*
    b. *chuva*
    c. *boate*
    d. *sábado*
    e. *casa*

19. *segunda-feira, terça-feira, quarta-feira, quinta-feira, sexta-feira, sábado.*

▶ **UNIDADE 1**

1. (d)   2. (5)   (8)
   (c)   (1)   (2)
   (a)   (4)   (6)
   (e)   (9)   (10)
   (b)   (3)   (7)

3. a. Kelly é (estadunidense/ americana), ela tem dezenove anos e é (estudante).
   b. Michel é alemão, tem trinta anos e é (engenheiro/ mestre de obras/ arquiteto ...).
   c. Joana é chinesa, tem vinte e seis anos e é (médica/ enfermeira/ pesquisadora...).
   d. Eric é belga, tem quarenta e oito anos e é dentista.

4. a. Quantos anos você tem?/ Qual é a sua idade?
   b. Quantas línguas você fala?
   c. Qual é o seu nome?/ como você se chama?
   d. Qual é a profissão da...?
   e. Qual é o seu número? Qual é o seu telefone?

5. (d)   (c)
   (g)   (i)
   (h)   (e)
   (b)   (f)
   (a)

6. 2.*mora* 3.*fala* 4.*gosta* 5.*é* 6.*é* 7.*está* 8.*toca* 9.*adora*

7. a. *fala*   d. *almoça*   g. *aprendem*
   b. *como*   e. *pagam*   h. *abro*
   c. *parte* f. *bebo*   i. *dividem*

8. a. *Beber*   g. *Jogar*   m. *Viver*
   b. *Falar*   h. *Ter*   n. *Adorar*
   c. *Abrir*   i. *Responder* o. *Permitir*
   d. *Morar*   j. *Escrever* p. *Dividir*
   e. *Fumar*   k. *Receber*   q. *Telefonar*
   f. *Gostar* l. *Praticar* r. *Comer*

9. 1. é 2. é 3. mora 4. tem 5. é 6. tem 7. se chama 8. é 9. trabalha 10. têm 11. gosta de 12. é 13. adora 14. gosta 15. tem 16. joga 17. aproveita 18. estuda 19. acha 20. gosta

10. a. *estou*   f. *é*   l. *está/ é*
    b. *somos/ estamos* g. *está/ é* m. *são/ estão*
    c. *são*   h. *é*   n. *são*
    d. *são*   i. *está*   o. *estão*
    e. *é*   j. *é*
                       k. *está*

11. *Resposta pessoal*

12. *Resposta pessoal*

13. *Resposta pessoal*

14. a. *carinhosa*   d. *arquiteto*
    b. *Noruega*   e. *motorista*
    c. *comunista*

15. Resposta pessoal.

16. a. *O homem da direito (Marcius Melhem) é magro, alto, moreno, tem cabelo preto e é sorridente.
b. *O homem da esquerda (Leandro Hassum) é branco, tem cabelo castanho e é engraçado.
c. *A mulher da esquerda (Anitta) é morena, tem cabelos longos e lisos, é magra e é divertida.
d. *A mulher da direita (Ludmila) é negra, tem cabelos cacheados, é loira e é simpática.
* Sugestão de respostas

▶ UNIDADE 2

1. a. atravessar
b. em frente
c. ao lado
d. entre
e. fora

2. a. ar-condicionado
b. sacolão
c. moto
d. restaurante

3. (d)
(e)
(c)
(b)
(a)
(f)

4. a. Maria vai morar ao lado do hotel
b. Você vai virar a primeira rua à direita
c. Elas vão ficar em um hotel em frente à praia.
d. Eu vou morar em uma avenida perto do cinema.

5. a. Exemplo.
b. O hotel Miramar fica na Alameda das Acácias, número setenta e três, no bairro Miramar, na cidade de Curitiba.
c. O restaurante Golden China fica na Avenida Afonso Pena, número cento e cinquenta e quatro, no bairro Centro, na cidade de Belo Horizonte.
d. O shopping Cruzeiro fica no Boulevard Hortência, número treze, no bairro Vila Paris, na cidade de Londrina.

6. a. A padaria fica atrás da escola/ ao lado do hospital.
b. A escola fica ao lado da farmácia.
c. A praça fica em frente ao mercado./ ao lado da farmácia.

7. a. A . O . ~~O mar~~
b. A . A . ~~A escultura~~
c. ~~O carro~~ . A . O
d. O . O . ~~A estrada~~
e. A . ~~O banheiro~~ . O
f. O . ~~O ônibus~~ . O

8. (g)
(f)
(d)
(h)
(c)
(a)
(b)
(e)

9. a. atrás do
b. centro/ meio
c. acima/ ao lado
d. entre
e. fora/ em frente
f. em cima/ sobre

10. a. nos . em
b. em . na . na
c. na . no . no
d. em . em

11. a. no . de
b. no . em . na
c. na . de . em
d. de . em

12. a. vão à/ para a
b. vamos ao/ para o
c. vão a/ para
d. vou ao/ para o
e. vai ao/ para o

13. a. Resposta pessoal
b. Resposta pessoal
c. Resposta pessoal
d. Resposta pessoal
e. Resposta pessoal
f. Resposta pessoal

14. a. Norte
b. Nordeste
c. Sul
d. Sudeste
e. Leste . Oeste

15. (2)
(1)
(3)
(4)

16. Resposta pessoal

17. 1.Praia 2.turísticos 3.apartamentos 4.hotel 5.restaurante 6.internet 7.ar-condicionado 8.piscina 9.reserva 10.preços

18. a. Você vai virar à esquerda
b. Você vai seguir em frente
c. Você vai virar à direita
d. Você vai atravessar a rua
e. Você vai atravessar o cruzamento

19. Sara está em Barcelona , na Espanha.
Sara vai para Nova York, nos Estados Unidos.
Eles estão em Paris, na França.
Eles vão para o Japão.
Fernando está em Londres, na Inglaterra.
Ele vai para China.

20. 1. Vamos saltar de asa-delta da Pedra Bonita
2. Vamos passear no Jardim Botânico
3. Vamos assistir aos desfiles de carnaval no Sambódromo
4. Vamos assistir a um Fla-Flu no Maracanã

UNIDADE 3

1. a. *Resposta pessoal*
   b. *Estudante de economia/ professor/...*
   c. *Às segundas e sextas-feiras.*
   d. *No dia 15 de julho.*
   e. *De 15 em 15 dias*
   f. *Ela vai ao churrasco na casa do Augusto. Ela não precisa ser tão pontual, porque as pessoas em churrasco podem demorar um pouco para comer, segundo o costume brasileiro.*
   g. *É um jantar. A pessoa deve chegar até no máximo 19h45, porque não é bom atrasar mais de 15 minutos em um jantar.*
   h. *A aula de Pilates é às 15h20, às segundas-feiras.*

2. a. *futebol*
   b. *ciclismo.*
   c. *lutas e artes marciais*
   d. *a ginastica rítmica e artística*
   e. *bola . basquete . vôlei . tênis*

3. (b)
   (e)
   (f)
   (a)
   (c)
   (d)

4. 1. *é* 2. *é* 3. *mora* 4. *é* 5. *gosta* 6. *acorda* 7. *vai* 8. *sai* 9. *é* 10. *gosta* 11. *come* 12. *está* 13. *precisa* 14. *está* 15. *visita* 16. *viaja* 17. *leva* 18. *pensa* 19. *tem* 20. *convida* 21. *é* 22. *trabalha* 23. *fica* 24. *tira* 25. *vai* 26. *arrumam* 27. *lavam* 28. *fazem* 29. *almoçam* 30. *voltam* 31. *vai*

5. a. *de/ a*
   b. *por*
   c. *às/ às*
   d. *de/ ao*
   e. *de/ em*
   f. *às*
   g. *de/ a*

6. a. *Os alunos estão estudando na escola.*
   b. *Hoje está chovendo.*
   c. *Hoje está fazendo sol.*
   d. *Nós estamos fazendo exercícios.*
   e. *O diretor da escola está trabalhando.*
   f. *A secretária está respondendo o e-mail.*
   g. *O menino está assistindo à TV.*
   h. *Eu estou dormindo cedo durante a semana.*

7. a. *Lunyse vive correndo na lagoa da Pampulha.*
   b. *Gustavo anda bebendo muita cerveja nas festas.*
   c. *Júlio anda praticando português todos os dias.*
   d. *Luna vive comendo castanha.*
   e. *Andressa vive chegando atrasada para as reuniões.*
   f. *Lucas anda trabalhando muito esses dias.*
   g. *Karine vive perdendo as chaves de casa.*

8. 1. *é* 2. *trabalha* 3. *acorda* 4. *pega* 5. *almoça* 6. *chega* 7. *toma* 8. *vê* 9. *joga* 10. *vai* 11. *come* 12. *bebe* 13. *faz* 14. *limpa* 15. *lava* 16. *assiste* 17. *prepara* 18. *convida* 19. *dorme*

9. a. *de . de/ à*
   b. *às*
   c. *às . às*
   d. *às*
   e. *por*
   f. *nos*
   g. *À . da*
   h. *do . Ao*

10. 1. *Fazer atividade física três vezes por semana.*
    2. *Resposta pessoal.*
    3. *Resposta pessoal.*
    4. *Resposta pessoal.*
    5. *Resposta pessoal.*
    6. *Resposta pessoal.*
    7. *Resposta pessoal.*

11. *Sou estudante de português*
    Estou fazendo o dever de casa.
    Não, eu não estou.
    Nós fazemos reportagens.
    Estamos entrevistando artistas.
    Não, nós não estamos.
    Ele joga futebol.
    Ele está treinando para o campeonato.
    Não, ele não está.

12. a. *As crianças nunca se vestem sozinhas.*
    b. *Nós nos vemos uma vez por semana*
    c. *Eu leio um livro todos os anos.*
    d. *Eu durmo às 22 h.*
    e. *Ela sai às sextas-feiras.*
    f. *João nunca se penteia.*

13. *Modelo para resposta*
    Olá, João.
    No próximo sábado vai ter um evento no Parque Municipal. É um evento para integrar todos os grupos da cidade. Acho que vai ser interessante, e quero convidar você.
    Vamos nos encontrar às 10h30 em minha casa, para caminharmos juntos até o parque. As atividades vão começar às 11h.
    Vamos fazer yoga, conversar e compartilhar um lanche. Eu vou levar frutas e sanduíches. Você leva as bebidas?
    Aguardo sua resposta.
    Um abraço,

    Lu

▶ UNIDADE 4

1. a. *Estas . aquelas*
   b. *Esses*
   c. *Esta*
   d. *Esta . aquela*
   e. *Esta*

2. a. *Aí*
   b. *Lá*
   c. *Aqui . lá*
   d. *Aí*
   e. *Aqui*

3. a. *Este*
   b. *Aquela*
   c. *Esses*
   d. *Aqui*
   e. *Aí . aqui . aí*
   f. *Aquele*
   g. *esse*
   h. *Aqueles*
   i. *Essas . estas*

4. (c)   (e)
   (d)   (b)
   (a)

5. [imagem de um quarto com itens numerados]

6. a. *Resposta pessoal.*
   b. *Resposta pessoal.*
   c. *Resposta pessoal.*
   d. *Resposta pessoal.*
   e. *Resposta pessoal.*
   f. *Resposta pessoal.*
   g. *Resposta pessoal.*

7. 1. *O sótão*
   2. *O banheiro*
   3. *A cozinha*
   4. *A sala de jantar*
   5. *O porão*
   6. *As escadas*
   7. *O corredor*
   8. *O quarto*
   9. *A sala de TV / A sala de estar*
   10. *O jardim / O quintal*

8. a. *Andar . elevador*
   b. *Janelas*
   c. *Televisão . sofá . mesa*
   d. *Churrasqueira . piscina*
   e. *Alugar*
   f. *Cozinha . sala de jantar*
   g. *Garagem*
   h. *Jardim*
   i. *Cobertura*

9. a. *tem que*
   b. *têm*
   c. *tem que*
   d. *tem*
   e. *tem*

10. a. *Nós moramos na casa mais bonita do bairro.*
    b. *Maria vive no menor apartamento do prédio.*
    c. *A cidade do México é a maior cidade do mundo.*
    d. *Ontem comi o pior sanduíche do mundo.*
    e. *Este mês li o livro menos interessante da minha vida.*

11. (7)   (4)
    (6)   (10)
    (11) (2)
    (5)   (12)
    (1)   (3)
    (8)   (9)

12. a. *cozinha*
    b. *o quarto*
    c. *a lavanderia/ a área de serviço*
    d. *a garagem*
    e. *o jardim*

13. *Resposta pessoal*

14. a. *mesa*
    b. *entrada*
    c. *estacionamento*
    d. *guarda-roupas*

15. a. *A cliente gostaria de uma casa grande. (1)*
    b. *Nós gostaríamos de beber água gelada, por favor. (1/2)*
    c. *Vocês poderiam dar um desconto no aluguel? (2)*
    d. *Vocês deveriam comprar um carro maior para a família. (3)*
    e. *Eu poderia emprestar minha garagem se necessário. (3)*
    f. *Você poderia pagar em dinheiro? (2)*

16. 1. *Não é permitido entrar./ É proibida a entrada.*
    2. *Não é permitido nadar./ É proibido nadar.*
    3. *Não é permitido jogar lixo no chão./ É proibido jogar lixo no chão*
    4. *Não é permitido comer alimentos aqui / É proibido comer alimentos aqui.*
    5. *Não é permitido alimentar os animais./ É proibido alimentar os animais.*
    6. *Não é permitido usar o celular./ É proibido usar o celular.*

17. *A máquina de lavar estragou.*
    Precisamos chamar um técnico de eletrodomésticos.
    A luz acabou./ A energia acabou.
    Precisamos ligar para companhia de energia.
    A internet não está funcionando./ O wi-fi não está disponível.
    Precisamos ligar para a companhia telefônica./ Precisamos verificar o sinal de wi-fi.

18. *Resposta pessoal.*

UNIDADE 5

1.
a. Elas são bonitas, inteligentes e gentis.
b. As dentistas são muito competentes e simpáticas.
c. Nós somos primas delas.
d. As estudantes estão preocupadas com as provas.
e. As meninas são muito tímidas.
f. As cantoras dos cartazes vão tocar nos festivais nacionais.

2.
a. As casa amarelas
b. As lojas infantis
c. Os hotéis nacionais
d. Os homens gentis
e. As bolas azuis
f. Os cartazes amassados
g. Os mercados centrais
h. Pães alemães são ótimos
i. Estas árvores têm raízes profundas

3.
a. seu
b. meus
c. suas
d. nossa
e. minha/ nossos/ nossos
f. minha

4.
a. nosso
b. deles
c. dela
d. meus
e. dele
f. meu
g. seu
h. delas

5. 1 venho . 2 trabalha . 3 vamos . 4 conhecemos . 5 gostam . 6 gostam . 7 sentimos . 8 vivem . 9 conhecem . 10 querem

6.
a. vem . vai
b. venho
c. vou
d. venho . vou

7.
a. São minhas
b. É dela
c. São deles
d. Não. É dela.
e. Não, é meu primo.
f. É nosso.
g. Não, é seu.
h. Não, são seus.
i. Sim, é dela.
j. Não, são delas.

8.
a. dele . dela
b. meus
c. seu/ meu
d. dela
e. seus
f. dele
g. minha/ sua
h. seu/ dela
i. sua/ seu
j. minha/ meu

9.
a. Eu me pareço com...
b. Eu cresci em...
c. Eu conheço...
d. Eu torço para...

e. Resposta pessoal
f. Sim, estabeleço./ Não, não estabeleço.

10.
a. 1 chegaram 2 foram 3 abriram 4 foi 5 estudou 6 se casou 7 foi 8 trabalhou 9 foram
b. 1 acordou 2 foi 3 correu 4 trabalhou 5 almoçou 6 chegou 7 tomou 8 tomou 9 deitou 10 acordou 11 ligou 12 descobriu 13 pegou 14 passou 15 descansou 16 bebeu 17 voltou

11. Ontem, Maria acordou às 7 h. Ela tomou banho, arrumou os materiais da escola e tomou café da manhã com os pais. Ela pegou o ônibus da escola às 7h30 e conversou com os amigos durante o caminho. Quando ela chegou na escola, cumprimentou os professores e sentou na sua mesa para estudar. Quando o sinal bateu, ela lanchou com os colegas. Depois da aula ela foi para casa, almoçou, alimentou o cachorro e andou com ele na praça. Mais tarde, ela fez o dever de casa e jantou com os pais. Depois do jantar, ela assistiu ao jornal e dormiu às 9 h.

12.
a. mil oitocentos e vinte e dois
b. mil oitocentos e oitenta e oito
c. mil novecentos e oitenta e cinco
d. mil novecentos e noventa e quatro
e. dois mil/ quinhentos
f. dois mil e onze

13.
a. sei
b. conheci
c. conhece
d. sabemos
e. sabe
f. conhece
g. conheceu
h. sabe
i. conheço
j. souberam
k. sei
l. sabemos
m. conheceram
n. conheço

14.
a. avô
b. primo
c. cunhado
d. nora
e. tio
f. sobrinhos
g. pais

15.
(e) (c)
(f) (b)
(a) (d)

16. Resposta pessoal.

17.
(c) (b)
(f) (a)
(e) (d)

▶ UNIDADE 6

1. a. Resposta pessoal
   b. Resposta pessoal
   c. Resposta pessoal

2. a. oitavo
   b. quarto
   c. vigésimo terceiro
   d. décimo primeiro
   e. trigésimo segundo
   f. sétimo
   g. sexto
   h. quadragésimo quinto
   i. nono

3. a. Dom Pedro primeiro
   b. século vinte
   c. volume treze
   d. décimo terceiro volume
   e. Pio doze
   f. Bento dezesseis
   g. vigésimo quarto andar
   h. quadragésimo sexto melhor restaurante do mundo

4. a. serve
   b. prefiro
   c. vestimos
   d. sentem
   e. servimos
   f. dirijo consumo

5. a. Você saiu ontem à noite?
   b. O homem fugiu do restaurante para não pagar.
   c. A bebida caiu sobre a roupa do cliente.
   d. Nós ouvimos boas críticas do restaurante indiano.
   e. O garçom serviu bem todos os clientes.
   f. Você dividiu a conta do táxi com seu amigo?
   g. Eu medi a qualidade do atendimento pela internet.
   h. Ela reservou o restaurante para o réveillon.

6. Ontem... acordei às 6 h da manhã, tomei café da manhã às 6h15 e tomei banho às 7 h. Saí para o trabalho às 8 h e trabalhei até as 17 h. Ao meio-dia eu almocei com os colegas do escritório em um restaurante perto do trabalho. O garçom serviu nosso prato favorito, um PF. À tarde eu respondi meus e-mails e liguei para alguns clientes. Cheguei em casa às 20h15 e jantei com minha esposa. Comi um sanduíche e bebi uma cerveja para relaxar. Eu assisti à TV até as 22 h para saber de todas as notícias do dia. Antes de dormir, eu escutei uma boa música.

7. ▶ um pote de
   ▶ 2 litros de
   ▶ três caixas de
   ▶ uma garrafa de
   ▶ duas latas de
   ▶ 250 gramas de
   ▶ um pacote de
   ▶ um sachê de

8. 1 venho 2 estou 3 trabalha 4 vamos 5 preferem 6 preferem 7 sinto 8 vivem 9 querem 10 gostam 11 riem 12 se interessam 13 conseguem

9. a. prato executivo / PF
   b. self-service
   c. rodízio
   d. à la carte

10. Resposta pessoal

11. ▶ 1
    ▶ 2 colheres de sopa de
    ▶ Muito
    ▶ Uma dose
    ▶ Amassar
    ▶ Acrescentar
    ▶ Misturar
    ▶ Servir

12. (f)
    (d)
    (e)
    (b)
    (a)
    (c)

13. a. armário
    b. marmita
    c. limpar
    d. chá
    e. cortar

14. Resposta pessoal

15. a. (9) e. (3) i. (7) m. (5)
    b. (4) f. (2) j. (8) n. (6)
    c. (1) g. (14) k. (12) o. (11)
    d. (13) h. (16) l. (10) p. (15)

16. a. muito obrigado/ a está ótimo/ muito bom/ que delícia
    b. Por favor, garçom!/ moço! (informal)
    c. Por favor, a conta./ Feche a conta, por favor?
    d. O prato serve quantas pessoas?
    e. Já estou satisfeito (a), obrigado (a)
    f. Você pode embalar para viagem?
    g. O que vem no prato?

▶ UNIDADE 7

1. a. senti . tive
   b. conseguiu
   c. chegaram
   d. discutimos
   e. fomos
   f. vi . preferi
   g. fizemos
   h. vieram . quiseram
   i. quis
   j. tentaram . disse

2. a. É preciso parar de fumar. (sugestão)
   b. É necessário se alimentar melhor. (sugestão)
   c. É importante beber muito líquido e repousar. (sugestão)

d. *É preciso evitar o excesso de bebida alcóolica. (sugestão)*

3. a. *antitérmico*
   b. *anti-histamínico*
   c. *antibióticos . receita médica*
   d. *comprimido*
   e. *xarope*
   f. *febre . manchas vermelhas*
   g. *pingar*
   h. *acumular*

4. a. *Sara faz tantos exercícios físicos quanto Vera.*
   b. *Bárbara toma menos medicamentos do que Marcelo.*
   c. *Priscila come mais carne do que vegetais.*
   d. *Suzana faz tanta meditação quanto Lucca.*
   e. *Felipe tem uma alimentação menos saudável do que Ana.*

5. a. *Pedro é tão alto quanto Ana.*
   b. *Denise é menos tímida do que Geraldo.*
   c. *A caipirinha é tão boa quanto a cerveja.*
   d. *O vinho é melhor do que a cidra.*
   e. *O Brasil é tão quente quanto a Austrália.*
   f. *Viajar de ônibus é pior do que viajar de avião.*
   g. *O Brasil é maior do que o Japão.*
   h. *A França é menor do que a China.*

6. a. *tantos . quanto*
   b. *tantas . quanto*
   c. *tão . quanto*
   d. *tão . quanto*
   e. *tanto . quanto*
   f. *tanto . quanto*
   g. *tão . quanto*
   h. *tantas . quanto*
   i. *tão . quanto*

7. a. *melhor*
   b. *mais perto*
   c. *mais cedo*
   d. *maiores*
   e. *mais velho*
   f. *mais rápido*
   g. *mais saborosa*

8. a. *O que eles disseram?*
   b. *Nós não fizemos ginástica na semana passada.*
   c. *Por que ela não foi à festa?*
   d. *Você soube da novidade?*
   e. *Por que ele não tomou os remédios?*
   f. *O que você disse ao médico?*
   g. *Elas não nadaram na piscina.*

9. a. *Ele está com febre*
   b. *Ele está com dor de cabeça.*
   c. *Ele está com dor de barriga.*
   d. *Ele está com dor de garganta.*
   e. *Ele está com insônia.*

10. a. *Fígado*
    b. *Mão*
    c. *Pescoço*
    d. *Face*
    e. *Sentir*

11. (d)
    (g)
    (f)
    (e)
    (b)
    (a)
    (c)

12. (f)
    (c/f)
    (b)
    (i/g)
    (g/i)
    (e/l)
    (a/j)
    (h)
    (k)
    (l/e)
    (j/a)

13. a. (2)
    b. (8)
    c. (5)
    d. (4)
    e. (6)
    f. (7)
    g. (1)
    h. (9)
    i. (3)

14. *Respostas pessoais.*

15. a. *Você come menos carne vermelha do que carne branca.*
    b. *Nós bebemos tanta água quanto suco.*
    c. *Rio de janeiro é tão bonito quanto Salvador.*
    d. *Andar de bicicleta é mais econômico do que andar de carro.*
    e. *Elas leem menos do que ouvem música.*

16. 1. *água* 2. *frutas* 3. *proteínas* 4. *grãos* 5. *vegetais* 6. *enlatados* 7. *frituras* 8. *legumes e verduras* 9. *esporte* 10. *vacinas* 11. *alimentação*

▶ UNIDADE 8

1. **Imagem 1:** *Ela está usando uma calça jeans azul, uma blusa branca, uma jaqueta preta, uma bolsa preta e sapatos pretos.*
   Imagem 2: *Ela está usando um vestido curto, azul, sem mangas e uma sandália de salto alto.*
   Imagem 3: *Ele está usando uma camisa xadrez, uma blusa branca, uma calça jeans azul e botas pretas.*
   Imagem 4: *Ele está usando um suéter listrado preto e branco, um short branco e um sapato bi-color.*

2. a. *Pijamas*
   b. *Brincos*
   c. *Sandália*
   d. *Cachecol*
   e. *Sutiã*

3. a. *Levei*
   b. *Trouxe/levou*
   c. *Trouxe*
   d. *Levei*
   e. *Trouxe/ levou*
   f. *Trouxe*
   g. *Trouxe*
   h. *Trouxe*
   i. *Trouxe*
   j. *Trouxe/ levei*
   k. *Trouxe*

4.

```
        S
M E I A - C A L Ç A
        N
        D
        Á
        L
        I
    C   A
  J E A N S
    M
    I
  V E S T I D O
    E
  B O T A S       S
  E     A   A     H
  R       C I N T O
  M         A     R
  U               T
  D
  A
```

5.

ACESSÓRIOS	ROUPAS	CALÇADOS
pulseira . chapéu . lenço . meias . bolsa . anel . prendedor de cabelo . colar . relógio de pulso . óculos . brincos	camisa . jaqueta . short . saia . bermuda . suéter . jeans . vestido	chinelo . sandália. scarpin . tênis . botas . sapatilhas

6. a. *Resposta pessoal.*
   b. *Resposta pessoal.*
   c. *Resposta pessoal.*
   d. *Resposta pessoal.*
   e. *Resposta pessoal.*

7. a. *14 graus*
   b. *22 graus*
   c. *Parcialmente nublado*
   d. *Sim, mas apenas 10%*
   e. *Às 7h30 da manhã*
   f. *Às 18h26*
   g. *21 graus*

8. a. *leves*
   b. *quentes*
   c. *confortáveis*
   d. *à vista . desconto*
   e. *cartão de crédito*
   f. *vitrines . estilo*

9. a. *otimismo . otimista*
   b. *pessimismo . pessimista*
   c. *jornalismo . jornalista*
   d. *marxismo . marxista*
   e. *comunismo . comunista*
   f. *racismo . racista*
   g. *machismo . machista*
   h. *purismo . purista*

10. a. *(3)*
    b. *(1)*
    c. *(1)*
    d. *(3)*
    e. *(2)*
    f. *(2)*
    g. *(1)*
    h. *(1)*
    i. *(1/3)*
    j. *(1)*
    k. *(3)*
    l. *(2)*
    m. *(1)*
    n. *(2)*
    o. *(1)*
    p. *(3)*

11. a. *H*
    b. *C*
    c. *D*
    d. *C*
    e. *H*
    f. *D*

12. a. *Resposta pessoal.*
    b. *Resposta pessoal.*
    c. *Resposta pessoal.*
    d. *Resposta pessoal.*

13. a. *Eu faria uma tatuagem nas costas. (Exemplo)*
    b. *Eu comeria uma comida doce/ salgada. (Exemplo)*
    c. *Eu diria a verdade/ a mentira. (Exemplo)*
    d. *Eu levaria meu celular para uma viagem. (Exemplo)*

14. a. *Doar*
    b. *Jogar fora*
    c. *Pendurar*
    d. *Jogar fora*
    e. *Doar*
    f. *Pendurar*

▶ UNIDADE 9

1. a. *Eles põem.*
   b. *Nós pomos.*
   c. *Eles põem.*

d. *Eu ponho...*
e. *Eu ponho meus livros...*
f. *Resposta pessoal.*
g. *Resposta pessoal.*

2. a. *Troque*
   b. *Eduque*
   c. *Alerte*
   d. *Evite*
   e. *Separe*
   f. *Reduza*
   g. *Recolha*
   h. *Ponha*

3. *1 reciclagem . 2 reutilizar . 3 outra .*
   4 diminuir . 5 proteger . 6 todos . 7 lixo .
   8 reduzir . 9 reutilizar . 10 reutilizar .
   11 economizar . 12 repensar

4. a. *cada*
   b. *outros*
   c. *algo*
   d. *qualquer*
   e. *outra*
   f. *cada*

5. a. *Maria acrescentou tempero na comida.*
   b. *Joaquim enfiou a chave na porta.*
   c. *Mário Lúcio escreveu toda a matéria no quadro.*
   d. *Nós fixamos o quadro na parede.*
   e. *Eles colocaram o lixo na rua.*
   f. *Andrea vestiu a blusa de frio.*

6. a. *Existem muitas casas coloniais no centro da cidade de Ouro Preto.*
   b. *Muitas pessoas acreditam que não existe solução para o problema do lixo radioativo.*
   c. *Passam muitas novelas brasileiras nas TVs estrangeiras.*
   d. *Está acontecendo uma manifestação no centro da cidade contra o aumento das tarifas de ônibus.*
   e. *Não existem muitas usinas de reciclagem no interior do Brasil.*
   f. *Aconteceu uma queimada no Cerrado da região Centro-Oeste.*
   g. *Existem muitas áreas de proteção ambiental no Brasil.*

7. a. *mais de*
   b. *no mínimo*
   c. *cerca de*
   d. *além de*
   e. *no máximo*

8. a. *Norte*
   b. *Pantanal*
   c. *Pampas . Sul*
   d. *Mata Atlântica . Sudeste*
   e. *Caatinga . Nordeste*
   f. *Cerrado*

9. a. *Reduzam o consumo de água.*
   b. *Não consumam excessivamente.*
   c. *Faça a separação do lixo.*
   d. *Evite o desperdício.*
   e. *Reutilizem as embalagens.*
   f. *Protejam o meio ambiente.*

10. a. *Reutilizar*
    b. *Recusar*
    c. *Reciclar*
    d. *Reduzir*
    e. *Repensar*

11. *Sugestão de resposta:*
    a. *Não, ninguém./ Sim, algumas pessoas.*
    b. *Não, nenhuma./ Sim, algumas.*
    c. *Sim, todas.*
    d. *Não, só algumas./ Não, poucas.*
    e. *Sim, todos./ Não, alguns.*
    f. *Não, somente algumas.*

12. a. *1. ninguém 2. alguém 3. ninguém/ alguém*
       4. alguém
    b. *1. poucos 2. muitos 3. poucas 4. muito 5. poucas*
       6. muitos
    c. *1. todos 2. tudo 3. todos 4. toda 5. tudo 6. todas*
       7. todo 8. tudo
    d. *1. algum 2. nenhum 3. nenhuma 4. algumas*
       5. nenhuma
    e. *1. nada 2. tudo 3. nada 4. tudo 5. nada*

13. *Sugestão de resposta:*
    A malha PET é uma alternativa incrível para a preservação ambiental. Para produzir a malha, você precisa de apenas duas garrafas!
    A quantidade de água e energia gasta na produção é menor do que produzir uma malha comum.
    Isso ajuda a reciclar e reduzir a emissão de CO_2.
    Compre a malha PET!
    Não há diferença de qualidade!
    Ajude o meio ambiente!
    Slogan: "Por um mundo mais sustentável".

ANEXO 6 MAPA POLÍTICO

Nome oficial	República Federativa do Brasil
Área	8.515.767,049 km²
População	208.494.900 habitantes
Regiões	Norte, Nordeste, Sudeste, Centro-Oeste, Sul
Clima	Equatorial, semiárido, subtropical, temperado e tropical
Línguas faladas	Aproximadamente 180
Língua Oficial	Português
Número de estados	26
Capital	Brasília
Cidade mais populosa	São Paulo
Website do Governo	www.brasil.gov.br

ANEXO 7 A LÍNGUA PORTUGUESA NO MUNDO

🇵🇹	PORTUGAL	🇧🇷	BRASIL	🇦🇴	ANGOLA
🇨🇻	CABO VERDE	🇬🇶	GUINÉ EQUATORIAL	🇲🇿	MOÇAMBIQUE
🇬🇼	GUINÉ BISSAU	🇸🇹	SÃO TOMÉ E PRÍNCIPE	🇹🇱	TIMOR LESTE

CRÉDITO DAS IMAGENS

▶ UNIDADE 0

P. 16 De cima para baixo: ©Arturdiasr/Wikimedia Commons, ©Lúcia Barreiros/Wikimedia Commons, ©Val Thoermer/Shutterstock.

P. 18 ©Lúcia Barreiros/Wikimedia Commons, ©Pixabay, ©Alicia/Wikimedia Commons, ©Domínio Público, ©Gustavo Facci/Wikimedia Commons, ©Claiton Luis Moraes/Wikimedia Commons.

P. 19 Atividade 3, da esquerda para a direita: ©Freepik, ©Freeimages, ©Photoangel/Freepik, ©Diogoppr/Shutterstock, ©Pixabay, ©Lazyllama/Shutterstock, ©Jorge Andrade/Wikimedia Commons, ©Ronaldo Almeida/Shutterstock, ©Pixabay, Rodolfolm/Wikimedia Commons. Abaixo: ©Asier_Relampagoestudio/Freepik.

P. 20 Atividade 4, da esquerda para a direita: ©StockLite/Shutterstock, ©Monkey Business Images/Shutterstock, ©Freepik. Abaixo: ©Javi_indy/Freepik.

P. 22 Da esquerda para a direita: ©Pixabay, ©Pixabay, ©Pixabay.

P. 23 De cima para baixo: ©Kzenon/Shutterstock, ©Freepik.

P. 24 De cima para baixo: ©Vinicius Tupinamba/Shutterstock, ©Lazyllama/Shutterstock.

P. 25 Da esquerda para a direita: ©Cassiohabib/Shutterstock, ©Joey Crowley/Stockvault.

P. 27 Atividade 17: ©Freepik.

P. 28 ©VideoFilmes.

▶ UNIDADE 1

P. 34 De cima para baixo: ©Pexels, ©Jacob Lund/Shutterstock, ©Vitor Lima/Pexels.

P. 36 De cima para baixo: ©StanislavBeloglazov/Shutterstock, ©Freepik, ©Pexels, ©Pexels, ©Pxhere, ©Pxhere, Luis Quintero/Unsplash. Ao lado: ©Yanalya/Freepik.

P. 37 De cima para baixo: Osaba/Freepik. Atividade 3, da esquerda para a direita: ©Pexels, ©Pxhere, ©Pxhere, ©Asier_Relampagoestudio/Freepik, ©Pexels, ©Pexels, ©Creativeart/Freepik, ©Asier Relampagoestudio/Freepik. Abaixo: Whatwolf/Freepik.

P. 38 De cima para baixo: © Eduardo Kobra/AUTVIS Brasil (à esquerda), ©Divulgação/Kobra (à direita), ©Pixabay, © Felipe Rau/Estadão Conteúdo ©Shutterstock.

P. 40 De cima para baixo: ©Freepic.diller/Freepik, ©Freepik, ©Freepik, ©Freepik, ©Freepik, ©Leo Aversa/Divulgação.

P. 41 De cima para baixo, na primeira coluna: ©Vanessa Filho/Divulgação, ©Antoine Dellenbach/Wikimedia Commons, ©Sebastião Salgado/Divulgação, ©David Shankbone/Wikimedia Commons, ©Pablo Martínez Pita/ABCcultura, ©Fronteiras do pensamento/Wikimedia Commons, ©Reprodução/Bonga Kwenda, ©Divulgação/Christian Gaul, ©Divulgação/Jabuti Filmes, ©CPFL Cultura/Wikimedia Commons.

P. 42 ©Albina Tiplyashina/Shutterstock. Ilustrações da atividade 12: ©Mirella Spinelli.

P. 43 ©Divulgação/Havaianas, ©Divulgação/Havaianas.

P. 44 Atividade 15: ©Pxhere, ©Freepik. Da esquerda para a direita: ©Pxhere, ©Pixabay, ©Katemangostar/Freepik.

P. 45 De cima para baixo: ©Michaeljung/Shutterstock, ©Freepik, ©Pxhere, ©Bearfotos/Freepik.

P. 46 De cima para baixo: ©Divulgação/Havaianas, ©Freepik, ©Pxhere.

P. 48 De cima para baixo: ©Roede/Wikimedia Commons, ©Allan Fraga/Wikimedia Commons, ©Divulgação/Globo Filmes.

P. 50 De cima para baixo: ©Freepik, ©Nensuria/Freepik, ©Senivpetro/Freepik, ©Peoplecreations/Freepik, ©Pressfoto/Freepik.

P. 53 De cima para baixo: ©Nensuria/Freepik, ©Freepik, ©Asierromero/Freepik, ©Benzoix/Freepik. Atividade 16: ©Divulgação/TV Globo, ©Divulgação/Extra Globo.

▶ UNIDADE 2

P. 54 De cima para baixo: ©Pxhere (ao topo), ©Pxhere (à esquerda), ©Pixabay (à direita).

P. 56 ©Embratur/Ministério do Turismo/Divulgação.

P. 57 Atividade 2, da esquerda para a direita: ©Pixabay, ©Pixabay, ©Pixabay.

P. 58 De cima para baixo: ©Vinicius Bacarin/Shutterstock (à esquerda), ©Thiago Santos/Shutterstock (à direita), ©Mirella Spinelli.

P. 59 Campo superior da página: ©Divulgação/Minor Hotels & Resorts. Da esquerda para a direita: ©Ukrolenochka/Shutterstock, ©andremarinst/Shutterstock, ©Pixabay. Campo inferior esquerdo da página: ©Filipe Frazão/Shutterstock.

P. 60 De cima para baixo: ©Quero Passagem (ao topo). Da esquerda para a direita: ©Divulgação/Maxi Ônibus Olinda, ©Divulgação/Pigozzoto Turismo.

P. 61 Da esquerda para a direita: ©Divulgação/ANTT, ©CaboFrioAgora/TeclandoTudo/RDVETC.

P. 62 Da esquerda para a direita: ©Flickr/Eliane Kobayakawa, ©Domínio Público.

P. 63 Ilustrações: ©Mirella Spinelli.

P. 64 Da esquerda para a direita: ©Paula Marina Castro/Wikimedia Commons (cima), ©The Photographer [CCO]/Wikimedia Commons (baixo), ©Diego Grandi/Shutterstock, ©Nensuria/Freepik (cima), ©Pixabay (baixo), ©Pixabay (cima), ©Caio do Valle/Wikimedia Commons (baixo). Campo inferior direito: ©Domínio Público.

P. 65 De cima para baixo: ©Ministério do Turismo (documento 1), ©Ministério do Turismo (documento 2).

P. 66 De cima para baixo: ©Reprodução/Guia BH, ©Davi Oliveira Garcia/Wikimedia Commons.

P. 67 De cima para baixo: ©Sailko/Wikimedia Commons (1), ©Reprodução/Mercado Central (2), ©Divulgação/Prefeitura de São Paulo (3), ©Luciano Gemaque/Pixabay (4).

P. 68 De baixo para cima: ©Pagu Pictures/Bianca Brega.

P. 70 Ilustração: ©Mirella Spinelli.

P. 71 Ilustração: ©Mirella Spinelli.

P. 73 Atividade 18, de cima para baixo: ©Mirella Spinelli (ilustrações). Atividade 19, da esquerda para a direita: ©Bearfotos/Freepik, ©Pxhere, ©Jcstudio/Freepik, ©Pxhere, ©Jcstudio/Freepik, ©Pxhere. Atividade 20, da esquerda para a direita: ©Pxhere (1), ©Pixabay (2), ©Pedro Kirilos/Agência Brasil (3), ©Heiko Behn/Pxhere (4).

▶UNIDADE 3

P. 75 De cima para baixo: ©Fábio Ericeira/Wikimedia Commons, ©View Apart/Shutterstock (à esquerda), ©Rawpixel.com/Freepik.
P. 76 Da esquerda para a direita: ©Globo/Reprodução (1), ©Jair Magri/ Divulgação (2), ©Designed by Freepik (3), ©Band/Divulgação (4), ©SBT/Divulgação (5), ©Multishow/Divulgação (6).
P. 77 ©Divulgação/Abert.org.
P. 78 De cima para baixo: ©Pixabay (1), ©Shutterstock (2), ©Maurício Mascaro/Pexels (3), ©The Nielsen Company.
P. 79 De cima para baixo: ©Freepik, ©Pexels.
P. 82 De cima para baixo: ©Pixabay (1), ©Designed by Freepik (2), ©Pixabay (3), ©Filipe Frazao/Shutterstock (4), ©Johann Moritz Rugendas.
P. 83 ©Pxhere, ©DisobeyArt/Shutterstock.
P. 84 ©Divulgação/Priscila Sabóia.
P. 85 Atividade 19, da esquerda para a direita: ©Freepik, ©Yanalya/Freepik, ©Shutterstock, ©Shutterstock, ©Teksomolika/Freepik, ©Pxhere, ©Nikitabuida/Freepik, ©natthawut ngoensanthia/Shutterstock. Abaixo: ©Katemangostar/Freepik.
P. 86 Da esquerda para a direita: ©Divulgação/Globo Filmes, ©Divulgação/Globo Filmes, ©Divulgação/Globo Filmes, ©Divulgação/Globo Filmes. Abaixo: ©Freepik.
P. 87 De cima para baixo: ©Vetores gratuitos via <https://pt.vecteezy.com>. Da esquerda para a direita: ©Richard Bartz/Wikimedia Commons, ©Pxhere, ©Dmitry Golubovic/Wikimedia Commons.
P. 88 De cima para baixo: ©Vvstudio/Freepik, ©Divulgação/Globo Filmes.
P. 92 Imagem da atividade 10: ©Pixabay.
P. 93 Imagem da atividade 13, da esquerda para a direita: ©Rawpixel.com/Freepik, ©Freepik, ©Pexels, ©Jcomp/Freepik.

▶UNIDADE 4

P. 94 ©Kelvin Martins/Wikimedia Commons, ©Pxhere, ©Denilson Macahado/CASACOR.
P. 96 Da esquerda para a direita: ©Pxhere (1), ©Rovena Rosa/Agência Brasil (2), ©Kim ChongKeat/Shutterstock (3), ©Adam Carter/Wikimedia Commons (4), ©Patrick-br/Wikimedia Commons (5), ©Pxhere (6), ©Weverton lucindo/Wikimedia Commons (7), ©Frontpage/Shutterstock (8), ©Manu Dias/SECOM Estado da Bahia (9).
P. 97 ©lazyllama/Shutterstock.
P. 98 © Divulgação/Pinterest.
P. 99 Da esquerda para a direita: ©Freepik, ©Pressfoto/Freepik, ©Pexels.Imagem da atividade 10: Divulgação/Pinterest.
P. 100 De cima para baixo: ©Alena Dubinets/Shutterstock, ©Divulgação/ZAP, ©Snowing/Freepik.
P. 101 De cima para baixo: © Divulgação/Ministério das Cidades, ©Mirella Spinelli.
P. 102 De cima para baixo: ©Reprodução/Casa Kubitschek, ©Inspired By Maps/Shutterstock.
P. 103 De cima para baixo: ©Reprodução/Casa Kubitschek, ©Xico Diniz/CASACOR, ©André Nazareth/CASACOR, ©Jomar Bragança/CASACOR.
P. 104 Da esquerda para a direita: ©Hannah Nelson/Pexels, ©Freepik.
P. 105 ©Freepik.
P. 106 De cima para baixo: ©Bearfotos/Freepik (1), ©rawpixel/Unsplash (2), ©Andrey_Popov/Shutterstock (3), ©Freepik (4), ©Welcomia/Freepik (5), ©Rawpixel.com/Freepik (6), ©Freepik (6).
P. 107 Da esquerda para a direita: ©Pxhere, ©Pxhere, ©Pxhere. Imagens da atividade 25, da esquerda para a direita: ©Divulgação/Cerâmica Stéfani, ©Divulgação/Nadir Figueiredo, ©Divulgação/Boa Terra Empório, ©Divulgação/Mercado Livre, ©Divulgação/Tabatinga Shopping, ©Wikimedia Commons, © Karlavidal/Wikimedia Commons, ©Karlavidal/Wikimedia Commons.
P. 108 De cima para baixo: ©JM Travel Photography/Shutterstock, ©Divulgação/Globo Filmes.
P. 110 Ilustração da atividade 5: ©Mirella Spinelli.
P. 111 Ilustração da atividade 7: ©Mirella Spinelli.
P. 113 Imagens da atividade 17, de cima para baixo: ©gualtiero boffi/Shutterstock, ©Pixabay, ©Phduet/Freepik.

▶UNIDADE 5

P. 115 De cima para baixo: © Coleção Titus Riedl, ©Acervo pessoal das autoras, ©Matthew Henry/Burst Some.
P. 116 Da esquerda para a direita: © Fifi Tong, ©Fifi Tong.
P. 117 De cima para baixo: ©DGLimages/Shutterstock, ©Freepik.
P. 118 Ilustração: ©Mirella Spinelli.
P. 119 De cima para baixo: ©Pixabay, ©Mirella Spinelli (ilustração), ©Monkey Business Images/Shutterstock.
P. 120 De cima para baixo: ©Pixabay, ©Divulgação/Revista Veja.
P. 121 Da esquerda para a direita: ©Alpino/Yahoo Brasil, ©Divulgação/Governo de São Paulo, ©Divulgação/Governo de São Paulo.
P. 122 ©Divulgação/IBGE.
P. 123 De cima para baixo: ©Divulgação/CNJ, ©Divulgação/Prefeitura de Santa Catarina, ©Divulgação/CNJ.
P. 124 No topo da página: ©Divulgação/Riofilme/Downtown Filmes.
P. 125 ©Iakov Filimonov/Shutterstock.
P. 126 De cima para baixo: ©Wikimedia Commons, ©Monkey Business Images/Shutterstock.
P. 127 ©Elzbieta Sekowska/Shutterstock.
P. 128 De cima para baixo: ©LaraLangle/Wikimedia Commons, ©Divulgação/Columbia Pictures/Globo Filmes.
P. 133 Ilustrações da atividade 15: ©Mirella Spinelli.

▶UNIDADE 6

P. 135 De cima para baixo: ©Pixabay (ao topo), ©diogoppr/Shutterstock (à esquerda), ©AS Food studio/Shutterstock (à direita).
P. 136 De cima para baixo: ©Ministério da Cultura/Wikimedia Commons. Da esquerda para a direita: ©rocharibeiro/

Shutterstock, ©Pixabay, ©Pxhere, ©Marcelo_Krelling/Shutterstock, ©diogoppr/Shutterstock, ©Pexels, ©Ralf Roletschek/Wikimedia Commons, ©Camila Neves Rodrigues da Silva/Wikimedia Commons, ©Topntp26/Freepik.

P. 137 De cima para baixo: ©Ministério da Cultura/Wikimedia Commons. Da esquerda para a direita: ©Leonardo Leguas Carvalho/Wikimedia Commons, ©Marcelo Träsel/Wikimedia Commons, ©Gayvoronskaya_Yana/Shutterstock, ©Tobik/Shutterstock, ©Andre Nery/Shutterstock, ©Pixabay, ©FreeImages.com/ravipropag, ©Freepik, ©Pixabay, ©Mirella Spinelli (ilustrações).

P. 139 Atividade 5, da esquerda para a direita: ©Fabio Rebelo/Shutterstock, ©Paulo Vilela/Shutterstock, ©rodrigobark/Shutterstock, ©Pxhere, ©Topntp26/Freepik, ©rodrigobark/Shutterstock, ©Gilrovina/Wikimedia Commons, ©Pixabay. De cima para baixo: ©Domínio Público, ©Juma Amazon Lodge (à esquerda), ©Freepik.

P. 137 De cima para baixo: ©Divulgação/Gaia. Da esquerda para a direita: ©Tadeu Brunelli/Divulgação, ©Roberto Seba/Divulgação, ©Reprodução/Facebook/Roberta Sudbrack. Atividade 7, da esquerda para a direita: ©Divulgação/Conrad Maldives Rangali Island, ©FreeImages.com/Bev Lloyd-Roberts, ©Pexels, ©279photo Studio/Shutterstock, ©Pixabay.

P. 140 ©Divulgação/Netflix.

P. 141 Da esquerda para a direita: ©pashyksvsv/Shutterstock, ©SpeedKingz/Shutterstock, ©BlueSkyImage/Shutterstock.

P. 143 De cima para baixo: ©Mirella Spinelli (à esquerda), ©Mariana Medvedeva/Unsplash (à direita).

P. 144 De cima para baixo: ©Shirley Phoon/Shutterstock. Atividade 17, da esquerda para a direita: ©Pixabay, ©Pxhere, ©Pixabay, ©Dashu83/Freepik, ©Pixabay, ©Pxhere.

P. 145 Ilustração: ©Mirella Spinelli. Atividade 18: ©Pxhere, ©Pixabay, ©Pixabay, ©Designed by Bearfotos/Freepik, ©CSMaster/Shutterstock, ©Pxhere, ©FreeImages.com/ Ariel da Silva Parreira, ©Designed by Senivpetro/Freepik, ©Pixabay, ©Pixabay, ©Joerg Beuge/Shutterstock, ©Pixabay.

P. 147 De cima para baixo: ©Divulgação/Comida di Buteco. Da esquerda para a direita: ©Divulgação/Aguiar Buenos Aires, ©Pixabay, ©Dado Photos/Shutterstock, ©Marcelo_Krelling/Shutterstock.

P. 148 De cima para baixo: ©Anne-Lotte/Wikimedia Commons, ©Divulgação/Savanna Filmes.

P. 151 Imagem da atividade 10: ©Freepik.

P. 152 De cima para baixo: ©Pexels, ©Freepik.

P. 153 Da esquerda para a direita: ©gustavomellossa/Shutterstock (1), ©Varaine/Wikimedia Commons (2), ©Stockafisso/Shutterstock (3), ©Pixabay (4), ©Pixabay (5), ©Designed by Dashu83/Freepik (6), ©Designed by Jcstudio/Freepik (7), ©Mayra/Wikimedia Commons (8), ©Photo by Silvia Trigo/Unsplash (9), ©FreeImages.com/PullmanBarcelona (10), ©from my point of view/Shutterstock (11), ©elingunnur/Wikimedia Commons (12), ©Pixabay (13), ©Designed by Freepik (14), ©Kent Wang/Wikimedia Commons (15), ©TheLiftCreativeServices/Shutterstock (16).

▶ UNIDADE 7

P. 154 Da esquerda para a direita: ©Pixabay, ©Pxhere, ©Jcomp/Freepik.

P. 156 Imagens da atividade 1: ©Pexels (1), ©Pxhere (2), ©Freepik (3), ©Pexels (4), ©Pxhere (5), ©Pxhere (6), ©Pxhere (7), ©Pxhere (8).

P. 157 De cima para baixo: ©Reprodução/Ministério da Saúde, ©Reprodução/Ministério da Saúde, ©Reprodução/Ministério da Saúde.

P. 158 De cima para baixo: ©Reprodução/Ministério da Saúde, ©Gustavomellossa/Shutterstock.

P. 160 De cima para baixo: ©Reprodução/SVB, ©Reprodução/SVB (à esquerda), ©Reprodução/Ministério da Saúde (à direita).

P. 161 De cima para baixo: ©Divulgação/Guarani, ©Reprodução/SVB.

P. 162 De cima para baixo: ©Bernd Schmidt/Shutterstock, ©Reprodução/Ministério da Saúde.

P. 163 ©Billion Photos/Shutterstock.

P. 164 De cima para baixo: ©Pixabay. Da esquerda para a direita: ©Yanalya/Freepik, ©Freepik, ©Katemangostar/Freepik, ©Jcomp/Freepik.

P. 165 Da esquerda para a direita: © Reprodução/Ministério da Saúde, ©Reprodução/Prefeitura de São Paulo.

P. 166 De cima para baixo: ©Kstudio/Freepik, ©Pixabay.

P. 167 De cima para baixo: ©Pixabay. Imagens da atividade 3, da esquerda para a direita: ©Jobz Fotografia/Shutterstock, ©Pxhere, ©Govindji/Shutterstock, ©Africa Studio/Shutterstock, ©Diogoppr/Shutterstock. Da esquerda para a direita: ©Divulgação/MMO, ©Ivan Bruno/Shutterstock.

P. 168 ©Divulgação/ Imagem Filmes.

P. 170 Imagens atividade 2: ©Pexels (a), ©Andrekoehn/Shutterstock (b), ©Lyashenko/Freepik (c), ©Pixabay (d).

P. 172 Ilustrações da atividade 9: ©Macrovector/Shutterstock.

▶ UNIDADE 8

P. 174 De cima para baixo: ©Reprodução/Agência Fotosite, ©Pixabay, ©Jeff Sheldon/Unsplash.

P. 176 De cima para baixo: ©Reprodução/Facebook/Discovery Home & Health Brasil (topo, à esquerda e à direita). Imagens da atividade 2, da esquerda para a direita: ©Boris Bushmin/Shutterstock, ©Senivpetro/Freepik, ©Pexels, ©Asier_relampagoestudio/Freepik, ©Senivpetro/Freepik, ©Sergeycauselove/Freepik.

P. 177 ©Freepik.

P. 178 Da esquerda para a direita: © Acervo pessoal das autoras, ©Acervo pessoal das autoras.

P. 179 Da esquerda para a direita: ©Fanya/Shutterstock, ©Gino Santa Maria/Shutterstock, ©Fanya/Shutterstock, ©Viktor Gladkov/Shutterstock, ©Minerva Studio/Shutterstock, ©Fanya/Shutterstock, ©Elnur/Shutterstock. Da esquerda para a direita: ©Divulgação/Arte Ensaio, ©Flávia Akemi/lillianpacce.com.br.

P. 180 De cima para baixo: ©Reprodução/YouTube/Balanço Geral SP, ©Reprodução/YouTube/Balanço Geral SP.

P. 182 ©Osaba/Freepik.

P. 183 De cima para baixo: ©Pixabay, ©Divulgação/SPFW.

P. 184 De cima para baixo: ©Acervo pessoal das autoras (à esquerda), ©Mirella Spinelli (à direita).

P. 185 De cima para baixo: ©Pixabay, ©CPTEC/INPE.

P. 187 De cima para baixo: ©Aleksandra Z/Shutterstock, ©seeshooteatrepeat/ Shutterstock, ©iofoto/Shutterstock.

P. 188 De cima para baixo: ©Reprodução/Portugal Fashion, ©Divulgação/H2O Filmes.
P. 190 Imagens da atividade 1, da esquerda para a direita: ©PanicAttack/Shutterstock, ©Michaeljung/Shutterstock, ©Jack Frog/Shutterstock, ©Luis Molinero/Shutterstock.
P. 191 ©Acervo pessoal das autoras.
P. 192 ©Acervo pessoal das autoras.

▶ **UNIDADE 9**

P. 194 De cima para baixo: ©Freepik, ©Rafal Cichawa/Shutterstock, ©Filipe Frazao/Shutterstock.
P. 196 De cima para baixo: ©JoãoFerreira Neto/Wikimedia Commons (a), ©Pixabay (b), ©Domínio Público (c), ©PARALAXIS/Shutterstock (d), ©think4photop/Shutterstock (e), ©Andrea Izzotti/Shutterstock (f). Imagem da atividade 2: ©Jonathan Lewis/Wikimedia Commons.
P. 197: De cima para baixo: ©Divulgação/IBGE, ©Glucone-r.
P. 198 De cima para baixo: ©Divulgação/Instituto Lixo Zero Brasil. Imagens da atividade 9: ©Freepik.
P. 200 De baixo para cima: ©Cozyta/Shutterstock.
P. 202 Da esquerda para a direita: ©Divulgação/Greenpeace.
P. 203 ©Filipe Frazao/Shutterstock.
P. 204 De baixo para cima: ©Divulgação/Almega Projects/O2 Filmes.
P. 205 ©Alessandro Neme/Secretaria de Meio Ambiente/Prefeitura da Estância Turística de Itu.
P. 206 De cima para baixo: ©Neil PalmerCIAT/Wikimedia Commons, ©Diogo Sergio, from Wikimedia Commons, ©Filipefrazao/Wikimedia Commons, ©Pixabay, ©Scheridon/Wikimedia Commons, ©Virto.Photo/Wikimedia Commons, ©Adelano Lázaro/Wikimedia Commons.
P. 207 De cima para baixo: ©Pxhere, ©Sandy Souza Fonseca/Wikimedia Commons, ©Pixabay, ©Glauco Umbelino/Wikimedia Commons, ©Shutterstock.
P. 208 De cima para baixo: ©Freepik, ©Divulgação/O2 Filmes/Globo Filmes.

▶ **ANEXOS**

P. 251 Ilustração: ©Mirella Spinelli.
P. 257 Da esquerda para a direita: ©Freepik, ©IBGE.

Este livro foi composto com tipografia DIN Pro e
impresso em papel Off-Set 90g/m² na Santa Marta.